ANTIGONE

DU MÊME AUTEUR

GÉOLOGIE, poèmes (prix Max Jacob), Gallimard, 1958.

GENGIS KHAN, théâtre, Mermod, 1960 ; Actes Sud-Papiers, 1989.

L'ESCALIER BLEU, poèmes, Gallimard, 1964.

LA DÉCHIRURE, roman, Gallimard, 1966 ; Labor, 1986.

LA PIERRE SANS CHAGRIN, poèmes, L'Aire, 1966.

LA DOGANA, poèmes, Castella, 1967.

LA MACHINATION, théâtre, L'Aire, 1969.

LE RÉGIMENT NOIR, roman (prix Frans Hellens, Prix triennal du roman), Gallimard, 1972 ; Les Eperonniers, 1987.

CÉLÉBRATION, poèmes, L'Aire, 1972.

LA CHINE INTÉRIEURE, poèmes, Seghers, 1975.

LA SOURDE OREILLE OU LE RÊVE DE FREUD, poème, L'Aire, 1981.

ESSAI SUR LA VIE DE MAO ZEDONG, Flammarion, 1982.

POÉSIE 1950-1986 (prix de la Société des Gens de Lettres, Prix triennal de la ville de Tournai), Actes Sud, 1986.

L'ÉCRITURE ET LA CIRCONSTANCE, Chaire de Poétique de l'université de Louvain-la-Neuve, 1988.

ŒDIPE SUR LA ROUTE, roman (prix Antigone, Prix triennal du roman), Actes Sud, 1990.

DIOTIME ET LES LIONS, récit, Actes Sud, 1991 ; Babel n° 279, 1997.

JOUR APRÈS JOUR, journal 1983-1989, Les Eperonniers, 1992.

L'ARBRE FOU, récits-théâtre, Les Eperonniers, 1995.

HEUREUX LES DÉLIANTS, poèmes, Labor, 1995.

ÉTÉS avec Werner Lambersy, journaux, Labor, 1997.

Illustration de couverture :
Odilon Redon, *Femme voilée* (détail), vers 1895-1899
Otterlo Rijksmuseum Kröller-Müller

HENRY BAUCHAU

ANTIGONE

roman

à Marc Quaghebeur

GÉNÉALOGIE

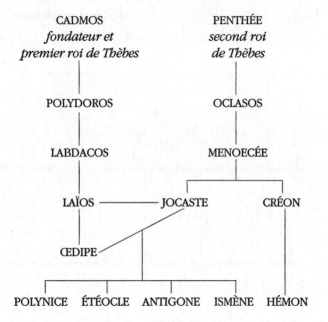

I

LE TEMPLE ROUGE

Depuis la mort d'Œdipe, mes yeux et ma pensée sont orientés vers la mer et c'est près d'elle que je me réfugie toujours. A l'ombre d'un rocher, j'écoute la rumeur du port et des hommes et les cris des oiseaux de mer. Je me souviens du jour où Jocaste m'a dit : "N'oublie jamais, Antigone, que ton père est d'abord un marin." C'est ce marin qui m'a emmenée dans son vertigineux voyage jusqu'au lieu qui me faisait si peur. Ce lieu qui, après dix ans sur la route, est devenu Athènes, où je suis seule maintenant, en deuil, sur le bord de la mer. Je contemple dans le ciel un oiseau qui a de grandes ailes, les grandes ailes d'Œdipe, de Jocaste et de Clios quand il peint. Je ne suis pas ainsi, je ne suis pas faite pour le grand ciel et les grandes pensées.

Œdipe, un jour, s'est brusquement tourné vers moi et a dit : "Tu n'as jamais été sur la mer, Antigone, et pourtant tu es un vrai marin. Sans voiles, sans gouvernail, voici des années que tu navigues, sans chavirer, dans mon aveuglement, mes vertiges, la folie de Clios et la mienne." Je retrouve en moi cet instant de bonheur sur la route invisible où nous ne cessions de nous perdre.

L'ami de Clios, Narsès, revient du port où il est allé voir si ses bateaux étaient prêts pour un prochain départ. Il s'assied à côté de moi et me dit que la fresque du temple rouge est achevée. Clios souhaite que j'aille le voir demain. Pourquoi ce temple est-il rouge ? Narsès m'explique que c'est une grotte où, depuis les temps les plus reculés, les pêcheurs et les bergers viennent implorer et honorer le dieu. Cet antre obscur a inspiré Clios, il a recouvert l'entrée d'un rouge ardent qui s'est, peu à peu, étendu au temple tout entier.

Le lendemain l'aube est très pure, aérienne, tandis que nous montons vers le temple, par un sentier tracé à peine. La grotte est cachée parmi des rochers, éblouie par le soleil, je ne découvre pas tout de suite son entrée. Soudain le rouge est là, un rouge impérieux, qui subjugue, à la manière de Clios. J'ai aussitôt plaisir à le voir, à le respirer, à sentir sa joie dans mes paumes. Je désire m'engager plus avant dans sa sonorité. Je suis dans un rouge en mouvement. Je le touche sur les parois merveilleusement polies, je marche sur lui quand il prend la forme de larges dalles. Le rouge s'enfonce dans le noir et s'y mêle sans se perdre, de son audacieuse lumière Clios a fait jaillir mille couleurs.

La grotte a la forme d'une demi-sphère qui s'allège en s'élançant légèrement vers le haut. Je suis émue par cette forme parfaite et par le jeu, le ruissellement des rouges, éclairés, assombris, transformés l'un par l'autre. Mon regard s'habitue à cette lumière mystérieuse et découvre la fresque qui me fait face.

Le dieu et le monstre s'affrontent, Python a été transpercé de plusieurs flèches et l'une d'elles est encore enfoncée dans sa chair. Il est pourtant parvenu à s'approcher de l'archer céleste, à le contraindre au corps à corps. Le combat approche à sa fin, car les deux antagonistes sont à la limite de leurs forces. Le monstre est recouvert d'un poil gris où le sang et les blessures tracent de profonds sillons. Entre ses cornes et sur son encolure flotte une longue chevelure blanche. C'est par cette crinière effrayante que le dieu l'a saisi, l'empêche de se servir de ses cornes et tente de le renverser.

Le dieu est le dieu du soleil levant, ses armes brillent, il est entouré de lumière. Le combat est sévère, mais la victoire du dieu certaine. Le monstre et les forces de l'ombre résistent encore en cédant du terrain, quand le soleil envahira tout le ciel, ils seront chassés de leur ancien repaire.

Depuis que je suis dans le ventre du rouge, dans sa pénombre maternelle, je suis sous l'action de l'extrême. Tout m'éclaire sur l'ardent sentier que Clios et Narsès ont tracé, tout sauf la fresque.

J'aime le dieu du soleil levant, ses flèches, son orgueil de garçon triomphant mais j'aime aussi le monstre à la chevelure blanche, sa lourde matière ancestrale et les épreuves de sa vieillesse. Il est la mémoire obscure et rustique de vérités que l'archer du ciel ignore encore et méconnaîtra peut-être toujours. Il est faux, il est dangereux de le vaincre pour le chasser d'ici et de vouloir dédier entièrement à la lumière son royaume souterrain. Clios a fait un admirable travail mais dans des vérités froides qui ne répondent pas à l'insondable opacité du rouge qui ne cesse de m'exalter.

Narsès me regarde, il a vu mon enthousiasme jusqu'ici et il est surpris de mon silence. Il me demande comment je trouve la fresque. Je suis atterrée de découvrir ma déception alors que j'aime tant ce que fait Clios quand il est inspiré par la danse et la générosité des couleurs.

"Il faut que je la regarde seule et plus long-temps." Narsès me comprend peut-être et me quitte.

Quand Clios a terminé son premier vase peint, il l'a apporté tout joyeux à Œdipe. Il lui a fait suivre du doigt les dessins et lui a décrit les couleurs. Œdipe a dit : "C'est beau." J'ai été très heureuse, Clios aussi. Mais comme Œdipe n'ajoutait rien, Clios a changé de visage, il a crié : "Est-ce que cela suffit ?" Œdipe n'a rien répondu et Clios a vécu plusieurs jours dans le chagrin et sans doute le désespoir, puis, peu à peu, comme s'il sortait d'une grave maladie, il s'est remis à peindre et à montrer ses vases à Œdipe. Il en a encore brisé beaucoup, mais s'il voyait Œdipe sourire et promener longuement ses mains sur le vase, il était heureux et le gardait. "C'est ainsi, a-t-il dit un jour, qu'Œdipe, sans jamais voir ce que je peignais, a fait de moi un peintre."

Ce qui manque à la fresque est pourtant présent dans le rouge émerveillé qui est un abri sûr et chaud, un repaire. Comme celui qu'Œdipe a su retrouver et d'où son chant s'est élevé. Est-ce que le dieu nouveau peut chasser l'ancien de l'enfantin repaire, lui enlever la lumière et le partage du rouge ?

Pendant que je contemple la fresque, Clios entre sans bruit. Mon silence la lui fait voir autrement. Il découvre, dans mon regard, que l'œuvre qu'il croyait achevée ne l'est pas et qu'elle exige encore de lui un immense travail.

La colère le prend, il m'interpelle :

"Qu'est-ce qui manque ?

— Ce n'est qu'un combat, Clios, il n'y a pas d'échange."

Cela semble désespérer Clios : "Un échange… un échange de quoi ?"

Je me risque : "Un échange de sang.

— Alors il faut tout détruire, tout effacer !"

Il saisit une brosse, la plonge dans la couleur. Narsès qui vient d'entrer le supplie : "Patiente !"

Trop tard, déjà Clios se rue vers la fresque pour la recouvrir. Terrifiée, j'ai dû changer de place en l'écoutant car je me trouve sur son chemin. Il tente de me repousser mais il est gêné par sa brosse : "Ne détruis pas tout. C'est là. Presque là."

Il jette sa brosse, saisit mes bras avec colère : "Presque, qu'est-ce que cela veut dire presque ?… Rien !"

Il me fait mal, sa détresse déborde sur la mienne et avive le deuil d'Œdipe, dont tous deux nous souffrons. Tandis qu'il me secoue furieusement, une question étrangement affleure : "Par où as-tu commencé, Clios ?"

Il est surpris : "Par le seuil, tout était noirci par le temps. J'ai eu besoin du rouge.

— Et ensuite ?

— Nous avons progressé de rouge en rouge, puis nous avons percé le puits de clarté et la lumière du dieu est apparue."

J'ose lui poser encore une question : "Tu as suivi tout le chemin du rouge, pourquoi l'as-tu quitté en commençant la fresque ?"

Cette question frappe Clios comme l'éclair. Sa colère tombe, il ne m'écoute plus, il se précipite sur ses pinceaux et ses couleurs. Il appelle Narsès à l'aide, il m'appelle : "Vite, reprenons le chemin du rouge, tant qu'il est en moi tout brûlant." Tout son corps aspire à l'action et veut nous entraîner, nous soumettre à son rythme.

Je voudrais réfléchir aux questions que j'ai posées et qui ont si fortement bouleversé Clios. Il ne m'en laisse pas le temps, il me met des pinceaux dans les mains, m'indique avec sa précision rapide quelles couleurs utiliser et où je dois les poser. Il veut que je commence tout de suite, pendant qu'avec Narsès il prépare de nouveaux rouges. Puis, laissant faire son compagnon, il revient à la fresque qu'il affronte dans une danse ou un combat plein de gestes d'amour. Il pose sur elle de prestes touches de couleur. Parfois il se rue sur la fresque et semble la blesser, la contraindre, d'autres fois c'est avec une infinie douceur qu'il s'approche d'elle et l'effleure à peine de son pinceau. Il nous aspire si fortement dans sa spirale de gestes et d'émotions, dans sa course et ses bonds de cerf altéré que nous oublions tout le reste.

Transformé par l'action de Clios, le dieu du soleil devient un dieu rouge, couvert du sang du monstre et du sien. Son corps admirable est ravagé lui aussi par la souffrance et la colère. Le rouge, cerné par le noir, s'étend et grandit, mais la lumière persiste et gagne le corps massif du monstre.

La nuit est tombée, Narsès allume des torches, Clios n'arrête pas la danse savante et sauvage dans laquelle il nous entraîne. Mon corps cède. Clios me soutient et me fait asseoir avec une subite douceur. Narsès et lui m'arrangent au pied du grand mur rouge aux courbes protectrices une sorte de couche où je m'endors.

Je m'éveille plusieurs fois pendant la nuit, les deux hommes peignent toujours, puis il n'y a plus que Clios. C'est sa danse, c'est la violence de son esprit, peut-être, qui créent autour de la fresque l'étrange tumulte que je perçois jusque dans les profondeurs du sommeil.

Le matin, quand je m'éveille, Narsès me dit que Clios a travaillé toute la nuit. La fresque est terminée et il est sorti se détendre. Thésée nous a envoyé un repas magnifique. Clios viendra le partager avec nous et nous montrer la fresque qu'il a voilée d'une toile.

Il surgit sans aucun bruit, les cheveux en désordre, son beau visage secret marqué par la fatigue. Nous sommes épuisés, affamés tous les trois, le repas est presque silencieux, mais nous partageons l'allégresse d'avoir fini la tâche. Je m'étonne de voir que le puits de clarté diffuse moins de lumière qu'hier.

"Je l'ai partiellement masqué, dit Narsès, Clios pense que ce n'est plus un puits mais une blessure de lumière.

— Est-ce que le sanctuaire ne sera pas trop sombre ?

— Il y a maintenant une autre lumière", dit Clios.

Je lui demande de dévoiler la fresque : "Retournez sur le seuil, et avancez lentement comme des suppliants."

Au sortir du souterrain la fresque fondue dans la totalité du rouge ne se discerne plus que par les rayons sourds qu'elle émet. Elle n'est plus éclairée comme hier par le puits de clarté, elle darde au contraire ses couleurs vers cette blessure du ciel que Clios a voulue. Lorsque nos yeux se sont habitués à la pénombre mouvante et au flamboiement des rouges dans la grotte, les formes et les gestes des combattants nous apparaissent avec une force croissante.

15

Les adversaires sont tous les deux couverts de sang, le pelage du monstre n'est plus gris mais bleu, coupé de taches sanglantes qui s'éclaircissent là où son corps est proche de celui du dieu. Le corps triomphant du dieu s'est assombri au contraire et les formes des deux combattants semblent moins s'opposer que s'étreindre et mutuellement se soutenir.

Clios dévoile le bas de la fresque. Un feu s'élève maintenant du sol et sépare, jusqu'à la taille, les deux combattants. Né de leur combat, il assigne des limites à leur conflit. Ses flammes sont la seule partie de la fresque que ne dominent pas le sang ou les muscles noirs de la lutte. Le feu est l'exultation du jaune et l'allégresse du blanc, tout en joie sa lumière éclaire, réchauffe et fait face à ce qui manque dans la blessure du ciel.

La force et la jeunesse du nouveau l'emportent, le soleil levant a fait reculer le monstre et ouvert un nouvel espace de lumière. Il ne l'a pas chassé ni vaincu, il ne pourrait plus le faire sans se brûler et Python ne peut plus espérer de revanche. Le feu guerrier les a brûlés, il les a aussi transformés. C'est ensemble, ici et à Delphes, qu'ils devront habiter et, unique et multiple, laisser retentir la parole.

Nous contemplons longtemps cette nouvelle et mystérieuse naissance de deux et d'un seul nouveau dieu, puis Clios demande à Narsès d'aller prévenir Thésée que la fresque est achevée. En l'attendant j'aide Clios à pratiquer quelques retouches, il s'arrête soudain :

"En retournant à Thèbes tu vas suivre, toi aussi, tout le chemin du rouge. Tu seras en grand danger, au centre de la guerre entre tes frères. Est-ce nécessaire, Antigone ?"

Je pose encore deux touches aux endroits qu'il m'a indiqués. Je me redresse : "Je suis toujours sur la route, Clios."

Il ne se fâche pas, il prend ma main avec une douceur toute nouvelle chez lui et qui vient sans doute d'Io, son épouse.

"Crois-tu qu'Œdipe aurait approuvé ta décision ?

— Certainement pas."

Clios voit déjà le refus qui est au terme de notre entretien, pourtant il insiste :

"Pourquoi, Antigone, pourquoi ?"

Je me durcis de plus en plus et en même temps je pleure :

"Pourquoi ? Parce que je ne suis pas Œdipe, je suis moi."

Ma voix se casse sur ce mot que je déteste, il comprend qu'il n'y a plus rien à ajouter et qu'il doit m'accepter comme je suis. Il me fait asseoir à côté de lui sous la profondeur, l'immensité du rouge. Nous sommes tristes tous les deux, merveilleusement tristes, nous nous enfonçons dans les rivières et le grand fleuve du rouge. Nous brûlons notre chagrin et notre espoir dans la flamme du combat, dans celle du partage, qui vont éclairer les yeux et les cœurs tant que survivra l'amour des couleurs. Clios est épuisé, il s'endort à côté de moi. En face de la fresque, l'ouverture, la blessure du ciel, calculée avec tant de soin et de mesure par lui, veille sur l'abondance du rouge, l'équilibre des noirs et la rigueur de l'espérance.

Clios dort toujours lorsque le roi entre dans le sanctuaire avec Narsès. Thésée est surpris de l'importance du travail fourni par Clios en si peu de temps et ne veut pas qu'on l'éveille. Ses yeux accoutumés à la pénombre lumineuse du temple, Thésée tourne et retourne autour de la fresque, et la contemple sous tous les angles. Finalement, il va s'asseoir en face d'elle et, fermant les yeux, se recueille.

Clios s'éveille, avec de brefs gémissements, comme si la certitude qu'il ressentait ce matin d'avoir fait une œuvre accomplie l'avait abandonné.

Le roi nous dit : "La fresque que j'ai vue à ses débuts était plus triomphante, peut-être plus belle que celle-ci. Peu importe, le triomphe est bref et la beauté n'est qu'un passage. Avec tes compagnons, Clios, tu es allé plus loin et tu as exprimé l'espérance d'Athènes."

Il contemple encore la fresque et soudain :

"Que veut nous dire ce bleu, que tu as fait apparaître sur le pelage du monstre ?"

Jamais Clios n'a commenté un de ses tableaux, il répond : "Je l'ignore, la fresque avait besoin de bleu, je l'ai mis où il manquait."

Thésée se tourne vers moi :

"Et toi, Antigone, que ressens-tu devant ce bleu ?"

Je suis surprise, je balbutie : "Le bleu… le bleu du monstre, c'est la mer."

Thésée approuve : "C'est la mer… la vigueur d'Athènes que le dieu devra contenir par l'étendue de son regard."

Thésée remercie encore Clios et Narsès de leur travail et me demande de l'accompagner. En arrivant près du seuil il me dit que de grands périls m'attendent à Thèbes. Il faut une prêtresse au temple rouge, une prêtresse inspirée et je suis celle dont il a besoin. Si j'accepte son offre, je contribuerai à l'avenir d'Athènes, mais aussi à la mémoire et à la gloire d'Œdipe.

Il me dit cela avec tant de force et de bonté que mes lèvres ne peuvent proférer un refus.

Je ne puis, avec tristesse, que lui dire non de la tête. Thésée est un homme de génie, un roi qui exige beaucoup de lui-même et de tous, un profond politique. Il n'est pas habitué aux refus, je crains de provoquer sa colère, c'est méconnaître sa grandeur. Nos yeux se croisent et je lis dans les siens une sorte d'approbation. Il franchit le seuil, redresse sa haute taille dans le vent qui vient de la mer. Il me regarde encore un instant en silence et, d'un geste royal, me bénit.

II

LA FORÊT

Comme le voulait Œdipe, c'est sans rien que nous sommes arrivés à Athènes, malgré les offres de Thésée j'ai voulu en repartir de même et continuer jusqu'à Thèbes notre voyage de suppliants. Clios m'accompagne, il n'emporte lui aussi que son javelot, son couteau et un petit sac dont il ne me dit pas le contenu.

Le voyage est lent comme nous le souhaitons tous les deux. Longues étapes sinueuses, souvent solitaires, car Clios désire comme moi l'isolement et choisit les chemins les plus écartés. Vers le soir il s'arrange pour arriver à une maison basse, au toit de pierres plates où le nom d'Antigone nous assure l'accueil et souvent l'amitié.

Le bonheur d'être à nouveau ensemble sur la route se mêle au deuil et nous sentons peser en nous l'absence d'Œdipe. Je suis Clios sans jamais l'interroger sur la direction qu'il prend, si le chemin est assez large, ce qui est rare, je me place à côté de lui. Alors il prend ma main et je suis heureuse qu'il la sente confiante et détendue dans la sienne mais après un moment il vaut mieux que je la retire. Clios sait que, pas plus que lui, je n'entends interrompre le long chemin que nous devons faire l'un vers l'autre pour apprendre à nous séparer de nouveau.

Œdipe nous manque, sa haute silhouette, son bâton fier ou sondant la voie, ses chants qui faisaient vivre le passé ou suscitaient l'espoir. Parfois nous souffrons tant de sentir encore en nous sa pensée méditative ou ses silences que Clios ralentit le pas. Alors je le devance afin que mon ombre au moins le protège. Je croyais qu'il ne s'en apercevait pas, il me dit un soir en riant : "L'ombre d'Antigone est encore plus précieuse que sa lumière."

Nous marchons ainsi pendant de longs jours et, malgré le deuil persistant, une sorte de bonheur s'établit entre nous. Le matin vient pourtant où je dois lui dire : "C'est toi qui nous guides, Clios, je ne sais pas où nous sommes, n'oublie pas que je vais à Thèbes."

Il ne répond pas et se met en marche, j'insiste : "C'est ma route, tu le sais."

Il se met en colère : "C'est une route de sang et de malheur."

Il s'arrête mais je continue à marcher, il me rattrape :

"Ce soir nous ne serons pas très loin de Thèbes. Demain, je te mettrai sur la route et nous nous quitterons. Je ne veux pas partager ta folie, je ne t'accompagnerai pas jusqu'à Thèbes."

Toute la journée, le poids de ces paroles pèse sur nous et nous sommes incapables de nous parler. A la fin de l'après-midi nous pénétrons dans une forêt, après la longue route au soleil, règne là une fraîcheur délicieuse, les feuilles remuent faiblement sur les arbres et on entend un bruit d'eau vive. La douceur de l'heure nous pénètre, les griefs s'apaisent et je puis me risquer à prendre la main de Clios dans la mienne sans qu'il s'y refuse. Quand nous arrivons au bord d'un ruisseau des souvenirs bienheureux se raniment et Clios propose, à mon vif plaisir, de nous arrêter là pour boire. Je m'agenouille sur la rive, j'effleure l'eau de mes lèvres et me redresse pour, dans mes mains, en offrir à Clios. En faisant cela je vois le reflet de Clios dans l'eau, comme je l'ai vu à notre première rencontre. Nos deux visages un instant ne font plus qu'un, cela me trouble et je m'écarte pour ne plus voir que le sien.

Sous ses cheveux noirs et bouclés, Clios a toujours sa beauté rebelle et son air de liberté sauvage. C'est son sourire qui a changé, le pli amer et cruel s'est adouci, il n'est plus le garçon forcené auquel la mort de ses parents et les dures guerres de clan avaient fait croire qu'il n'y a rien à perdre, rien à espérer. On voit que s'il est encore dans la colère – et il y sera peut-être toujours – il est aussi dans l'amour et qu'après avoir quitté Œdipe il a continué seul son chemin dans les patiences et les éclaircies de la peinture. Je vois aussi qu'il est maintenant l'homme d'une femme, le père de petits enfants et le chef d'un clan solide et menacé. Je pense : Comme Œdipe et Io l'ont changé. Je puise à nouveau de l'eau et la lui offre dans mes mains. Il la boit, il m'en redemande plusieurs fois et je voudrais bien n'être pour lui qu'une grande coupe manuelle toujours prête à apaiser sa soif. J'ose le lui avouer, il me dit en embrassant mes paumes : "C'est ce que tu as été pour moi, c'est grâce à toi que je suis sorti du crime."

Je voudrais le croire mais je n'y parviens pas tout à fait.

Clios part remplir l'outre qu'une paysanne nous a donnée et j'en profite pour me regarder dans l'eau, je ne suis plus la longue princesse maigrelette, ignorant tout de la vie, que Clios a voulue et frappée, il y a dix ans. Je découvre dans mon reflet une ombre de tristesse, une secrète usure qui n'apparaît pas dans mes traits mais qui, presque invisible, est déjà inscrite dans mon regard. Il y a trop de choses que j'ai vécues trop tôt et un renouvellement de l'être que je n'ai pas connu. Ce qui me manque c'est l'aspiration à vivre, l'exigeante adoration du petit enfant que je n'ai pas eu, c'est l'amour que je n'ai pu lui donner et qui déborde en moi inutilement. Je m'effraie de cette image de moi-même que j'ignorais et qui me signifie une perte immense, peut-être un égarement.

Alors que tout se brouille dans mon regard et que je me sens au bord des larmes la main de Clios se pose sur mon épaule et m'invite à me relever. Il est en face de moi, il me sourit sans ses défenses d'autrefois. Il me laisse voir qu'il me trouve belle et m'aime telle que je suis. Je reprends confiance, la joie surgit en moi, sans effacer ce manque que Clios heureusement ne voit pas. Il me prend la main et nous remontons lentement le cours du ruisseau qui parfois s'ébroue ou se répand en cascatelles, déjouant l'obstacle des pierres. Nous parvenons ainsi à l'endroit où Clios, il y a dix ans, a construit un petit barrage au sommet duquel nous découvrons un bouquet fraîchement cueilli, composé de fleurs et de fougères.

"Tu vois, me dit Clios, ce lieu est devenu sacré, les chasseurs et les bûcherons y reconnaissent la présence de leurs dieux et de leurs déesses et ils y déposent leurs offrandes.

Je vais aller chercher du bois pour le feu, pendant ce temps baigne-toi et mets la robe blanche qu'Ismène m'a donnée pour toi. Regarde, c'est elle que je portais dans ce sac qui t'intrigue.

Soyons heureux, c'est notre dernier soir, demain tu partiras pour Thèbes comme tu le veux."

Une violence soudaine surgit en moi : "Ce n'est pas moi qui le veux…"

Il ne proteste pas, il fait signe que cela le dépasse. Mais moi, est-ce que ça ne me dépasse pas ?

Clios a changé, il a l'air de comprendre, il ne laisse pas le silence nous séparer. Il me sourit et c'est une parole dans laquelle je puis le suivre.

Pendant que Clios assemble un fagot, je me baigne et l'eau rapide, amoureuse, attiédie par le soleil sinue autour de moi. La robe d'Ismène me paraît trop blanche pour ma peau hâlée par la route. Je me fais une ceinture de lierre où je pique quelques-unes des fleurs naïves qu'on trouve ici.

Clios revient, un fagot sur la tête et avec ce naturel qui ne le quitte jamais, il se baigne à grand bruit après moi. En allumant le feu je regarde avec bonheur ce corps allègre qui sera de nouveau, demain, un corps séparé, avant de devenir un jour, chose impensable aujourd'hui, un squelette.

Clios sort de l'eau, se sèche en bondissant et vient s'asseoir près de moi. Il est fier de me voir dans ma robe blanche, il n'oublie pas d'admirer la ceinture de lierre et de fleurs. Je lui en donne une qu'il porte à ses lèvres, il est content de la fraîcheur de l'eau, de la bonne odeur des galettes que je fais cuire. J'admire cette capacité toute nouvelle qu'il a de vivre dans le présent sans se fatiguer comme naguère dans la haine ou le mépris.

Moi aussi je me délie, je m'ouvre à ce bonheur modeste mais qui ne cesse pas de croître tandis que l'eau de ce soir transparent franchit sans fin le barrage avec un léger bruit d'enfant qui joue.

Nous mangeons de grand appétit et j'entends que Clios est aussi ouvert et confiant que moi quand il me demande : "Est-ce que tu penses parfois à Io ?

— Chaque jour, je ne puis penser à toi, sans penser à elle. Narsès m'a dit qu'elle a été la première à t'envoyer à notre secours lorsque Œdipe a voulu se rendre à Athènes."

Clios demeure un moment silencieux puis, comme au terme d'une longue réflexion, il dit : "Io, c'est la vie.

— Est-ce que tu penses que je suis du côté de la mort ?

— Non, Antigone mais tu veux porter un fardeau mortel : celui de ta redoutable famille. Pour Io, rien de pareil. Dans le danger elle nous défendrait comme une biche défend ses faons. Sans cela, la vie est simple et légère auprès d'elle.

— Est-ce que vous dansez ensemble, Clios ?

— Non, Io chante, elle est la descendante du clan de la musique.

— Elle chante comme Œdipe ?

— Non, elle chante comme Alcyon, presque sans paroles."

Je ne puis retenir une question :

"Si tu restais avec moi, que ferait Io ?"

La réponse est sans hésitation : "Elle prendrait un autre homme.

— Un autre homme, vraiment ?

— Io m'aime mais il y a les enfants, le clan, le troupeau. Elle sait qu'il lui faudrait un autre homme."

Je suis stupéfaite, je demande : "Io sait lequel ?

— Oui, je le connais, c'est le meilleur homme du clan.

— Io te l'a dit ?

— Elle me dit ce qu'il faut que je sache, rien de plus."

A ce moment la lune apparaît au-dessus des arbres, elle se reflète dans l'eau assombrie du ruisseau et pénètre, avec sa lumière songeuse, dans notre dialogue. Clios se tait et m'interroge du regard, je pense à Œdipe et à notre nuit d'illumination avant d'arriver à Colone. Ce n'est pas cela qu'espère maintenant Clios qui me dit :

"Quand Œdipe n'avait plus besoin de nous, Antigone, et que la route n'avait pas été trop fatigante, nous dansions le soir. Nous étions un peu malheureux alors, un peu heureux aussi, cela nous a bien manqué quand nous nous sommes séparés. Accordons-nous ce dernier soir d'être seulement heureux."

Je me lève toute joyeuse, j'étais heureuse et je veux, comme lui, l'être plus. Je le suis, dès que la danse s'empare de nous, je ne pense plus rien, je ne désire rien, rien que suivre, sur la route illimitée, les mouvements de Clios. Ils me dictent avec jubilation tout ce que mon corps et mon poids peuvent accomplir dans l'allégresse. La lune, les étoiles, les arbres dansent autour de nous dans le deuil immatériel et souverainement présent d'Œdipe. Grave, les lèvres presque closes, Clios sourit et je suis suspendue tout entière à ce sourire qui n'est peut-être que le reflet du mien. Est-ce que je danse vraiment, est-ce que j'existe encore ? Est-ce que bonheur et malheur peuvent exister en dehors de la danse ? Il n'y a plus autour de moi que Clios qui brille ou disparaît dans l'eau obéissante de l'amour. Clios qui est le soleil que rien ne pourra m'enlever et dont, comme Io – j'en fais serment en cet instant –, je ne serai jamais, jamais, l'adoratrice idolâtre.

La journée a été longue, je ne puis plus arrêter ni contrôler ma danse mais qu'importe si je tombe. Clios me saisit au bord de la chute, me soutient, m'aide à m'étendre sur le lit de branchages qu'il a pris soin de préparer pour moi.

La lumière faiblit, l'illimité se désagrège et la nuit, très étrangement, devient la nuit. Clios entreprend seul, pour moi, une danse sombre où je découvre la route abrupte, absurde peut-être, que j'ai suivie et les épreuves qui m'attendent. L'Antigone de Clios est célébrée – autant qu'elle peut l'être et dangereusement au-delà – pour être soudainement broyée par le noir. Ce noir ardent, qui me nie, ne cesse pas de grandir et de me consumer.

Survient qu'il n'y a plus de place en ce lieu que pour le plus extrême. Le noir n'y suffit pas, Clios non plus. Il est frappé de plein fouet par le manque, saisi, figé, paralysé avec son dard brûlant tendu vers moi. Les yeux aveugles, la bouche tordue, il perd conscience et s'engloutit en lui-même.

Je voudrais avoir la voix d'Io pour lancer le chant, le son du blanc ultime dont l'esprit fracturé de Clios a besoin. Que je voudrais avoir comme elle un corps libre d'aimer pour que Clios puisse se redécouvrir en moi. Tout me fait défaut à la fois et dans mon désespoir je me lève et pousse le pauvre cri de la mendiante. Il sort de sa caverne de déréliction, hésite, devient immense. Il s'élance dans la joie souveraine, celle que j'ignore et que pourtant je reconnais. Il passe au-dessus de nos têtes avec un grand bruit d'ailes et disparaît dans un vol d'oiseaux de mer.

J'ai crié comme une femme, je suis heureuse, Clios retrouve le sol. Il essuie ses lèvres couvertes d'écume, va plonger son visage dans le ruisseau et revient vers moi, superbe et ruisselant. Il ne se souvient que de notre danse de bonheur, il a oublié l'autre, mon cri s'est inscrit en lui bien plus profond que la mémoire.

Il s'approche et me dit tendrement : "Tu es bien fatiguée, Antigone, tu devrais déjà dormir."

Il m'aide à m'étendre, il me couvre de son manteau et disparaît sans aucun bruit, comme il fait.

III

ANTIGONE NE SE RETOURNE PAS

Le lendemain Clios est sombre et fermé quand il me ramène au lieu de son combat, il y a dix ans, avec Œdipe. A quatorze ans, j'ai cru le vivre dans un espace farouche dominé par des arbres immenses. Il est toujours ainsi dans ma mémoire et je suis stupéfaite de m'apercevoir qu'il s'est déroulé dans une mince clairière, entourée d'arbres clairsemés et de médiocre taille.

C'est là que Clios m'a frappée, qu'il me tenait à sa merci quand, sans savoir ce que je faisais, j'ai appelé au secours mon père aveugle. Comment ai-je pu le mettre en péril, lui faire risquer la mort, avec pour seule arme son misérable bâton, face au glaive et à l'invincible rapidité de Clios ?

J'ai appelé, c'est ce qui a été, ce qui ne cesse pas dans notre histoire, de dérouler ses conséquences. Contre toute raison, toute espérance, l'objet d'amour a été terrassé par le père et c'est à un vaincu que, grâce à moi, Œdipe a accordé la vie.

Pendant que ces pensées m'assaillent, Clios me regarde en silence, comme s'il retrouvait une image de moi bien différente de ce que je suis aujourd'hui. Avec effort, il finit par dire : "C'est ici que je t'ai perdue, Antigone. C'est parce que tu l'as appelé, c'est avec la force de ton appel qu'Œdipe m'a vaincu. Tu le savais ?"

Je le savais, je ne le savais pas, c'est la blessure inexorable, nécessaire peut-être, qui nous a séparés. Comment peut-il croire qu'il m'a perdue, qu'il pourrait me perdre ? Sachant que je réponds à côté, je dis d'une voix tremblante : "C'est ici que tu as commencé une vie nouvelle, celle qui t'a conduit vers Io et la renaissance de ton clan."

Il ne bouge pas, mais sa voix chargée de colère m'assaille de toutes parts : "Je ne voulais pas d'une vie nouvelle. Pour échapper au feu j'avais tué Alcyon, mon ami, ma vie dès lors comptait pour rien, comme le reste. Je n'attendais rien que la haine de tous et, pour finir, une grande battue où je serais cerné et tué comme une bête sauvage.

C'est alors que je t'ai vue sur la route, vaillante et terrorisée, derrière Œdipe délirant. Je t'ai observée tout un jour, j'ai veillé sur toi toute une nuit. Après cela je te connaissais, Antigone, et je t'ai voulue à moi tout entière, pour que seuls contre tous nous combattions ensemble, le jour de la fin. A quatorze ans tu n'étais pas belle, mais j'en avais assez des femmes belles, assez de les prendre et de les tuer. Je t'aimais toi, la longue, la maigrichonne avec tes petits seins sur le seuil. Oui, à ce moment tu aurais pu être mon Antigone. C'est ce que tu espérais aussi, puisque tu ne m'as pas frappé avec ton poignard, quand tu le pouvais. Et dans la lutte, tu as dû entendre quelqu'un qui te disait tout bas : «Arrêtons. Partons ensemble.»"

Je crie de douleur : "Je t'ai entendu, c'est vrai, mais seulement avec mes oreilles. Mon esprit, mon cœur étaient obscurcis par le combat, par la peur que tu me tues. Et Œdipe alors, tout seul, qu'est-ce qu'il serait devenu ?

— Ce jour-là, Antigone, tu m'as préféré Œdipe pour toujours !

— Non, Clios, je n'étais pas, je ne suis pas celle qui préfère. Je vous aimais tous les deux. J'étais, je n'ai jamais cessé d'être ton Antigone, et tu le sais !"

Il est dur de l'entendre dire : "Tu n'as pas été, tu ne seras plus jamais l'Antigone que je voulais."

Ne pas pleurer, ne pas me taire : "Je n'ai pas été l'Antigone que tu voulais violer, pour nous assassiner ensuite Œdipe et moi."

Et lui Clios, qu'on dirait absent, plongé dans une méditation douloureuse : "C'était le risque, celui d'être mené par le dieu plus loin que je ne voulais. Comme c'était arrivé quand, pour survivre au feu, il m'avait précipité sur Alcyon. Mais il fallait courir ce risque pour connaître l'amour incandescent qui nous était promis."

Ces paroles traversent ma chair, atteignent en moi la blessure, l'effroi d'avoir été incapable de tout donner à Clios. Moi, si marquée, presque détruite par le crime qui venait de fondre sur mes parents je n'ai pu le suivre dans la voie de sang et de meurtre qu'il croyait la sienne. Ce don qu'il attendait, ce bond aveugle dans le crime que sa folie espérait de moi, il est vrai je n'ai pu le faire.

Io n'a pas entendu la demande farouche de Clios, l'assassin : Avec moi, seuls contre tous. Quand elle a connu Clios il s'était libéré de sa folie meurtrière, elle n'a pas dû entendre cet appel insensé, elle n'a pas dû le refuser.

Je suis tombée, moi aussi, dans une sombre rêverie, dans les labyrinthes les plus obscurs de la mémoire. Je sens que Clios me regarde mais j'ai fermé les yeux. Le silence entre nous s'est peut-être adouci, je m'entends dire : "Je ne pouvais pas, Clios, être toute à toi dans ta vie d'alors. Je n'étais pas, je ne voulais pas être contre tous. Je ne pouvais pas abandonner Œdipe. J'étais moi, j'en avais… je dois avoir la force de penser que j'en avais le droit."

J'entends ces mots tomber et rouler entre nous avec un fracas énorme. Est-ce qu'ils vont tout briser ?

Il y a un silence que Clios finit par rompre : "Tu en avais le droit, mais c'est à cause de lui que nous n'avons pu vivre l'amour démesuré. Cet amour que tu ne connaissais encore que par mes coups, mon désir de meurtre et mon regard auquel tu ne pouvais refuser le tien. J'étais fou alors, après la mort d'Alcyon. Si j'ai pu lui survivre c'est que, par ses chants, il m'avait laissé espérer ton existence. Dans mon vagabondage furieux à travers la Grèce, c'est toi que je cherchais."

Il y a un nouveau silence où nous revivons ce que notre passé commun a eu d'incomparable et de mutilé. Clios se rapproche de moi et quand il pose doucement sa main sur mon épaule, je me détends et reviens avec lui dans le présent. Il me fait asseoir, près de lui, sur le tronc d'un arbre, le silence d'abord nous suffit, puis il dit : "Tu n'es plus, je le sais, l'Antigone qui aurait pu se perdre dans le crime avec moi. Et moi, je suis celui que tu as changé, qui a été ramené pas à pas vers la vie. Une vie heureuse mais où, comme Io le sait, une part de moi-même se sent prisonnière. Sur la route, tu es devenue l'Antigone de Clios et d'Œdipe, sortant du crime. Maintenant tu es, malgré toi, l'Antigone de toute la Grèce, je dois te partager avec tous, mais c'est contre mon gré, il faut enfin que je te le dise. Que je te demande pourquoi tu as préféré en moi l'être plus ou moins civilisé, le compagnon d'Œdipe, le peintre, à l'être sans limites, au grand fauve qui hurle et se débat toujours en moi ?"

Cette question émeut chez moi une part sauvage toute pareille à celle qui refuse de mourir en lui et que, moi aussi, je veux garder vivante :

"Je n'ai rien préféré, rien choisi en toi, Clios, je t'ai aimé tout entier, tel que tu es. Mais partir avec toi, vivre l'amour démesuré dont tu parles, c'eût été abandonner Œdipe. Faire comme s'il n'existait pas, comme Laïos quand il a voulu le faire assassiner à cause de l'oracle. Faire comme Thèbes et Créon quand ils l'ont chassé de la cité, comme mes frères quand ils ne se sont pas révoltés contre cette infamie. A cet abandon, je n'ai jamais consenti. Vous étiez deux criminels rejetés par tous, j'étais jeune, ignorante, abêtie par la vie au palais mais ça au moins je le savais : les criminels, eux aussi, ont droit à l'amour. Je vous ai donné le mien comme je pouvais. Si je t'avais tout donné, Clios, Œdipe n'aurait plus eu droit à rien, ce qui aurait été un crime pire que tous ceux que vous aviez commis."

Nous nous regardons, je vois dans ses yeux que Clios me comprend et que nous partageons en cet instant nos parts sauvages qui célèbrent la gloire impossible, inconsolée de nos refus. Bonheur et malheur, tumultueusement, se succèdent, c'est un partage total, un sommet étincelant qui nous ramène, peu à peu, dans le temps et vers la parole.

"Quand je vous ai quittés, Œdipe et toi, il fallait que je redevienne mon propre guide, aujourd'hui…

— Aujourd'hui, Clios, c'est moi qui vais te quitter et retourner seule à Thèbes.

— A cause des crimes que tes frères vont commettre ?

— Ils ne sont pas encore commis.

— Ils le seront, Antigone, et le pire, c'est que tu le sais. En retournant à Thèbes on dirait que tu obéis à un ordre.

— Il n'y a pas d'ordre, Clios, mais un amour, une compassion pour Thèbes et pour mes frères auxquels je dois obéir."

Il gronde : "Obéir, qu'est-ce que cela veut dire ? Obéir à quoi ?"

Je suis surprise qu'il ne comprenne pas ce qui est si évident, surtout dans sa montagne :

"Obéir comme une plante qui sort de terre, comme un ruisseau qui s'écoule."

Clios s'irrite : "Ce n'est pas ma vérité, Antigone, je ne suis pas, comme toi, une plante qui monte bravement vers le soleil, mais un torrent furieux comme tes frères."

Il est vrai qu'il ressemble parfois à mes frères, les souvenirs me submergent et je dis : "Quand j'étais petite et qu'Etéocle et Polynice s'étaient battus, ils venaient en pleurant vers moi. Ils étaient tristes d'avoir dû se battre, alors qu'ils s'aimaient tant. Je les serrais contre moi avec mes petits bras, j'embrassais leurs mains méchantes, je les consolais avec des mots qui ne voulaient rien dire. Ils me quittaient brusquement pour retourner jouer et, contente, je les suivais de loin ! C'est cette petite fille en moi qui m'appelle à Thèbes, une petite fille, très obscure à elle-même, Clios, ne te trompe pas sur moi. Elle m'appelle avec une voix faible mais irrésistible, c'est à elle que je dois obéir."

Clios s'attriste, il ne peut refuser ni accepter ce que je viens de dire.

"Quand tu nous as quittés, Clios, je t'avais libéré en te disant : Pars demain. Nous avons eu le bonheur de nous retrouver, aujourd'hui c'est à toi de me libérer."

Il tente de protester encore : "Ces enfants que tu consolais sont devenus des hommes puissants, des brigands costumés en rois. Des tueurs qui appellent mon Antigone, pour l'entraîner dans leur misérable désastre."

Je ne réponds pas, je sens que je dois rester ferme et totalement désarmée en face de lui.

Il soupire, il se détourne un peu et finit par dire avec peine : "Je te libère, Antigone, je te libère…"

Il y a un silence plein de chagrin et de tendresse entre nous. Clios dit : "L'aventure d'Œdipe, notre aventure à tous les trois, aura suscité cette femme qui se décide librement et qui va me quitter.

— Ce n'est pas ce que j'ai voulu, Clios, c'est seulement ce qui est."

Il accepte cette parole, je sens qu'il me voit telle que je suis et dans un mouvement de joie il me soulève, il me porte un moment dans ses bras. Il rit, et, ensemble, bravement, nous rions. Il me dépose sur le sol, je m'écrie : "Nous avons encore chacun une longue route à faire, Clios, il faut manger."

Il m'approuve, nous faisons du feu et nous nous asseyons l'un près de l'autre, pendant que le repas se prépare. C'est un moment de bonheur, j'aime tellement regarder Clios vivre et me dire : qu'il est beau ! Seul Polynice est aussi beau, mais Polynice est resté un enfant royal, tandis que Clios est devenu un homme.

Nous mangeons lentement, faisant durer chaque instant de ce dernier repas que nous prenons ensemble. Nous sentons qu'à travers les années et les épreuves nous avons construit un amour plus vaste que nous-mêmes.

Le temps s'écoule dans la profondeur du regard et du cœur apaisé mais le soleil continue d'avancer dans le ciel et il est temps de songer au départ. Je demande à Clios de faire exécuter dans sa montagne le dessin mystérieux qu'Œdipe a tracé en tournant pendant des mois en demi-cercles autour d'Athènes. "Je le ferai, j'ai des hommes pour cela et l'argent de Thésée. Je veux aussi te demander une chose, Antigone. Tu auras des ennemis secrets à Thèbes, des pièges te seront tendus. N'écoute personne sauf Ismène et mon ami K. Ismène t'en veut, c'est vrai, mais elle t'aime et dans ta famille et à la cour, tu ne peux avoir confiance qu'en elle."

Je suis surprise, j'ai remarqué les longs entretiens que Clios a eu à Athènes avec Ismène mais je ne m'attendais pas à ce qu'il me parle ainsi d'elle. "Elle te fera connaître K. C'est mon meilleur ami, je l'ai envoyé chez elle à cause de toi. C'est un grand musicien, c'est malheureusement un malade, mais aussi une tête politique qui s'arrangera pour tout savoir à Thèbes et t'aider. Si tu es en danger là-bas et tu le seras, appelle-moi ! Tu me le promets ?" Il voit que j'hésite, il insiste avec force :

"Il le faut, promets-moi !"

Je suis émue par sa demande et soudain bouleversée par les visions furieuses qui traversent mon esprit. Elles me plongent dans la détresse, je me dresse toute tremblante en face de lui en disant d'une voix que je ne contrôle plus : "Jamais, Clios, ne tente pas l'impossible. Entre Thèbes et toi, entre nous, je vois grandir les dangers et la plus affreuse des morts. Les portes de Thèbes sont fermées, les murs garnis de défenseurs qui frappent tout ce qui se présente. Dans la plaine et très loin au-delà, il y a une multitude d'assiégeants et parmi eux beaucoup de cavaliers barbares que les Thébains prennent pour des bêtes sauvages. Ces hommes terribles te tueraient, Clios, et si tu leur échappais, les Thébains te feraient mourir. Sur nos murs on dresse les têtes des chevaux morts pris aux nomades. Pour eux c'est un crime inexpiable et je vois ces cavaliers avides de vengeance porter au bout de leurs lances des têtes ensanglantées de Thébains. Entre les deux camps ne cesse de croître un épouvantable fleuve de violences et de haine. Ne cherche pas à le traverser, je le refuse, je te le défends. J'en ai le droit puisque je t'ai donné à Io, à vos enfants, à ceux dont l'existence sera agrandie par tes œuvres."

Clios, en face de moi, est très pâle, lui aussi, il crie : "Et toi, Antigone, que deviendras-tu ?"

Je tremble plus fort : "Je serai entraînée jusqu'au fond des eaux par leur abominable navire, mais, je le jure, je ferai tout pour échapper à la mort. Tout sauf abandonner Polynice et Etéocle à leurs crimes."

Clios tente en vain de protester : "Ce malheur n'est pas fatal."

Il est frappé lui-même par l'accent dérisoire de ses mots en face du trouble profond qui s'est emparé de moi, de la violence de ce que j'ai vu et de l'abattement dans lequel il me voit tomber.

Il me fait asseoir, ranime le feu, me force à me réchauffer, tandis que je m'efforce misérablement de retrouver mon calme et de sourire.

"Je ne suis pas une prophétesse, Clios, je dis seulement ce que j'ai vu. C'était bien plus affreux que les mots ne peuvent le dire. C'est toi maintenant qui dois me promettre de ne pas venir à Thèbes tant que durera la guerre."

Mon regard, mon trouble sont tels que Clios promet. Je cesse de trembler, je retrouve mes forces : "Il est temps que je parte, conduis-moi jusqu'au chemin qui va à Thèbes."

Il prend mon bras, soutient mes premiers pas hésitants et nous ressentons un instant l'espoir fou de passer encore un jour ensemble. Mais déjà je respire mieux, mon pas devient plus ferme, retrouve son rythme. Clios me donne le sac avec la robe d'Ismène : "Mets-la en arrivant à la porte de Thèbes, ils ne laisseront pas entrer une mendiante."

Pourquoi ai-je remis ma vieille robe pour ce dernier jour avec Clios ? Peut-être que j'étais ainsi plus vraie pour entendre ce qu'il m'a dit. Plus vraie pour la séparation.

Nous arrivons à l'ancien chemin qui est maintenant une route pavée.

"Tu vois, dit Clios, c'est le premier signe de la détestable activité d'Etéocle. D'abord les routes, puis les remparts et derrière eux Thèbes et son armée qui ne cesse de grandir et de dévorer. Je n'irai pas plus loin, à mi-chemin tu trouveras le puits que tu connais. Je te suivrai des yeux tant que je pourrai."

Je lui ouvre mes bras, il s'y précipite. Je ne peux m'empêcher de pleurer, peut-être qu'il pleure aussi mais je ne puis le savoir car il a enfoncé son visage dans le creux de mon épaule, comme un enfant.

Je m'arrache à lui avec peine, je marche en sentant son regard peser sur moi. J'arrive au tournant, il ne peut plus me voir, il pense : Antigone ne se retourne pas.

IV

THÈBES

Je marche longtemps et à chaque pas je sens résonner dans tout mon corps le pas que Clios, en même temps, fait dans l'autre sens. A travers le chagrin et la fatigue, l'idée me réjouit qu'en arrivant au puits je retrouverai peut-être Ylissa, la femme qui m'a donné de l'eau et du pain lors de ma première journée de mendiante.

Le puits est là, un homme jeune est en train de puiser de l'eau et d'en remplir des outres qu'il range parmi des vases de céréales dans un chariot aux couleurs vives. Dans les brancards, une mule dont le harnais garni de clochettes, comme sur les Hautes Collines, fait résonner des sons heureux à chacun de ses mouvements. L'homme me laisse approcher sans se retourner et me tend sans mot dire un bol d'eau fraîche.

Je lui demande si Ylissa habite toujours près d'ici.

"Non, elle a dû partir à Thèbes.

— Elle va bien ?

— Elle n'a pas pu s'habituer.

— Elle est malade ? Je l'aimais beaucoup."

Il me regarde : "Ma mère est morte."

Le chagrin est là, dès la première étape :

"Elle ne t'a jamais parlé de moi… Antigone et d'Œdipe, l'ancien roi."

41

Il se renfrogne : "Maintenant, il y a trois rois, ils vont se faire la guerre. Nous, on ne sait pas qui va gagner et on a peur des espions."

Il monte dans son chariot.

"Est-ce que je peux aller avec toi jusqu'à Thèbes ?"

Il refuse, il est déjà trop chargé. Il fait claquer son fouet et presse sa mule en avant. Il a un peu honte peut-être car il crie :

"La maison est vide, tu peux y dormir."

La maison d'Ylissa est abandonnée mais a gardé un beau visage solide sous son toit de pierres plates. Je me fais un lit de branchages et je mange une des galettes qui me restent en pensant qu'à la même heure, dans un lieu inconnu, Clios doit faire de même.

Je me sens vigoureuse en m'éveillant et prête à reprendre la route pour arriver aujourd'hui à Thèbes. Je vais chercher de l'eau au puits et trouve, effondrée sur la margelle, une femme âgée et fort sale qui dort. Elle s'éveille, elle n'a plus la force de remonter l'eau. Elle s'appelle Ea, elle est la dernière habitante du pays à être restée chez elle, malgré les ordres de Thèbes. Elle a soigné jusqu'au bout son mari malade, il est mort, elle n'a plus rien. Elle voulait rejoindre à Thèbes son fils, le charpentier, elle n'en a plus la force, d'ailleurs on ne la laisserait pas entrer, ils n'acceptent plus les pauvres.

Je la fais boire, je la persuade de se laisser laver, elle est encore solide mais affaiblie par la faim. Je ne puis me résoudre à lui remettre sa robe, irrémédiablement sale et usée. Je pense à la robe d'Ismène, elle lui va, Ea propre et coiffée ne se reconnaît plus et esquisse même une sorte de sourire.

Je fais du feu, je trouve dans le jardin d'Ylissa quelques légumes à demi sauvages. Je les fais cuire et émiette avec eux ma dernière galette. Cela fait une soupe fort claire qui rappelle les repas des jours difficiles avec Œdipe et Clios.

Quand nous avons fini de manger nous nous mettons en route. Hélas, Ea marche lentement, à cette allure nous n'arriverons pas à Thèbes aujourd'hui, il nous faudra peut-être trois ou quatre jours. Qu'importe, je mendierai. En avançant je trouve parfois quelques plantes comestibles, je les mets dans mon sac, mais pour rendre un peu de force à Ea, il faudrait du pain. Nous nous reposons à l'ombre d'un arbre quand arrive un chariot lourdement chargé. Il y a deux hommes sur le siège, Ea veut se cacher, je l'en empêche et en la montrant je crie :

"Du pain, un peu de pain pour une femme malade."

Un des hommes se penche sur un sac et me jette un morceau. Le chien qui est entre eux bondit sur la route pour l'attraper. Heureusement j'ai l'habitude, d'un cri je fais s'aplatir le chien et je plonge sur le pain que j'enfourne dans le sac. Ma promptitude fait rire les hommes, comme le chien fait mine de m'attaquer le conducteur lui envoie un coup de fouet. Le chien hurle, moi aussi, car la mèche du fouet cingle mon bras. Les deux hommes s'esclaffent de nouveau et le chariot s'en va.

Nous allons ainsi très lentement pendant trois jours. Le matin suivant nous voyons apparaître les murailles blanches de la cité, toutes les campagnes proches ont été dévastées, plus de maisons, plus de puits, plus d'arbres, rien qui puisse servir à un envahisseur. Thèbes est une ville assiégée par elle-même, autour d'elle et des routes qu'elle cadenasse il n'y a plus que le soleil et le vent.

Entourée de remparts plus hauts et plus vastes qu'autrefois, la ville, dont on ne voit apparaître au-dessus des murs que des tours de défense, ressemble à un énorme animal marin qui, au lieu de traverser les vagues, flotterait sur un nuage de chaleur fauve et de poussière. Ea supporte mal le soleil et la route sans ombre, elle se traîne et finalement s'écroule dans un fossé.

Un chariot approche, je me place au milieu de la route et malgré ses jurons force un jeune paysan à s'arrêter.

"Prends cette vieille femme dans ton chariot et je te donne l'argent que j'ai."

Il est méfiant et compte les petites pièces que j'ai gardées.

"C'est peu, mais ce n'est plus très loin, fais-la monter."

Ea, épuisée, se couche sur les javelles que l'homme ramène à Thèbes. Je pousse la voiture côte à côte avec lui car la mule est fatiguée. Il apprécie mon aide et ma force, il prend sa gourde, et après avoir bu, me la passe sans que je le demande. Nous peinons, les pieds dans la poussière tandis que les mouches et les taons tourbillonnent autour de nous. Il finit naturellement par me demander de coucher avec lui ce soir, je sais comment répondre :

"J'ai la maladie…"

L'homme est fâché, je lui souris : "Quand je serai guérie, peut-être."

Nous arrivons à la porte du Nord, la hauteur des remparts m'écrase, comment Polynice peut-il encore espérer prendre la ville ? C'est par cette porte qu'il y a dix ans j'ai quitté Thèbes en courant, pour rattraper Œdipe. Plus rien n'est pareil, les portes ont doublé d'épaisseur et de hauteur, il faut quatre hommes maintenant pour les manœuvrer tandis qu'alors Polynice les ouvrait et les refermait seul.

L'homme fait descendre Ea un peu avant la porte.

"Va te présenter au garde à droite, il me connaît, dis-lui le nom de ton fils et la rue qu'il habite, ça ira."

Ea m'embrasse en hâte : "Sans toi, je serais morte."

Le garde la laisse entrer. "Pour toi ce sera plus difficile, dit l'homme, avec ta robe de mendiante. Continue à pousser le chariot par-derrière, ils te laisseront peut-être entrer avec moi."

Le garde fait passer le chariot mais m'arrête au passage.

"Elle est avec moi, crie l'homme, c'est ma parente."

Le garde rit : "Rien à faire, les jeunes Stentos veut les voir toutes." Et d'un geste il m'envoie vers le dizenier.

Un homme de haute taille, très rouge, en cuirasse de cuir me regarde venir appuyé sur sa lance. Il lorgne avec mépris mes pieds couverts de poussière, ma robe reprisée, mon visage en sueur.

"D'où es-tu ?
— Je suis thébaine.
— Tu as un père ou un mari ici ?
— Mon père est Œdipe l'aède.
— Connais pas, il habite où ?
— Il avait quitté Thèbes. Il vient de mourir.
— Naturellement, et toi, tu mendies.
— Je mendiais pour lui.
— Les mendiants sont interdits à Thèbes.

45

— Je suis thébaine, j'ai le droit d'entrer, je travaillerai.

— On dit ça. Tu as l'air d'une mendiante inusable. N'insiste pas. C'est non !"

Stentos n'ajoute rien mais ses yeux explorent mon corps et mon visage. Je vois dans son regard un peu trouble qu'il pense : La fille est un peu sale mais belle, une occasion.

Les ennuis commencent, je connais, je connais tout cela jusqu'à l'écœurement. Il s'approche avec un sourire :

"Entrer par une des grandes portes, impossible pour toi, mais je peux te laisser entrer dans une cour à l'intérieur du rempart, il y a là un puits où tu pourras boire et te laver. Ma garde sera bientôt finie, je te rejoins et si tu es gentille, ce soir je te ferai entrer dans la ville par un souterrain. Tu veux ?"

Je le regarde dans les yeux et je réponds seulement : "Non."

Cela le déconcerte, il croit à une dérobade et veut me prendre la taille. Geste prévu, d'un bond je lui échappe. Il s'irrite, lève le bras car il est de ceux qui pensent qu'une gifle bien placée aide les femmes à se décider. Je fais un saut de côté et la gifle de Stentos ne rencontre que le vide. Il est en déséquilibre, il me suffit d'une rapide poussée pour le faire tomber. Quand il se relève, ivre de colère, je tiens sa lance à la main et il voit fort bien que je sais m'en servir. Les autres gardes, sidérés, veulent venir à son secours mais alors la pointe de la lance se rapproche dangereusement de sa gorge et il leur fait signe de ne pas bouger.

A ce moment, sort de la porte un homme étonnamment maigre, au visage souriant. L'officier de garde qui l'accompagne est visiblement contrarié en voyant ce qui se passe. Je relève la lance mais la garde en mains, l'homme maigre s'approche de nous, il me dit :

"Je suis K., l'ami de Clios."

Et à Stentos : "Le roi Etéocle m'a confié un laissez-passer pour sa sœur Antigone."

Stentos est atterré, il dit :

"Antigone ?… On voit partout sa statuette avec l'aveugle ! Je croyais qu'elle avait dix ans.

— Elle a grandi", dit K. Je rends sa lance au douanier, j'ai beau lui sourire, il m'en veut, dès ma première rencontre à Thèbes j'ai déjà fâché quelqu'un.

K. me prend par la main et me fait traverser l'énorme porche de la tour du Nord. Il est doté maintenant d'une seconde porte aussi monumentale que l'autre et, absurdement, j'en éprouve de la fierté.

Je suis encore éblouie par l'ombre soudaine du porche, un bras léger se glisse sous le mien, je reconnais un parfum :

"Ton ami Clios, que j'ai appris à apprécier à Athènes, nous a envoyé un messager, nous t'attendons depuis quatre jours et naturellement dès ton retour tu provoques un scandale."

Le rire d'Ismène fuse comme autrefois, un peu plus dur peut-être.

"Ne parlons pas ici, dit-elle, à Thèbes maintenant il y a toujours des oreilles qui écoutent."

Je n'ai pas envie de parler mais de sentir nos deux corps marcher d'un même pas comme nous l'avons fait si longtemps. La présence d'Ismène me rassure car je suis troublée par la foule plus dense qu'autrefois, par la hauteur inattendue des maisons et le grand nombre de chars et de chariots.

L'odeur de la cité, elle aussi, a changé, dans mon souvenir lorsqu'il y avait du vent, comme aujourd'hui, il portait dans la ville l'odeur des champs et des jardins, il ne soulève plus maintenant qu'une poussière sèche et brûlante.

Nous passons devant le palais qui s'est agrandi :

"C'est Créon qui l'occupe, dit Ismène, ma maison est plus loin.

— Et Etéocle ?

— Il habite sa forteresse dans le quartier militaire."

Nous arrivons devant une belle porte, Ismène l'ouvre et après les rues fauves et les murs brûlants de la ville, je découvre une pénombre verte et fleurie qu'anime le bruit d'une fontaine.

La maison semble presque vide, éclairée de larges fenêtres par où le jardin avec ses couleurs et l'ombre mouvante des arbres semble pénétrer dans la chambre. Tout est juste, je dis :

"C'est notre enfance, les couleurs de notre maison. La tienne fait penser à Jocaste et pourtant comme elle te ressemble."

Je me trouble, je ne peux continuer, à quelle profondeur, avec quelle force nous sommes restées sœurs malgré la séparation et les années.

Ismène se reprend vite :

"Si tu veux, cette part de la maison est à toi pour le temps que tu voudras. J'habite l'autre où je vis ma propre vie que je ne veux pas partager avec ma redoutable famille, même avec ma chère Antigone. Allons, tu es bien fatiguée et couverte de poussière, mangeons un peu. K. t'a préparé un bain, nous le prendrons ensemble comme nous faisions et tu pourras te coucher ensuite."

K. nous apporte un léger repas, je voudrais l'aider, Ismène m'arrête :

"Tu attristerais K. en refusant ce qu'il désire faire pour toi. C'est Clios qui l'a envoyé à Thèbes

48

pour qu'il t'aide, te protège et sans doute t'admire à sa place."

Elle me fait entrer dans une petite pièce occupée par un grand tonneau, magnifiquement cerclé de métal et que K. a rempli d'eau chaude. Je m'y glisse, l'eau est parfaite et Ismène me lave comme plus personne ne l'a fait depuis mon enfance.

K. vient réchauffer le bain avec de l'eau brûlante et Ismène se coule à côté de moi. Elle est stupéfaite de la vigueur et de la dureté de mes muscles. Elle me trouve forte comme un homme alors que je ne le suis pas plus que n'importe quelle paysanne. J'éprouve un grand plaisir à sentir près du mien dans l'eau chaude le corps si différent d'Ismène tout en courbes douces orientées vers le plaisir. Un monde de présences disparues et de souvenirs remonte en nous, tout l'univers rieur et déchirant d'avant la séparation.

Ismène s'aperçoit qu'il est plus tard qu'elle ne croyait, elle sort de l'eau et s'habille rapidement :

"Il est temps que je m'occupe de ma propre vie. K. va t'aider, ne proteste pas, je sais que tu n'en as pas besoin, mais lui bien. Le pauvre, hélas, on l'a châtré tout enfant, pour préserver sa voix qui est divine."

Je sors de l'eau et K. survient avec un grand linge rouge délicieusement chaud dans lequel il m'enveloppe. Je suis surprise :

"Quelle belle couleur !"

Il me regarde gravement :

"C'est ta couleur maintenant… Clios me l'a dit."

Il me conduit à ma chambre, elle est fraîche et accueillante, et sous un beau tapis qui pend au mur il n'y a qu'un lit d'une blancheur tranquille. K. pose à son chevet une lampe :

"Je viendrai l'éteindre quand tu seras endormie, Clios m'a dit que ton sommeil était très beau, je ne serai donc pas indiscret."

Puis comme s'il s'agissait d'un rite habituel, il me borde aussi bien que Jocaste lorsque j'étais enfant. Il m'embrasse rapidement sur le front ainsi que l'a fait si souvent Diotime, la guérisseuse des corps et du malheur, dont l'affection m'a donné la force de suivre si longtemps Œdipe sur la route. Je suis si contente du naturel de K. et de son geste que je ne dis pas un mot. Quand K. est sorti, j'éclate de rire en pensant que ce petit baiser est peut-être le début d'une grande amitié.

Le lendemain je m'éveille avant le jour, comme sur la route, et K. me trouve en train de préparer notre repas.

"Ce n'est pas ce que veut Clios, il m'a envoyé ici pour te servir.

— Nous nous servirons l'un l'autre. Comment as-tu connu Clios ?

— Chez mon maître, un grand marchand de Corinthe. C'était un bon musicien, il adorait ma voix. J'étais aussi son espion, dans la ville et ailleurs. Il voulait absolument une fresque de Clios, comme celui-ci refusait de venir à Corinthe, il m'a envoyé chez lui. Nous sommes devenus amis et Clios est revenu avec moi. Il a accepté de faire la fresque à condition que je sois libéré. Le maître hésitait mais le regard de Clios lui a vite fait comprendre qu'il n'avait plus le choix. La fresque achevée je suis parti avec Clios, nous avons beaucoup parlé de toi, il m'a fait connaître ton amie Diotime. J'ai aidé Io, qui a une voix merveilleuse, à perfectionner son chant. Persuadé que tu reviendrais à Thèbes, où tu serais en danger, il m'a demandé de venir chez Ismène pour t'aider.

— Tu aimes beaucoup Clios ?"

K. sourit : "Est-ce que cela fait partie de mes fonctions de te répondre ?

— Et si je disais oui ?

— Tu ne le diras pas." Et il sort car il entend arriver Ismène.

Elle est très belle, très tendue ce matin et tout de suite entame le débat qu'elle désire.

"Pourquoi es-tu revenue ?

— Tu le sais, à cause de la guerre.

— Tu crois pouvoir l'arrêter, c'est un rêve, Antigone, les griefs de Polynice et d'Etéocle n'ont pas cessé de grandir depuis dix ans. Leur rivalité est un fleuve débordé qu'on ne peut plus endiguer.

— J'essaierai, Ismène, il faut que tu m'aides.

— Personne ne peut t'aider, tu ne réussiras qu'à aggraver encore nos malheurs. En réalité tu ne penses qu'à toi, à ta bonté, à ta grande âme comme tu l'as toujours fait."

De quel ton elle dit cela, la passion anime son visage et accentue encore sa ressemblance avec Jocaste. Ismène est aussi belle, peut-être plus belle que Jocaste mais elle n'a pas sa nature royale, ce don est allé à un autre et je dis :

"Le vrai roi, c'est Polynice.

— Naturellement, c'est lui le désiré, le vrai fils de notre mère.

— Comment s'est passée l'année où Polynice a régné ?

— Il n'y avait pas de guerre cette année-là, pas de grandes décisions à prendre et Polynice, en attendant, régnait. Le matin il entraînait l'armée et rendait la justice. L'après-midi il allait à la chasse ou faisait l'amour. Le soir il donnait souvent des fêtes merveilleuses, dansait, chantait et s'enivrait comme Dionysos. Chacun sentait en lui une formidable réserve de force et de décision qu'il était prêt à utiliser en cas de nécessité. La ville résonnait de son rire, les choses suivaient leur cours et si des problèmes surgissaient il les faisait régler par Etéocle.

— Par Etéocle ?

— Polynice a toujours eu beaucoup d'admiration pour les capacités d'Etéocle, il pensait en même temps que son frère n'était pas de taille en face de lui. C'est ce qu'Etéocle n'a pu supporter.

— Comme toi, Ismène, tu ne supportes pas mon retour à Thèbes.

— Je suis heureuse de te revoir Antigone, mais ta place n'est plus ici.

— Je ne suis plus thébaine pour toi ?

— Tu es devenue autre, Clios m'a dit à Athènes que, sans le savoir, tu t'es engagée sur une route céleste mais Thèbes est une ville très pesante, Antigone, une matière lourde et dominatrice. Etéocle en a fait la cité des plus hauts remparts.

— Est-ce qu'ils font le bonheur des Thébains ?

— Etéocle ne se soucie pas du bonheur, Polynice non plus. Etéocle veut la puissance, Polynice fait graver sur ses armes : Le plaisir ou la mort. Bien sûr il s'agit d'un très vaste plaisir.

— Et toi Ismène ?

— Je suis la seule de la famille à penser au bonheur, à mon bonheur à moi que je tente de préserver des ambitions d'Etéocle, du rire souverain de Polynice, des combinaisons de Créon et de l'extravagante étendue de ton âme, Antigone. Crois-moi, ne reste pas ici.

— Tu me détestes, Ismène ?

— Naturellement je te déteste, je te déteste presque autant que je t'aime. Pourquoi as-tu ainsi confisqué notre père ?

— J'ai confisqué notre père ?

— Oui, toi, qui d'autre ? Quand il a voulu quitter Thèbes nous devions l'accompagner jusqu'aux remparts et revenir ensemble au palais, apprendre à vivre sans lui. Et voilà que tu t'élances à sa poursuite sans te demander si je pouvais, moi ta petite sœur, supporter de vous perdre à la fois tous les deux et me retrouver seule au palais avec nos deux frères et Créon. Est-ce que tu as songé un instant à m'appeler pour que je vienne avec vous ?

— Tout a été si vite, Ismène, tu serais venue ?

— Je ne sais pas, je ne le saurai jamais puisque tu ne m'as pas appelée et que tu t'es consacrée à Œdipe en m'abandonnant à Thèbes. Nos deux vies se sont décidées à ce moment, mais la mienne ce n'est pas moi qui l'ai choisie, c'est toi, c'est Œdipe qui lui aussi ne m'a pas appelée. Est-ce que tu n'avais pas mieux à faire, Antigone, que de te lancer dans cette route de dix ans avec un aveugle qui n'en demandait pas tant ?"

Dans nos jeux sauvages d'autrefois avec nos frères et leurs amis, un petit geste qu'on ne pouvait refuser nous permettait de demander une suspension temporaire des hostilités. J'ai souvent par ce geste assuré à Ismène, la plus jeune, quelques instants de répit. Je le refais sans y penser et Ismène éclate de rire en traçant sur ma paume le signe de réponse.

Très vite pourtant elle reprend : "Le pire c'est que tu étais une grande sœur très attentive et que tu te battais si bien quand il fallait me défendre. Voilà soudain que tu me laisses en plan et que tu déguerpis pour suivre notre père dans son interminable fuite. Moi aussi j'aimais Œdipe, j'étais même sa préférée, mais tu as pris toute la place en devenant sa fille sacrée. Moi, pendant ce temps malgré ton abandon, j'ai dû vivre et me faire une place dans cette ville dangereuse que tu avais désertée. Il a fallu pendant ces dix années que je me débrouille toute seule avec Créon, avec Etéocle tout en ménageant Polynice et cela n'a pas été facile tous les jours."

Elle ouvre les bras et riant et pleurant à demi nous nous embrassons. Ismène, à sa façon, se dégage vite :

"Ne crois pas que je me réconcilie. Je reviendrai, je reviendrai t'attaquer. Tu ne seras plus jamais tranquille dans tes bons sentiments."

Elle s'en va en courant, la porte s'ouvre sans bruit et K. me dit avec son indéchiffrable sourire :

"Je dois t'apprendre que je suis quelqu'un qui écoute aux portes. C'est aussi pour cela que Clios m'a envoyé. Ismène est dure mais elle t'aime, elle a raison de te parler comme elle a fait, car la vie à Thèbes est plus difficile que tu ne crois."

Nous nous regardons un moment en silence. K. voit que j'ai confiance en lui et dit :

"Toi tu n'écouteras pas aux portes, Ismène et moi, nous écouterons pour toi."

Plus tard, il me propose d'aller voir la ville et me mène à un immense marché qui s'élève là où autrefois il n'y avait que quelques masures et des jardins en désordre.

"C'est un des trois marchés de la ville, dit K., une idée d'Etéocle. Il a vu cela en Orient et a fait beaucoup mieux, on vient ici de partout pour vendre ou pour acheter, c'est la nouvelle richesse de Thèbes."

Dans le marché, je suis étourdie par la foule, les cris des marchands, l'abondance des couleurs, des senteurs, des musiques qui m'assaillent de toutes parts. K. me montre aux portes et au centre de chaque quadrilatère les contrôleurs qui veillent à maintenir l'ordre et prélèvent sur chaque vente ce qui revient à la cité.

"Ce sont eux qui remplissent les coffres de Thèbes et vont permettre à Etéocle de soutenir l'invasion que Polynice prépare."

Ces mots me font mal, je veux sortir du marché et tenter de voir Etéocle au plus vite. K. me conduit à une vaste place au milieu du quartier des soldats, au centre se trouve une tour ronde et robuste.

"C'est la forteresse d'Etéocle, c'est de là qu'il surveille les remparts, la ville et les marchés. Surtout les marchés."

Nous entrons et je suis frappée par l'extrême simplicité qui règne dans la tour d'Etéocle. La pièce dans laquelle nous l'attendons ne comporte que quelques bancs et une table avec un siège de bois. C'est là qu'Etéocle trois fois par semaine rend la justice. A ce moment la porte s'ouvre et Etéocle, qui ne nous attendait pas, apparaît. Je suis si émue de revoir ses longues mains, sa chevelure fauve et sa ressemblance avec Œdipe, que je cours vers lui, le saisis dans mes bras et l'embrasse. Il est surpris et m'écarte de lui pour mieux m'observer de son regard sévère :

"Tu dois savoir, Antigone, que j'ai appris sans plaisir ton retour ici. Tu es ma sœur, je t'aime, mais si tu es pour Polynice il vaut mieux que tu t'en ailles.

— Je ne m'en irai pas et je ne suis pas pour Polynice !"

J'ai lancé cela avec une violence qui l'étonne :
"Tu es pour moi ?

— Je suis pour la paix, Etéocle.

— C'est Polynice qui commence la guerre.

— Et toi, tu gardes la couronne. Cessez de vous opposer. Il faut qu'un des deux commence.

— Il est trop tard, Antigone, c'est la guerre."

Cette vérité est pour moi si douloureuse que sans savoir ce que je fais, je m'élance à nouveau vers lui, je le serre contre moi et j'embrasse en pleurant son épaule. Les yeux d'Etéocle s'adoucissent, il me prend même dans ses bras mais il n'a pas le temps d'être heureux, on l'attend et toute sa journée est prise.

"Je ne veux pas rester à la charge d'Ismène. Peux-tu me trouver une petite maison, un travail ?

— Que K. vienne me voir pour cela."

Il est déjà parti et toute désemparée, je me retrouve dans la cour. K. m'emmène voir un petit temple bâti par Etéocle. Il contient la seule œuvre de Clios qui se trouve ici. Clios a refusé de venir à Thèbes, mais Etéocle est allé le voir dans sa montagne et l'a persuadé de faire cette fresque qu'il a payée très cher.

Au centre d'une petite tour ronde la fresque est une haute pierre dressée dont les formes irrégulières n'ont pas été taillées. La déesse est bleue et or, très claire sur un fond de nuit. De chaque côté, deux enfants, deux mâles, la contemplent avec admiration. Je suis saisie de joie, puis de détresse et presque de terreur en voyant que la déesse, peinte par Clios, est Jocaste telle que l'ont vue, telle que se la disputent toujours les deux petits garçons que sont restés mes frères. Je fais le tour de la pierre, il n'y a pas de personnage sur l'autre face, rien que d'admirables couleurs d'incendie.

K. me regarde en silence, je lui dis :

"Clios l'a faite comme si nous n'existions pas Ismène et moi. Je ne reconnais pas notre mère dans cette déesse de l'or et de la séduction.

— C'est la vision d'Etéocle et sans doute de Polynice que Clios a peinte, pas la tienne.

— C'est pour cela qu'Etéocle et Thèbes me rejettent ?"

Il y a de l'ironie et de la bonté dans le demi-sourire de K. :

"Est-ce qu'il ne faut pas être rejeté pour devenir soi-même ?"

V

HÉMON

Le lendemain Ismène me fait dire que Créon m'attend au palais dans la matinée. Il me reçoit avec son aisance habituelle et semble avoir oublié qu'il y a peu de temps, à Colone, il m'a faite prisonnière pour contraindre Œdipe à revenir à Thèbes. Il a été longtemps le plus bel homme de Thèbes et ses traits me touchent toujours car ils me rappellent ceux de Jocaste.

"Plus personne, dit-il, ne te connaît à Thèbes, alors que toute la Grèce parle de toi. Pourquoi es-tu revenue ici, sans me prévenir ?

— Je suis thébaine, je suis revenue à cause de mes frères et de la guerre.

— Rien n'arrêtera leur rivalité ni la guerre.

— Tu veux dire que toi, Créon, qui es leur oncle, tu ne feras rien pour l'arrêter ?

— Je ne puis m'en mêler, si je m'y risquais ils seraient capables de s'unir contre moi. Je sais qu'Œdipe à Colone a prophétisé que je serais un jour le seul roi de Thèbes. Tel n'est pas mon désir, Etéocle est jeune, plein de force, il a le génie de la richesse et de l'action. A deux nous sommes beaucoup plus forts que si je régnais seul.

— Pourquoi ne laissez-vous pas le trône à Polynice une année sur deux comme cela avait été convenu.

— C'est impraticable, Antigone. Polynice a de belles alliances, il est riche, il sera bientôt roi d'Argos. Thèbes n'est pour lui qu'un rêve du passé.

— Il n'y renoncera pas, si vous déniez ses droits, il vous fera une guerre à mort.

— Alors qu'il meure, car en faisant la guerre à Thèbes, Polynice est traître à sa patrie."

Il se lève pour manifester que nous n'avons plus rien à nous dire. Il sait que je souhaite voir les chambres que mes parents habitaient autrefois. Son fils Hémon va m'y accompagner. A peine est-il sorti qu'Hémon entre comme s'il attendait ce moment avec impatience. J'avais gardé le souvenir d'un garçon mince et effacé, les années ont passé et Hémon est maintenant un homme qui a la beauté, la taille mais non l'aisance royale de son père. Il s'approche de moi avec un certaine timidité qui d'emblée lui gagne mon cœur. C'est mon cousin et tout naturellement je l'embrasse. Il est surpris et un air de bonheur éclaire son visage.

"Je suis heureux de te revoir, parvient-il à proférer. Il y a tant d'années que je l'espère."

Je ris et réponds : "Moi aussi." Ce qui est plus vrai que je ne croyais, car je vois que dans mon regret de Thèbes et mon espoir d'y revenir il y a toujours eu une place pour l'image incertaine de l'adolescent Hémon qui est maintenant un homme comme, si étrangement, je suis devenue une femme.

Hémon me propose de revoir le palais mais c'est dans la petite salle où Œdipe a vécu un an après s'être aveuglé que je veux me rendre. Cette salle est bien plus étroite et sombre que dans mon souvenir. Elle est remplie d'amphores où Créon conserve son vin. Je parviens à me glisser jusqu'à la colonne centrale et je dis à Hémon :

"C'est ici qu'Œdipe a vécu un an, au pied de cette colonne et ne parlant plus à personne avant d'être chassé de Thèbes."

Hémon tente de dire qu'Œdipe n'a pas été chassé, je l'interromps :

"Si, il a été chassé, chassé par l'esprit des autres. Celui de Créon, celui de mes frères et enfin, heureusement, par le sien. Un matin il a dit : «Je partirai demain.» J'ai demandé : «Où ?» Il a crié : «N'importe où, hors de Thèbes», et c'est là que nous sommes allés pendant dix ans."

Hémon ne me répond rien mais il passe son bras sous le mien et il prend ma grande main dans la sienne plus puissante. Je me calme, je demande :

"Allons voir la chambre de mes parents."

Au moment d'entrer dans la pièce, j'ai un mouvement de recul et fais passer Hémon avant moi. Je craignais de trouver un lieu déserté mais rien n'a bougé, on dirait que tout est encore habité. La grande poutre au-dessus du lit royal est là, elle aussi, celle où pendait la corde dont Œdipe n'a pu supporter la vue.

"Chaque jour, dit Hémon, tout est remis en ordre. Tu sais comme mon père aimait Jocaste, il vient ici souvent.

— C'est lui qui veut cette pénombre ?

— Non, quelqu'un a fermé les rideaux."

A ce moment les rideaux s'entrouvrent et Jocaste, les yeux fermés, s'avance vers nous. Elle est souriante sous sa merveilleuse chevelure, comme autrefois. Je résiste à la peur qui s'empare de moi, je fais trois pas, je tire les rideaux, et dis d'une voix malgré tout un peu tremblante : "Ouvre les yeux." Les yeux s'ouvrent et l'illusion disparaît car Ismène n'a pas dans le regard les mêmes pouvoirs que Jocaste.

Ismène éclate de rire : "Je t'ai fait peur ?

— J'ai eu un instant l'espoir que c'était elle.

— Tu sais, j'ai de l'entraînement dans ce rôle. Créon me demande souvent de le jouer pour lui, notre mère savait se faire aimer. Comme toi. Je vois que tu as déjà recruté le bel Hémon. Il m'a aimé avant toi mais tu es très forte. Plus forte que je ne croyais quand tu entrais le matin par cette porte et qu'Œdipe, alors que j'étais déjà dans ses bras, disait : Et maintenant voilà ma longue perche. Comment fais-tu pour être toujours la plus grande ?

— Et toi comment faisais-tu pour entrer toujours ici la première et être la préférée ?"

Pendant qu'Hémon remet les rideaux en ordre Ismène me glisse :

"Je ne pense plus à lui, j'en aime un autre."

Avant toute pensée, je lui dis :

"Tu n'es pas ma sœur préférée, Ismène, tu es la seule."

Elle semble heureuse et nous quittons le palais en refusant, malgré sa déception, qu'Hémon nous accompagne. Nous avons besoin d'être ensemble et de marcher côte à côte sans parler.

En arrivant chez Ismène, elle m'embrasse et me dit :

"Ne t'y trompe pas, demain je te détesterai de nouveau. Tu m'as rendue molle aujourd'hui. A Thèbes maintenant nous détestons ce qui est mou, il faut que je te déteste, que je te frappe pour que tu durcisses, toi aussi, et qu'on ne t'écrase pas."

Le lendemain pendant que nous prenons notre repas, à l'aube K. me dit :

"Hier, Etéocle m'a envoyé voir quelques maisons pour toi. Elles sont bien différentes, allons les visiter.

— Est-ce que tu sais laquelle je vais choisir ?

— Oui, dit K.

— Alors je la choisis. Allons-y."

Dans un ancien hameau occupé autrefois par des maraîchers et qu'Etéocle a englobé dans les nouveaux remparts nous découvrons une maison de bois, entourée d'un grand jardin en friche où poussent quelques beaux arbres. La maison tout de suite me touche et me plaît par ses proportions et son visage modeste. Elle est fraîche et possède une cave. Tout près, une source abandonnée et qu'il faudra curer. Au fond de la seconde pièce, il y a un bel âtre. K. la veille a préparé du bois, je puis immédiatement allumer le feu qui va faire revivre la maison et les flammes s'élèvent sans hésitation. Grâce à Etéocle, si hostile en apparence, c'est la première fois, depuis que j'ai quitté Thèbes avec Œdipe, que j'ai une maison et un foyer.

Nous allons voir le jardin, il est envahi par les ronces et les mauvaises herbes. Mais au centre un cerisier donne une ombre exquise. Comme nous allons nous amuser à remettre tout cela en vie et en ordre. K. m'entraîne au fond du jardin où se trouve un atelier fermé seulement de trois côtés par des murs de pierres assemblées avec soin. Le toit s'est effondré, quelques arbres ont grandi à l'intérieur et font régner une lumière verte. Je suis transportée de joie : "Quel espace pour sculpter, je commencerai demain."

A midi je prépare dans l'âtre un premier repas. Quelqu'un survient, je ressens un mouvement de plaisir, comme je m'y attendais un peu, c'est Hémon.

"Viens manger avec nous, dans ma première maison.

— Elle n'est pas grande, dit-il, mais magnifique puisque tu y habites et le jardin deviendra beau et utile."

On entend le bruit d'un chariot :

"C'est Etéocle qui m'a envoyé te meubler, dit Hémon.

— Rien que le nécessaire et dans mes années de voyage j'ai appris que c'est très peu de chose."

K. a dû prévenir Etéocle, car le chariot n'apporte que l'indispensable et deux tapis pour les murs.

A la fin du repas Hémon hésite puis brusquement :

"Débroussailler ce jardin, restaurer l'atelier, ce sera un travail considérable. Ce sera trop pour vous car il faut que K. se ménage. J'aimerais vous aider."

Je m'étonne : "Toi ? Et que pensera Créon ?

— Ce n'est pas de lui que je dépends mais d'Etéocle. J'ai beaucoup à faire mais dans la journée j'ai parfois des moments libres. Je peux commencer tout de suite, j'ai même apporté des outils."

Cette offre me plaît et c'est avec plaisir que je vois Hémon s'entendre avec K. pour frayer avant tout un chemin vers l'atelier.

Il se met immédiatement à la tâche, il coupe, il pioche, il arrache tout en protégeant avec soin les plantes utilisables ailleurs. Pendant ce temps je nettoie avec K. les murs de la maison avant d'y placer les meubles.

Je sors de temps à autre pour voir travailler Hémon, je vois qu'il a très chaud, et lui apporte de l'eau fraîche que j'ai filtrée à la source. Il est penché sur une racine qu'il est en train d'arracher. Il me remercie un peu gauchement, son regard, chargé d'admiration et d'une sorte de soumission passionnée, me trouble plus que je ne m'y attendais.

Le soir approche, Hémon range ses outils, nous dit un au revoir rapide et s'en va en hâte pour aller assister aux appels du soir des soldats. J'ai à peine le temps de m'assurer qu'il reviendra demain que survient Etéocle. Il regarde tout attentivement et demande :

"Pourquoi as-tu choisi un quartier et une maison si pauvres ?

— Notre père, à la fin de sa vie, était pauvre, il l'a d'abord supporté, ensuite il l'a voulu.

— Pourquoi ?

— Il disait : Pas de fardeaux inutiles."

Etéocle pèse un moment cette pensée, puis : "C'est un point de vue, c'est le contraire de ma politique à Thèbes, mais je le comprends. S'il n'y avait pas eu Polynice, j'aurais peut-être pensé comme Œdipe."

Il ajoute regardant le chemin commencé par Hémon :

"Tu as embauché le meilleur de mes hommes."

Je ris de plaisir : "Quel beau travail il fait.

— Tu choisis bien, c'est le plus bel homme de Thèbes après Polynice, et honnête incroyablement."

Je me sens rougir un peu, ce dont Etéocle naturellement s'aperçoit.

"Tu dis que Polynice est le plus bel homme de Thèbes, pour toi il est toujours thébain.

— Quoi qu'il fasse Polynice sera toujours des nôtres.

— Alors pourquoi l'as-tu chassé ?

— Je l'ai laissé régner un an et je l'ai bien servi pendant ce temps. Il est parti en voyage, je ne l'ai pas laissé revenir. Il laissait la cité dormir, moi je force Thèbes, je force aussi Polynice à rêver et à réaliser leurs rêves."

Il s'en va, portant sous son bras son beau casque à panache noir. Je cours derrière lui, je saisis sa main.

"Tu sais, à Thèbes, il y a quelqu'un que j'aime autant que Polynice, et c'est toi, Etéocle."

Il me regarde avec affection et une certaine tristesse :

"Tu ne fais pas de différence entre nous mais pourtant tu as dit à Ismène : Le vrai roi, c'est Polynice. Cela t'a échappé, cela pourrait m'échapper aussi. Le vrai roi selon la nature, je le sais, c'est Polynice. Je suis seulement roi par l'effort constant, je ne ferai jamais les grandes actions qu'il peut faire, mais qu'aurait été Polynice, sans l'offense fondamentale que je lui ai faite ? Le souverain d'une médiocre cité. Je sais ce que j'ai fait, je n'ai pas voulu la justice mais la puissance. C'est parce que Polynice est si admirablement, si stupidement solaire que j'ai dû m'opposer à lui et le combattre avec mes armes, celles de la nuit et celles de l'or que j'ai fait affluer à Thèbes."

Il se détourne, il est déjà reparti de son pas rapide. K. s'approche, me prend par le bras, me ramène à la maison. Une pensée très pesante s'empare de moi, une pensée qui sait, qui a toujours su la vanité de tout ce que je suis obligée d'entreprendre. Je m'assieds à côté du foyer que K. a ranimé. Il s'assied en face de moi et contemple en silence l'insoluble conflit qui se déroule entre la pauvre fille effrayée que je crois être et l'autre, l'intraitable, l'intrépide Antigone qu'ont cru voir Clios, Œdipe et Diotime. Celui qui écoute aux portes du cœur sait bien que ce débat ne peut pas se terminer par un choix mais devra se poursuivre jusqu'au bout et au prix de la vie. Comme la parole est devenue impossible, il chante en sourdine pour apaiser l'âme blessée, me persuader de manger, de me coucher, d'écouter les vérités du sommeil profond.

Dans les jours qui suivent je commence à sculpter dans un bloc de marbre que m'a donné K. le parcours qu'Œdipe a fait en demi-cercles et pendant tant de mois autour d'Athènes. Les demi-cercles vont en se rétrécissant jusqu'à Colone qui fut le lieu où l'aveugle est redevenu voyant.

Les formes que je taille dans le marbre sont plus régulières, plus arrondies que le parcours d'Œdipe, c'est ce qu'exige la pierre et je lui obéis avec joie. Hémon aime faire courir son doigt dans les courbes qu'il trouve merveilleusement taillées. Il dit un jour :

"Ça me donne envie de marcher, de marcher comme tu faisais mais aussi de m'asseoir et d'écouter.

— D'écouter quoi ?" demande K. Hémon fait signe qu'il ne sait pas. Peut-être comprendrons-nous mieux lorsque Clios, comme il l'a promis, aura fait creuser en grand notre parcours dans sa montagne.

Hémon vient presque chaque jour travailler au jardin. Il me raconte brièvement ce qui a lieu dans la cité, prend ses outils et se met au travail. Un jour K. intervient :

"Ta sculpture est presque achevée, va aider Hémon dans le jardin, il en brûle d'envie et n'ose pas te le dire." Je vais l'aider, sa figure s'éclaire, nous travaillons côte à côte, nous ne parlons guère mais nous respirons en même temps l'odeur des plantes et de la terre remuée. Parfois nos mains se touchent, nous ne nous en apercevons pas toujours mais nos corps en silence se nourrissent d'une sourde joie.

Ce bonheur pourrait durer, devrait durer mais un jour Hémon l'interrompt :

"Je vais partir bientôt."

Comme, le cœur serré, je ne réponds rien, il ajoute :

"En campagne.

— Contre Polynice ?"

Il se tait et nous reprenons notre travail en silence.

Pourquoi ai-je si peur ? Pour Polynice qui est si fort, si habile aux armes, pour Etéocle qui l'est à peine moins, ou pour lui : pour Hémon ? Pourtant je lui en veux car je dis :

"Tu es vraiment l'homme d'Etéocle."

Il se lève, pour la première fois il me regarde un peu durement :

"Tu aimes beaucoup Polynice, Antigone.

— Etéocle aussi.

— Moi, j'ai dû choisir. Etéocle est mon ami, il est aussi l'homme de Thèbes.

— Polynice ne l'était pas ?"

La réponse est abrupte : "Non, Polynice est formidable mais seulement pour lui-même."

Hémon ne croit pas à la possibilité de la paix, il ne faut pas que cela crée une faille entre nous, il ne faut pas pleurer et pourtant je pleure.

Il le voit, il veut me parler, il ne trouve pas les mots, moi non plus et bientôt il part, comme chaque soir, pour les quartiers des soldats.

Quelque chose s'est ému en moi pendant que nous travaillions ensemble et à l'annonce de son départ. Je ne puis penser à cela toute seule. Je cours à l'atelier où K. travaille. K. que je connais depuis si peu de temps et qui semble me connaître depuis toujours.

Il est en train de remettre en état les morceaux de la colonne écroulée qui soutenait le toit de l'atelier :

"K. qu'est-ce que tu penses d'Hémon ?"

Comme d'habitude il répond par un biais :

"Si Clios le connaissait il dirait qu'on peut se fier à lui.

— Et Io, que dirait-elle ?

— Elle dirait qu'il est beau et que c'est important.

— Quoi encore, quoi encore ?

— Io dirait sans doute qu'Hémon pourrait être un bon père.

— Et ça te fait rire ?

— Oui ça me fait rire, Antigone, moi qui n'aurai jamais ni femme ni enfant.

— Pardonne-moi, K., Hémon va partir avec Etéocle se battre contre Polynice, je suis si malheureuse que j'ai été cruelle."

Je m'apaise mais il faut que je reste à l'abri près de lui. Comme il a repris son travail, je l'aide à restaurer la colonne. Il est vrai que mes mains habiles de sculpteur peuvent soigner les belles surfaces et les dures arêtes de la pierre comme si c'étaient des corps d'enfants.

Le lendemain Ismène survient avec son air des mauvais jours :

"Quel quartier, quels voisins, heureusement que ce grand jardin te préserve de leurs odeurs. Et ta maison, toute petite évidemment et presque nue. Cela ne t'empêchera pas de refuser ce que je pourrais t'envoyer. Tu n'as besoin de rien, je m'y attendais. Enfin tu as déjà annexé K. et notre cher Hémon, tu n'as pas mis longtemps pour les mettre à l'ouvrage. Au travail, au travail comme tu as fait avec Œdipe. Il a dû en faire, des sculptures, des chants d'aède et des poèmes pour la pauvre Antigone qui mendiait pour lui ! Tu ne lui as pas laissé beaucoup de loisir à notre père, comme il avait échoué à Thèbes, il a fallu qu'il redevienne un grand homme autrement. Un sage, un voyant, un héros enlevé par les dieux, tout cela pour sa petite servante sans laquelle il n'aurait pas survécu. Bientôt à tous les carrefours on trouvera, et sculptée par quelles mains, l'image de son apothéose avec, dans un coin, Antigone en extase.

— Si tu es méchante, Ismène, c'est que tu as quelque chose à me dire.

— C'est vrai, tu as fait la conquête d'Hémon. Moi, je m'en moque. Ce n'est pas non plus Etéocle qui se préoccupe de votre intimité croissante.

— Alors c'est qui ? demande K.

— C'est Créon, il veut qu'Hémon devienne roi un jour mais n'entend pas qu'Antigone soit reine.

— Je ne serai jamais reine, ni à Thèbes ni ailleurs.

— Si tu refuses la royauté, Antigone, Hémon la refusera aussi. C'est pour cela que tu vas le brouiller avec Créon. A ce moment tu seras en grand danger, ta petite sœur et K. aussi.

— Mais Ismène, tu oublies Etéocle, Créon n'a pas tout le pouvoir.

— C'est toi qui oublies ce qu'Œdipe, devant nous, a dit à Polynice à Colone : «Quand vous vous serez entre-tués, qui sera roi ? Créon.

Crois-tu qu'Antigone pourra supporter sa tyrannie ?» Naturellement il n'a pas parlé d'Ismène
qui, elle, peut tout supporter."

Je ne peux répondre à Ismène, je sens trop
la vérité de ses paroles et le poids de l'inaccep-
table avenir. C'est elle qui reprend :

"Tu as l'air d'espérer encore, Antigone, mais
qu'espères-tu vraiment de la folle obstination
des jumeaux ?

— Je ne le sais pas, Ismène, quand j'étais sur
la route, je ne savais pas où j'allais, je suivais
Œdipe qui occupait tout le passé et absorbait
tout l'avenir. Il ne restait que le présent, c'est
toujours là que je vis. On peut vivre dans le
présent, mais on n'a pas le temps de faire des
projets."

Ismène soudain est touchée, elle comprend
ce qu'a été notre longue vie mendiante et les
années d'incertitude. Elle m'ouvre les bras et
nous faisons entrer K. dans l'anneau d'émotions et
de souvenirs qui nous unit. Nous connaissons
un long moment de joie sans cause, sans autre
but que la joie. A l'instant juste, Ismène l'interrompt, comme elle sait le faire, en s'écriant :

"Mais c'est que j'ai très faim, vite à manger !"

Nous préparons le repas ensemble et mangeons gaiement dans le jardin. Au moment où
je m'apprête à tout ranger, la voix de K. s'élève,
merveilleusement inattendue.

On ne sait en l'écoutant si c'est une voix
d'enfant, de très jeune fille ou celle d'un homme
qui ne chanterait pas avec ses cordes vocales
mais avec les racines de l'arbre de l'amour.
Cette voix inconnue est pourtant celle que je
connais depuis toujours, celle où je me sens
comprise, la seule que je suis certaine de comprendre. Sur ses sons incroyablement élevés je

sens mon esprit traverser les portes inaccessibles. Je me laisse glisser sur le sol encore chaud et Ismène fait de même. Nos mains se rejoignent, nous sommes heureuses d'être protégées l'une par l'autre de l'excès de bonheur que nous apporte la voix. Elle traverse nos yeux fermés et par les canaux enchantés de l'oreille descend vers le cœur dont le muscle ardent s'accélère. Nous ouvrons totalement nos poumons à l'absence et à la mémoire d'Œdipe, à toutes les morts et à toutes les naissances qui se préparent sous le ciel enflammé. A la longue la voix s'affaiblit, trébuche et se perd dans un accès de toux. Je m'inquiète, je voudrais soulager K., mais pas plus qu'Ismène je ne puis quitter déjà l'état de sérénité bienheureuse dans lequel je suis plongée. Je tourne la tête vers Ismène, que ma sœur est belle, je crois voir sur son corps un reflet de la gloire qui était dans la voix et qui est toujours dans le ciel. Je lui dis :

"Comme tu brilles."

Elle répond : "Toi aussi, c'est la musique qui est entrée en nous."

K. est assis au pied d'un arbre, il tousse. Nous voyons qu'il est épuisé et très pâle. Nous le relevons et le ramenons à la maison. Ismène lui dit :

"Tu as été imprudent. Quel bonheur tu nous as donné, mais tu as chanté trop longtemps."

Entre ses accès de toux, un sourire mince et radieux flotte sur les lèvres de K. Il murmure :

"Est-ce qu'on peut arrêter, est-ce qu'on peut mesurer le temps du bonheur ?"

VI

LA BATAILLE

Des rumeurs se propagent dans la ville. Polynice s'est mis en marche avec ses alliés, il se dirige vers Thèbes et l'armée va partir lui barrer la route. Hémon termine avec moi la remise en ordre du jardin et, enfin, parle : "Je ne viendrai pas pendant quelques jours. J'espère revenir vite." Je sais qu'il part avec Etéocle et qu'il ne faut pas l'interroger. Après son départ, K. me propose d'assister au passage de l'armée sur une des tours de guet des remparts.

Aux premières lueurs du matin nous entendons approcher les troupes en marche. Les phalanges passent, sous l'attirail du fer thébain. Au centre de deux d'entre elles, les dix jeunes filles armées que les hommes qui les entourent ont juré de défendre jusqu'à la mort. Leurs cuirasses sont plus légères mais elles sont aussi entraînées et habiles aux armes que les hommes et, avant la mort de Jocaste, je rêvais de devenir l'une d'elles. Hémon dirige la deuxième phalange, celle de la garde et malgré l'horreur de cette guerre je suis fière de le voir passer dans sa solidité de jeune arbre. J'ai le cœur serré, déchiré par ce départ mais je suis aussi absurdement enivrée par les pas retentissants des hommes, les grands corps rythmés qu'ils forment ensemble et le bruit excitant du fer.

Ensuite viennent les cavaliers d'Etéocle, lui au centre, impassible et veillant à tout du regard. Puis viennent les lance-pierres et une considérable file de chariots. Jamais je n'avais imaginé un tel déploiement de force, jamais je n'ai vu un tel nombre d'hommes en armes. Je me tourne vers Ismène et K. et demande, épouvantée :

"Tout ça contre Polynice ?"

K. répond : "Il en a autant contre Etéocle", et Ismène l'approuve. Alors je comprends que nos deux frères et Hémon ne vont pas seulement se combattre mais qu'ils veulent aussi se tuer. Je souffre en pensant à ces très beaux corps que je chéris et qui vont être livrés aux hasards de la bataille, blessés, écrasés peut-être par ces masses d'hommes en mouvement et la volonté furieuse des métaux. Je me mets à haïr tous ces mâles, avec leurs corps et leurs pensées sauvagement tendues vers le meurtre. Par une intime contradiction je voudrais aussi être avec eux. Oui si mes frères voulaient se réconcilier, j'aimerais, moi l'absurde Antigone, je serais fière d'être en armes avec eux et de défendre ma cité dans les rangs du mur de fer, au cœur de l'enceinte sacrée de Thèbes.

Quelques jours plus tard un des grands marchands de la ville vient me commander des sculptures. Il apporte des blocs de marbre et de l'argent et me demande une statue de Zeus. Il le voit jeune, menaçant, brandissant la foudre et l'éclair. Sans réfléchir je dis : "Comment faire, pour donner une idée de Zeus il faudrait au moins sculpter une montagne ?" Cela fait rire le marchand qui ne pense pas à Zeus mais seulement à une statue qu'il pourrait vendre. Il se souvient alors que je suis la sœur d'Etéocle et regrette d'avoir ri, je suis gênée moi aussi d'avoir laissé apparaître une de mes folles pensées. K. vient à notre secours : "Demande-lui plutôt de faire l'encadrement d'une porte du palais avec des enfants et des fleurs. Il te sera acheté tout de suite." Le marchand accepte, heureux de passer une commande à la sœur d'Etéocle.

Il n'y a pas de nouvelles de l'armée, les jours s'écoulent, interminables car je n'ai pas le courage de travailler seule au jardin et ne parviens pas à commencer la sculpture commandée. L'été m'accable, l'été brûlant de Thèbes qui rend malaisée la respiration de K. et le fait tousser. L'été enfermé dans les immenses remparts de la ville, entre ses murs couleur de lion, avec au milieu du jour l'odeur qui s'élève des caves et des égouts.

Heureusement K. fait jouer dans le jardin les petits enfants du voisinage, je m'installe sous le grand cerisier et je commence à sculpter leurs gestes et leurs visages. C'est là qu'un messager d'Ismène m'apprend que Créon veut me revoir et qu'elle m'attendra avant cela au palais. Quand je la rejoins Ismène est inquiète :

"Créon va te parler d'Hémon, ils ont eu une explication difficile, avant le départ de l'armée. Sois prudente, Créon est un homme secret, un homme de plaisir, dur comme sont ces gens-là. Sans le manifester il détestait Œdipe, maintenant c'est ton tour. Il laisse Etéocle augmenter la puissance de Thèbes et lui ne s'engage pas, il attend.

— Il attend quoi ?

— La mort de nos frères, Antigone."

J'essaie en vain d'habituer mon esprit à ces calculs et à ces haines, Ismène ajoute :

"Créon n'a qu'un point faible, son amour pour Hémon. C'est là que tu es sur son chemin, il ne supporte pas qu'Hémon t'aime.

— Mais Hémon me connaît à peine et Créon pas du tout.

— Hémon t'aime parce que tu es vraie, follement vraie, Antigone, et que ta seule présence fait sentir ce qui est faux. Avec toute son habileté Créon, en face de toi, sonne faux. Hémon s'en est aperçu quand il lui a parlé de toi, et ils se sont quittés presque brouillés. Créon est là, il t'attend, sois sur tes gardes."

Et Ismène s'en va de son pas gracieux, entourée des sourires de tous ceux qui la croisent.

Créon m'invite à m'asseoir près de lui et me montre la porte qui ouvre sur le jardin :

"C'est pour cette porte, m'a dit Ismène, que tu sculptes un encadrement de marbre.

— Un des montants est achevé.

— Tu n'as pas perdu de temps, je ne te connaissais pas ce talent, il est vrai que j'ignore presque tout de toi. Tu sembles me fuir, c'est étrange alors que je suis ton oncle et que j'aimais tant Jocaste.

— Ma mère vous le rendait bien."

Le visage de Créon s'éclaire un instant mais son regard s'assombrit vite :

"On m'assure que tu es très habile, Antigone, il me semble que c'est vrai et qu'Hémon ne s'en rend pas compte."

Je me tais en regardant à travers la porte de hautes fleurs rouges, les mêmes qu'autrefois, dont le souvenir traverse souvent mes nuits.

Créon me propose de l'accompagner au jardin, nous marchons un moment en silence, pensant à Hémon, à Jocaste qui aimait tant soigner ses fleurs. Le jardin est plus vaste, plus somptueux que naguère mais je n'y retrouve plus les subtils accords de couleurs que ma mère y faisait régner.

Créon enfin demande :

"Pourquoi n'es-tu pas restée chez Ismène, tu aurais pu aussi venir au palais. Aller habiter une maison de paysan dans notre plus pauvre faubourg, porter la robe que tu portes, n'est-ce pas une simplicité exagérée, une critique cachée de ce qui est nécessaire au prestige de Thèbes et de la famille royale ?

— C'est Etéocle qui a voulu me prêter cette maison.

— Etéocle est obsédé par la guerre et néglige le reste. Est-il convenable qu'il laisse mon fils Hémon, son second à la tête de l'armée, venir chaque jour chez toi pour y faire des travaux d'ouvrier ?

— Je ne lui ai rien demandé.

— C'est là ton habileté, moins tu demandes plus il te donne. Ignores-tu qu'avant son départ Hémon m'a fait part de son désir de t'épouser ?

— M'épouser, moi !" Je suis si stupéfaite qu'une réponse à la Jocaste jaillit de moi :

"Encore faudrait-il que je le veuille."

Créon, qui scrute mon visage, semble décon-certé, pourtant il affirme :

"Tu le voudras."

Créon s'enfonce dans la colère et me pose durement la question qu'il retenait :

"Es-tu même vierge ?"

Je n'ai pas peur, je dis simplement : "Oui."

Et lui : "Comment est-ce possible dans l'état de misère où je vous ai vus à Colone, avec la promiscuité pendant vos voyages et la présence longtemps près de vous de cet assassin qui est devenu peintre.

— Clios m'a respectée et j'ai appris à me défendre."

Je sais qu'il voudrait dire : "Et Œdipe, est-ce qu'il t'a respectée ?"

Nos yeux se font face, je soutiens son regard et il n'ose pas.

"Que feras-tu si, malgré ma défense, Hémon veut t'épouser ?"

C'est le moment prévu par Ismène où je dois être sur mes gardes. Un grand calme m'envahit car je vois que le seul moyen de me protéger de la ruse ou de la violence de Créon, c'est de dire ce qui est. Je le dis : "Je ne sais pas."

Il hurle : "Tu oserais passer outre, séparer mon fils de son père ?"

Je le fixe toujours avec calme, il est clair maintenant que malgré sa fureur je dois m'en tenir à ce qui est. Je redis : "Je ne sais pas."

Cette fois il me croit, une vraie souffrance apparaît sur son visage mais la colère est toujours là :

"Va-t'en de Thèbes, Antigone, car si tu te trouves entre Hémon et moi, tu feras votre malheur à tous les deux."

Soudain sa voix change et c'est au bord de la supplication qu'il demande : "Ne me sépare pas de mon fils."

Je suis touchée par cet amour : "Je ne veux pas vous séparer. Je suis thébaine, j'ai le droit d'être ici. Je n'y resterai que le temps nécessaire pour réconcilier mes frères.

— Projet impossible, dit Créon, tu ressembles à Œdipe qui n'était pas un politique mais un poète. Hémon doit être roi…

— Hémon sera roi, peut-être, mais je ne serai jamais reine. Je resterai celle que je suis.

Sur la route, si tu me chasses. Dans la maison de bois d'Etéocle si tu peux le tolérer.

— C'est une menace ?

— Non, Créon, tu as peur pour Hémon, tu vois partout des dangers. J'ai la même peur pour mes frères et pour Hémon. N'augmentons pas ce malheur."

Créon est touché peut-être par ce chagrin commun, il semble s'apaiser. Il dit : "Laissons faire l'événement. Je veux croire que tu n'es pas une ennemie."

Non, je ne le suis pas et je le lui dis. Il voit que je ne veux rien obtenir de lui, que je puis aussi lui résister. Il fait de la main un petit signe et me dit seulement : "Va."

Je pars en longeant les fleurs rouges que Jocaste aimait. Je marche de ce long pas trop masculin qui est devenu le mien et qui doit déplaire à Créon dont je sens le lourd regard peser sur ma nuque.

Ismène m'attend avec K., ils me font raconter l'entrevue dans tous ses détails.

"Créon, dit Ismène, croit que tu as des plans d'avenir. Il ne comprend pas que le danger pour lui vient seulement de ce que tu es. Comme c'est cela qu'Hémon aime en toi, Créon va te haïr.

— Pourquoi ?"

K. répond : "Parce que tu es une femme."

Des messagers annoncent que l'armée est victorieuse, puis qu'elle est proche mais compte beaucoup de blessés et de malades qui ne rejoindront que plus tard. D'après Ismène, Etéocle et Hémon sont blessés tous les deux. Je prépare des baumes, je voudrais déjà les soigner moi-même, d'autres mains l'ont fait. Mal peut-être.

Hémon revient après le gros de l'armée car il a dû s'occuper des traînards. Il boite plus bas que je ne m'y attendais.

"Ta jambe, cela semble grave."

Il rit : "C'est surtout mon pansement qui me gêne.

— Et Etéocle ?

— Sa blessure au bras lui a donné beaucoup de fièvre mais elle est peu profonde comme la mienne. Dans quelques jours nous n'y penserons plus."

J'examine la blessure, elle n'est pas dangereuse mais le bandage était maladroit. Je lui applique un baume et je fais un nouveau pansement.

Ismène nous rejoint, elle est effrayée par le grand nombre de blessés.

"La bataille a été longue, dit Hémon, mais il y a aussi beaucoup de malades à cause de la soif et de la mauvaise eau qu'on ne parvenait pas à empêcher les soldats de boire.

— On clame que c'est une victoire, mais nous ne savons rien, raconte-nous comment cela s'est passé", demande Ismène.

Hémon hésite, son domaine c'est l'action et il a peu de goût pour la parole. Ismène insiste, je me joins à elle et finalement il se décide :

"Polynice, en marchant sur Thèbes, était persuadé qu'Etéocle allait l'attendre ici pour profiter de l'avantage des remparts. A mi-chemin sa cavalerie a manqué de fourrage et il a laissé ses Nomades partir en maraude pour s'en procurer. Sûr de n'être pas attaqué il s'est mis à festoyer comme d'habitude et à organiser des jeux et des courses de chars.

En l'apprenant par ses espions Etéocle décide de le surprendre. Il fait avancer nos troupes à marches forcées espérant couper en deux l'armée ennemie dispersée. Il est près d'y réussir car notre avant-garde surprend Polynice qui donnait une fête ce soir-là. Il parvient à s'échapper de justesse et peut ainsi alerter ses troupes. L'imprévoyance de Polynice a été totale sauf sur un point que par malheur nous ignorions. Il a installé en grand secret des veilleurs sur toutes les hauteurs du pays. Ils ont la garde d'un bûcher prêt à être allumé et sont munis de cors dont le son s'étend très loin.

Au cours de la nuit nous voyons des feux s'allumer sur tous les sommets et nous entendons l'appel des cors. La surprise complète n'est plus possible mais Etéocle pense que Polynice n'aura pu regrouper son armée, quand à l'aube dans une position très forte nous déclencherons l'attaque.

Je lui demande si Polynice ne va pas refuser le combat ?

«Impossible, répond-il, il suffit que je me montre à la tête de l'armée, jamais il ne supportera de reculer devant moi.»

Le lendemain Polynice nous fait face avec plus de forces que nous n'en attendions. Nous avons cependant l'avantage du nombre et de la position. Je suis surpris qu'Etéocle maintienne en réserve la garde que je commande. Heureusement, car je n'ai jamais participé à une grande bataille, il me fait rester près de lui.

Le début de l'engagement nous est favorable, nos adversaires résistent avec fermeté mais, sous le poids du nombre et débordés par notre aile gauche, ils sont obligés de reculer. Le plan de bataille d'Etéocle est si bien conçu et les mouvements exécutés avec tant de précision que nous perdons peu d'hommes, beaucoup moins que nos ennemis dont les rangs commencent à vaciller. La victoire semble en vue quand des cris retentissent dans les carrés adverses, ils s'ouvrent et plusieurs cavaliers s'avancent vers nous.

L'un d'eux est Polynice, le casque couronné de son panache rouge, il est monté sur un puissant étalon. Arrivé en face d'Etéocle il puise en riant dans ses fontes et projette dans nos rangs, avec une force prodigieuse, ce que nous prenons d'abord pour des projectiles. Il longe ensuite notre front au galop tout en continuant de nous bombarder et ses compagnons font de même. Nous sommes si stupéfaits par leur frénétique irruption que notre élan est rompu. Nous comprenons ce que fait Polynice en voyant des pièces rouler sur le sol et en l'entendant clamer à ses troupes : «C'est l'or et l'argent de l'armée que nous avons jetés dans leurs rangs. Si vous parvenez à les reprendre, tout est à vous. Allez-y… En avant… En avant !»

Il disparaît avec ses cavaliers mais notre attaque piétine, le désir du gain ranime chez nos adversaires l'espoir de vaincre et ce sont eux maintenant qui nous pressent et cherchent à nous faire reculer.

Nos hommes, qui entendent les pièces résonner sur leurs boucliers ou qui les voient tomber entre eux, tentent de les attraper au vol ou de les ramasser par terre. Certains, oubliant le danger, se précipitent sur le sol pour en ramasser davantage. Le toit de boucliers sous lequel nous progressions se disloque et une grêle de flèches et de javelots s'abat aussitôt sur les rangs mal protégés. Beaucoup d'hommes s'écroulent, impossible de savoir s'ils ont été atteints ou s'ils cherchent seulement à s'emparer de l'or qui est sur le sol. Le désordre commence à s'étendre dans nos rangs et il n'est plus question d'avancer car les soldats ne veulent pas laisser à ceux qui les suivent l'espace où est tombé l'or de Polynice. Ce moment de trouble pourrait se terminer en déroute, heureusement Etéocle a gardé en réserve une petite troupe de soldats d'élite. Il se met à leur tête et nous chargeons de flanc l'ennemi dont l'attaque est brisée.

Etéocle en profite pour prendre son porte-voix et annoncer de sa voix calme : «Pour ne pas perdre l'argent de Polynice, reprenez vos formations et avancez. J'en fais serment tout ce qu'il a lancé sera réuni et partagé entre vous... Après la victoire !»

Une longue acclamation répond à cette promesse, l'ordre se rétablit et nous repartons en avant. Je crois la victoire assurée, mais Etéocle m'appelle, il est inquiet :

«Polynice n'est pas sur le front. C'est qu'il est en train de nous tourner avec ses cavaliers nomades.

— Impossible. A gauche il y a des rochers, un ravin. A droite, la forêt est trop serrée et, derrière elle, nos cavaliers.»

Etéocle me foudroie :

«Ce qui est impossible pour nous ne l'est pas pour Polynice. Ses Nomades connaissent la forêt. Il est sans doute en train de culbuter nos cavaliers et va nous attaquer par-derrière. Ne perds pas un instant, va faire avancer la garde. Fais-la courir, fais-la crier !»

En hâte, je m'efforce à grand-peine de traverser les lignes de l'armée. En arrivant à l'arrière, j'entends une immense clameur, le tumulte d'une charge, Polynice et ses Nomades nous ont tournés. A leurs hurlements s'opposent déjà le sang-froid et les ordres précis d'Etéocle. Nos deux derniers carrés doivent opérer un retournement complet pour faire face à l'attaque. Il ordonne, comme s'il était sur un champ de manœuvres, les mouvements successifs de cette difficile opération. La manœuvre ne réussit que partiellement car déjà Polynice et ses Barbares fondent sur les nôtres mais nos carrés ne se disloquent pas. A ce moment j'ai traversé nos lignes et peux lancer mon cheval au galop pour rejoindre la garde. Enoé, mon second, a compris la situation, les hommes sont prêts. Je les fais courir, je les fais crier pour que toute l'armée entende qu'ils arrivent, et fais infléchir ma droite pour tenter d'encercler Polynice.

Le choc des cavaliers ennemis a gravement ébranlé l'arrière de l'armée mais n'a pas provoqué de panique. J'entends la voix toujours aussi calme d'Etéocle ordonner : «Ne frappez pas les cuirasses, frappez les chevaux !»

Polynice a vu que la garde en avançant va encercler les siens, il crie : «Retraite !» Je laisse Enoé continuer la manœuvre et je me rue vers Polynice qui est en train de dégager ses Nomades des sillons qu'ils ont creusés dans nos rangs. Criant des ordres, protégeant efficacement les siens, il est aussi calme à sa manière qu'Etéocle et il dirige parfaitement la retraite de ses cavaliers. Il va nous échapper et la colère me déborde. Je ne vois plus que lui, je n'entends plus que son rire qui nous défie. Avec son superbe panache, son armure et son étalon tout couvert de sang, il étincelle au milieu du carnage comme le dieu de la guerre. Dans ma folie, je crois soudain que son rire ne sort pas de sa gorge mais de son panache rouge qui me fascine et l'ordre jaillit du plus profond de mon être : Coupe-le !

Occupé à rameuter ses derniers cavaliers, Polynice ne me voit pas surgir, au moment de heurter son cheval, le mien se cabre. A ce moment je domine Polynice, je pourrais le blesser, je pourrais aussi, ce qui serait plus sûr, frapper son cheval comme vient de l'ordonner Etéocle. Oui, pendant un bref moment tout était possible et aujourd'hui encore je ne puis comprendre ni me pardonner ce que j'ai fait. Car en cet instant je ne vois, je ne pense qu'au panache rouge de Polynice et, d'un coup, je le tranche.

Polynice me voit alors et parvient à faire tourner son cheval avant que je ne frappe à nouveau. Nous sommes face à face, nos chevaux furieux se mordent et tentent de se cabrer. Polynice a vu filer son panache en l'air et crie en riant :

«Joli coup, petit Hémon, mais si tu crois m'avoir coupé la crête, tu vas voir !»

Nous sommes si serrés l'un contre l'autre que nous ne pouvons plus nous servir de nos armes. Polynice me saisit à la taille, je fais de même mais avec un instant de retard. Il fait cabrer très haut son étalon qui hurle comme un homme. Mes mains glissent sur le sang qui couvre son armure, je me sens soulevé de ma selle par une force irrésistible et projeté sur le sol. Déjà Polynice s'échappe au galop.

Pendant que je me relève difficilement j'ai encore un instant d'espoir car quelques-uns des hommes de la garde ont devancé les autres et lui barrent le passage. Sans un instant d'hésitation Polynice enlève son cheval, les franchit d'un bond et on entend résonner à nouveau dans l'air son étincelante jubilation. J'ai mal partout, je boite, mes hommes me ramènent mon cheval et m'aident à l'enfourcher. A ce moment retentit le porte-voix d'Etéocle : «Est-ce qu'Hémon est vivant ?» Je suis si humilié, si troublé que je ne sais plus si j'ose encore être vivant. Ce sont les hommes de la garde qui répondent à ma place : «Vivant !» Etéocle reprend son porte-voix et avec toute l'armée crie : «Victoire !»

Je ne sais plus qui je suis ni ce que je fais, le rire de Polynice occupe mes oreilles, je me vois toujours, au sommet de l'absurdité, tranchant son panache rouge. Quelqu'un a dû me guider car je me trouve soudain en face d'Etéocle. Un linge soutient son bras blessé, il a changé de cheval, le sien a été tué.

Je me sens pâlir en le voyant, tant les suites de mon comportement me semblent justifier des reproches. Il me regarde venir, impassible comme d'habitude. Quelqu'un lui dit que je suis blessé, un pli anxieux apparaît sur ses lèvres et c'est l'ami qui m'interroge : «C'est grave ?» Je suis si honteux de ce que j'ai fait que je suis incapable de répondre. Il me regarde dans les yeux et me dit :

«Par ta rapidité tu as sauvé l'armée, Hémon. Mission accomplie.»

Un peu de calme revient en moi, je reprends souffle, je puis avouer : «J'ai laissé s'échapper Polynice… J'ai seulement coupé son panache rouge.»

Etéocle éclate d'un rire franc : «Quel trophée à rapporter à Thèbes ! La prochaine fois tu lui couperas mieux que cela.»

L'armée continue à crier : Victoire ! Mais personne n'avance plus. En face de nous l'armée de Polynice, avec un peu moins de force, pousse les mêmes clameurs.

Allons-nous reprendre l'attaque ? «Nos hommes sont trop épuisés pour courir ce risque, dit Etéocle, l'ennemi aussi est à bout de forces, nous sommes à l'ombre, lui au soleil, le manque d'eau va le forcer à se retirer. Nous camperons sur ses positions pour manifester ce qu'on appellera notre victoire. D'ailleurs c'est un échec pour Polynice il devra faire retraite vers Argos et nous pourrons revenir à Thèbes.»

Comme il s'y attendait, l'armée adverse plus éprouvée encore que la nôtre se retire, protégée par un rideau de cavalerie que Polynice conduit lui-même.

Nous passons la nuit sur les positions ennemies, comme Etéocle craint une attaque-surprise des Nomades nous veillons ensemble. La fièvre et la soif nous tiennent éveillés et je ne puis m'empêcher de dire :

«Ce qu'a fait Polynice, hier, était fou.

— D'une folie géniale, dit Etéocle. Nous étions sur le point de vaincre et il a retourné la situation.

— Dire que j'aurais pu le faire prisonnier !

— Ne sois pas triste, Hémon, tu l'as contraint à la retraite. N'être pas vaincu par Polynice, c'est sans doute une victoire.»

Etéocle s'absorbe dans ses pensées en regardant rougeoyer les dernières braises du feu. Soudain il reprend : «Si tu l'avais fait prisonnier, Hémon, crois-tu que j'aurais pu ramener Polynice enchaîné à Thèbes et le faire condamner comme traître ? Non, je l'aurais aidé à s'évader car la vraie guerre n'est pas entre lui et Thèbes mais entre lui et moi. Un de nous deux est de trop et seul l'autre peut en finir avec lui. C'est très dur… c'est ainsi.»

Il dit cela à voix basse et comme s'il me faisait un aveu. La nuit est froide, je ne vois plus son visage car le feu s'éteint. Je sens son âme souffrir démesurément, à côté de la mienne qui ne souffre que d'orgueil blessé.

J'entends résonner en moi le cri de détresse qu'Etéocle ne se permettra jamais de proférer et ne sachant que faire, je réchauffe sa main valide dans les miennes. Ce geste semble lui faire du bien car il expire avec force et plusieurs fois l'air angoissé de ses poumons. Il murmure :

«Polynice en ce moment souffre autant que moi. Je l'ai attiré dans ma nuit, je ne puis, je ne pourrai plus jamais rien pour lui. Dès l'aube il recommencera à rayonner et à emplir l'existence de son rire. Mais je l'ai blessé et il sait maintenant que, pour lui aussi, la nuit existe.»

Il se tait, nous écoutons les blessés gémir dans leur sommeil et s'élever l'obscure rumeur de l'armée, tourmentée par la soif et les cauchemars. Gardant dans mes mains la main d'Etéocle, je suis emporté par le sommeil et je le laisse malgré moi vivre seul cette heure désespérée. Je m'éveille en sentant qu'il se dégage de mon étreinte, les premières lueurs de l'aube apparaissent. Etéocle scrute l'horizon dans tous les sens, calme, impavide comme lui seul peut l'être. Et avec sa voix de commandement :

«Fais sonner le réveil, Hémon, veille à une juste distribution de ce qui reste de vivres et d'eau. Puis mettons-nous en marche avant la chaleur. La route sera dure avec tant de blessés et si peu d'eau.»

Le retour a été long avec les blessés sans eau et les morts à enterrer chaque soir. Pourtant aux portes de Thèbes, sous le regard des femmes et les acclamations, nos armes sont redevenues brillantes et nous avons redressé nos corps fatigués.

Je ne sais plus que penser de tout cela. Songe, Antigone, qu'au moment où Polynice m'a renversé de mon cheval, je le haïssais de toutes mes forces et qu'en même temps je l'admirais. Que j'aurais voulu, comme Etéocle, lui ressembler."

Je sens que cette bataille a été pour Hémon une épreuve décisive et qu'il revient bien différent de ce qu'il était en partant. Je ne puis que lui dire :

"Tu es là, Hémon. Etéocle et Polynice eux aussi sont vivants. Il faut arrêter cette folie, il est encore temps."

Proche des larmes, un rire crispé d'Ismène me répond :

"Arrêter tous ces mâles, Antigone, c'est comme si tu croyais que leurs sexes vont cesser de se dresser pour nous. Comme si nous ne désirions plus que se poursuive ce dangereux salut qu'ils nous font."

VII

LES SCULPTURES

Les sculptures que le marchand m'a comman-
dées pour une porte du palais sont terminées.
Etéocle vient les voir, il me dit :

"Tu as fait sur un arbre, près de chez ton amie
Diotime, un bas-relief représentant Œdipe et
Jocaste. K. me dit qu'il est admirable.

— Comment l'a-t-il vu, il est perdu en pleine
forêt ?

— Clios le lui a montré."

Etéocle voit que je suis touchée par ce geste de
Clios et me demande de faire deux bas-reliefs
de Jocaste.

"Pourquoi deux ?

— Un pour Polynice, un pour moi."

Un immense espoir me soulève : "Tu veux
faire la paix avec Polynice ?

— Je veux seulement que nous ayons tous
les deux ce souvenir."

L'espoir s'éteint et la demande m'épouvante.
Je bredouille :

"Notre mère est morte, depuis dix ans, et la
blessure est toujours là. Comment veux-tu que
moi, moi toute seule au milieu de votre sale
guerre, je trouve la force de l'évoquer à nouveau ? Et cela pendant des jours... des mois
sans doute, avec mes mains, mon esprit, mon
chagrin...

— Tu l'as fait pour Œdipe dans la forêt, fais-le maintenant pour Polynice et pour moi.

— Ce que tu me demandes Etéocle est trop dur. Au-delà de mes forces… Et deux fois, c'est pire que tout."

Etéocle ne se fâche pas, mais insiste :

"C'est très important, Antigone, tu crois que c'est au-delà de tes forces, ce n'est pas ce que pensent K. et Ismène. Nous t'aiderons."

Ainsi ils ont osé parler de cela entre eux, à mon insu, ils veulent me forcer la main. Ce sont bien les procédés d'Etéocle et de la chère et redoutable Ismène. Mais K., l'envoyé de Clios, K. qui m'aime et me connaît, avec toutes mes faiblesses, bien mieux que je ne me connais moi-même. K. ose penser que ce n'est pas au-dessus de mes forces. Et pourquoi Etéocle trouve-t-il que c'est si important ? Eperdue, comme je suis, j'ose lui poser la question. Elle le trouble et il finit par dire :

"Notre mère est toujours la vraie reine de Thèbes. Les pouvoirs du sol, ceux des ancêtres et la mémoire de la cité sont toujours sous son sceptre. Il n'est pas bon que Thèbes soit dirigée par une morte. Jusqu'ici ni Polynice ni moi n'avons pu mener notre deuil à son terme et assurer, à sa place, la totalité de la puissance royale. Je pense qu'une image d'elle, faite par tes mains, nous libérera, nous délivrera du règne de Jocaste et permettra à Polynice ou à moi de régner non plus pour la mort mais pour la vie.

— Si je fais ces sculptures comment Polynice pourra-t-il les voir ?

— Je t'enverrai chez lui, avec son accord.

— Mais pourquoi deux sculptures ?

— Elles ne seront pas les mêmes, je ne te demande pas de faire la Jocaste qu'ont vue les

Thébains, ni celle que tu revois. Ce que j'attends de toi c'est la Jocaste de Polynice et la mienne. Qui n'étaient pas et ne seront jamais les mêmes. C'est la ressemblance et l'inépuisable différence entre ces deux Jocaste qui ont conditionné nos vies. Ce sont elles que tu dois faire voir dans ton œuvre pour que nous accomplissions résolument le destin.

— Et si c'est la guerre civile, Etéocle ?

— Polynice et moi, les jumeaux de Jocaste, nous ne recevrons de personne la royauté que nous tenons d'elle. Un de nous deux doit s'emparer du règne par une opération de force.

— Et l'autre ?

— L'autre doit renoncer ou mourir.

— Pourquoi ne renonces-tu pas, Etéocle ?

— C'est un pouvoir que Polynice, le bien-aimé, possède seul. Œdipe l'a bien vu à Colone quand il lui a dit : «Un vrai roi, comme toi, n'a pas besoin de trône pour régner.»

— Polynice ne l'a pas compris.

— Il n'aurait pu comprendre que si cette parole était venue de notre mère. C'est possible encore à travers toi.

— C'est pour cela que tu me demandes ces sculptures ?

— C'est toi qui peux, à travers ces sculptures, faire sentir à Polynice l'incroyable, l'insupportable différence que Jocaste a fait régner entre nous. Toi aussi, Antigone, tu as préféré Polynice, j'ai donc le droit de te demander de faire ces sculptures. C'est la dernière chance de la paix et Ismène et K. pensent comme moi.

— Ismène et toi, peut-être que vous cherchez à m'embarquer dans une de vos combinaisons politiques mais K… si K. pense comme vous… Dis-lui de venir."

Etéocle sort de l'atelier et revient avec lui : "K. est-ce que vraiment je dois ?"

K. rit, avec une étrange douceur : "Tu ne dois pas, Antigone. Tu as rempli bien assez de devoirs avec Œdipe mais… écoute…"

Sa voix s'élève à peine et émet quelques notes qui ne deviennent pas musique mais la perfection des sons. Ces sons traversent mon esprit, détendent mes peurs, mes crispations, tout mon corps. Ils me font sentir que mes mains peuvent beaucoup plus de choses que je ne crois. Mes mains, mes pauvres grandes mains sont libres, mes mains qui sont une Antigone plus forte que celle qui régente mon esprit, plus patientes que celle dont le cœur blessé s'abandonne trop facilement aux larmes, mes mains peuvent tenter de dire oui.

Je regarde K., l'envoyé des sons parfaits, et je dis à Etéocle qui attend impatiemment ma réponse : "Je ne te promets pas de réussir, j'essaierai."

Etéocle est content et dans ce moment de détente, presque de joie, je suis étonnée d'entendre K. lui dire :

"Et tu la couvriras d'or elle aussi ?

— Naturellement, je la couvrirai d'or", dit Etéocle qui prend la chose en riant. Puis devant l'air fermé de K. :

"Enfin, quel sera le prix ?

— Tu le connais, pour chaque sculpture le même prix que pour une peinture de Clios.

— C'est énorme, dit Etéocle, Antigone n'a ni la célébrité ni peut-être le talent de Clios.

— Ce n'est pas l'avis de Clios, dit sèchement K. D'ailleurs je prends le risque, tu ne paieras la seconde moitié du prix que si elle réussit."

J'ai honte de ce marchandage et je donne raison à Etéocle quand il s'exclame : "Un prix pareil, entre ma sœur et moi ?

— Tu as beaucoup d'argent, dit K., et Clios sait que tu es un négociateur redoutable, fort capable de payer ta sœur en amour fraternel et en sourires royaux. Paie le prix qu'il veut ou renonce aux sculptures. Il m'a envoyé ici pour défendre Antigone et elle lui a promis de suivre mes avis."

Je suis stupéfaite par la façon dont K. mêle ces questions d'argent à la demande d'Etéocle. Je ne puis m'empêcher de demander : "Mais enfin, K., qu'est-ce que Clios veut que je fasse de tout cet argent ?"

Ambigu, un sourire éclaire à nouveau son visage : "Clios ne veut pas que tu en fasses quelque chose. Il sait bien que tu le donneras."

Etéocle n'hésite plus, il dit :

"D'accord. Achetez le bois. J'enverrai demain la moitié du prix."

Je vois qu'il va partir et je demande en hâte :

"Quand pourrons-nous enfin parler tous les deux ?

— Quand tes sculptures seront là, Antigone. Nous parlerons en les regardant ensemble, car je suis sûr que tu réussiras."

Il ne me laisse pas le temps de répondre et s'en va, de son pas rapide. A la porte du jardin, il se retourne et, voyant que je le suis du regard, il me fait de la main un petit signe plein d'une tristesse qui vient de si loin, de si profond, qu'elle me perce le cœur.

Le lendemain je vais au marché avec K. qui m'aide à découvrir les bois dont j'ai besoin pour mes sculptures. En arrivant près de la maison nous voyons dans le jardin un homme, qui porte le chapeau de paille coloré des paysans de la montagne. Le visage de K. s'éclaire et d'un mouvement spontané, les deux hommes courent l'un vers l'autre et s'étreignent. K. me le présente :

"C'est Main d'or, le compagnon de clan et l'ami de Clios. Le mien aussi."

Main d'or a, sous une épaisse chevelure brune, un visage ferme et rieur qu'éclairent des yeux bleus. L'amitié de Clios et de K. me le rend si proche que je l'embrasse. Il semble hésiter à parler et K. me dit :

"Il faut un peu de patience pour qu'il parle, il bégaie parfois mais ses mains ne bégaient jamais, son cœur non plus."

Main d'or se recueille un instant puis se risque : "Long voyage… ta… ta sculpture est là."

Il me montre un grand objet entouré de paille tressée qu'il veut défaire mais je n'ai pas envie de le voir tout de suite, je veux découvrir à mon aise cet envoi de Clios.

"Tu as fait une longue marche dans la chaleur, tu as soif, je vais d'abord te verser à boire." Il est content car il est altéré mais regarde d'un œil critique le jardin que j'ai négligé. Lorsque je reviens avec les boissons je l'entends dire à K. dans son langage explosif : "Jardin abandonné n'a… n'a… jamais rien donné."

Nous nous mettons à table un peu plus tard et je vois en face de moi les bras musculeux et la carrure puissante de Main d'or. Ses mouvements rapides, son rire, son regard enfantin m'avaient voilé sa surprenante vigueur. Quand il a fini de manger, il se tourne vers K. et demande :

"Dis… dis-lui… qui je suis.

— Sa mère est morte en couches. Son père peu après. Enfant, il ne parlait pas. La mère de Clios a entrepris de lui apprendre. Il a fait de grands progrès.

— Mère Clios… très patiente.

— Quand la mère de Clios est morte ses progrès se sont arrêtés mais il peut tout dire.

— Je peux dire… Io… Clios… t'aiment beaucoup. Moi… déjà !"

Il rit sans la moindre gêne et m'aide à desservir et à laver la vaisselle pendant que K. va dégager de son enveloppe l'envoi de Clios.

Il a reproduit en plus grand, dans la pierre du pays, la petite sculpture que je lui avais envoyée du parcours d'Œdipe autour d'Athènes avant notre arrivée à Colone. La sculpture de Clios, taillée dans la pente même de sa montagne, est plus haute, plus verticale que mon modèle. Chaque parcours, du couchant au levant ou d'est en ouest, forme une sorte de marche ou de degré semi-circulaire. La plus large est en haut, la plus étroite, en bas, donne sur une surface rectangulaire que Clios a appelé le plateau.

Je montre ce qui est au-delà du plateau : "Et là, qu'y a-t-il ?"

Main d'or fait un geste large : "Grande… vallée.

— Il y a le monde, dit K., les nuages, le ciel, la place pour un événement.

— Quel événement ?"

Main d'or éclate de rire : "Clios… beaucoup cherché… Trouvé… jamais !"

Nous rions tous les trois en pensant à cet événement que Clios le superbe, avec son regard d'aigle, n'est pas parvenu à voir.

Je m'absorbe dans la contemplation de ce parcours d'Œdipe qui parle si fermement, et cette fois de façon plus abrupte, à mon esprit et à mon cœur. Il est vrai qu'au bas de ces marches en demi-cercle, il y a place pour un événement. A Colone l'événement a eu lieu, Œdipe est redevenu voyant et, en nous quittant, n'a pas cessé de poursuivre en nous sa route. Est-ce un événement de cet ordre qui apparaîtra un jour dans ce lieu énigmatique que Clios est en train de faire naître ?

Je sors de ma rêverie et je vois Main d'or en train de bêcher le jardin. Il pense, me dit K., qu'il est encore temps de planter des légumes à condition de les arroser beaucoup, ce qu'il se charge de faire.

"Comment, puisqu'il va repartir ?

— Il ne repart pas. Clios sait que je suis malade et l'envoie pour me suppléer."

Je suis si stupidement heureuse de cette nouvelle intervention de Clios dans ma vie que cela m'irrite, je proteste : "Je ne veux pas que Clios me protège."

C'est d'un ton très sérieux que K. me répond : "Clios ne prétend pas te protéger, il sait que c'est impossible. Il nous a envoyés ici pour te donner le temps de faire ton œuvre.

— Les sculptures ?

— Les sculptures et plus que les sculptures. Ce qui se découvrira…"

Il ajoute : "Clios sait aussi que vivre un peu près de toi nous fera du bien."

J'appelle Main d'or et il m'aide à porter les deux pièces de bois à l'atelier. Le bois est beau, dur, il sera difficile à travailler, je m'effraie de son aspect massif. Main d'or le voit et me propose d'affiner les deux morceaux pour que je puisse les sculpter plus aisément. J'accepte, il va installer une des pièces sur une pierre du jardin et commence à la dégrossir. Je m'assieds en face de l'autre et la regarde avec désespoir, comment susciter dans ce bois l'image royale et sensuelle de la Jocaste de Polynice, car c'est celle que je dois faire naître d'abord, comme cela a été décidé depuis toujours par une instance inconnue.

Dans ce bois brut et qui me fait horreur, Jocaste et Polynice, pleins de vie et de passions, se trouvent déjà. Ce que je dois faire exister par mon travail ce n'est pas eux, ils n'existent que trop, c'est moi. C'est Antigone, le sculpteur qui, chaque jour, à travers son chagrin et ses peurs n'aura pas d'autre rôle que d'enlever patiemment ce qui les cache encore aux regards.

Je suis si effrayée de sentir leur présence inatteignable et pourtant si proche que je cours jusqu'à la pierre où Main d'or travaille le bois de la Jocaste d'Etéocle. Il polit soigneusement tous les endroits dont il a déjà réduit les aspérités ou effacé les fissures, je les touche, je les caresse, je le regarde qui travaille en riant. Je dis : "Je voudrais bien pouvoir rire, comme toi, en travaillant."

Sa figure s'éclaire et il me dit : "… Fa… facile !" avec une telle certitude que je le crois. Je reviens lentement m'asseoir devant la figure encore masquée de la Jocaste de Polynice. Je la contemple, je la parcours de mes mains, je mets mes joues et mon front contre elle, comme faisait Œdipe mais pas longtemps car je pleure et bientôt je ne vois plus rien.

J'entends quelqu'un qui franchit l'entrée du jardin, j'espère que c'est Hémon mais ce n'est pas son pas. Inutile de regarder, je ne vois plus et je ne veux pas qu'on me trouve en larmes. Je voudrais me sauver, me cacher et comme je n'en ai plus la force, j'étreins de mes deux bras le bois dur de ma mère morte, je plaque mon visage contre lui et ne cherche plus à retenir mes larmes.

La présence est près de moi maintenant, tout près, je relève la tête et de ma joue je touche sa chevelure blonde et parfumée. Ce n'est pas la chaleur, la fureur solaire de Polynice. C'est une blondeur argentée qui m'a toujours été étrangère, hélas, et qui pourtant m'enchante. J'y enfonce mon visage en larmes, ma main suit le parcours parfait du bras jusqu'à la douceur de l'épaule.

Soudain c'est l'éclat du rire d'Ismène :

"Qu'est-ce que tu peux contempler si long-temps dans ce morceau de bois crasseux. C'est là-dedans que tu prétends sculpter notre superbe mère. Et Etéocle qui me demande de t'aider, t'aider à quoi ? Je ne suis pas sculpteur, moi, je fais les plus belles tapisseries de Thèbes, cela suffit à mon bonheur et à celui de mon homme…

Mais c'est que tu me caresses, tu me caresses les cheveux avec ta joue comme autrefois. Tu te rappelles, cela ne nous est plus arrivé depuis le temps où les frères me jetaient si souvent par terre. Alors je pleurais très fort, même si je n'avais pas mal, pour que tu viennes me con-soler. J'étais sûre que tu allais accourir, me cajo-ler, me recoiffer, essuyer mes larmes et toujours caresser mes cheveux avec tes joues. Pour mon plaisir et pour le tien, quels bons moments nous avons eus ainsi toutes les deux.

Comment puis-je t'aider, comme l'espère Etéocle, dis-le-moi si tu peux ? Je dirai non natu-rellement, mais tu sais déjà que je ferai oui. Oui, contre mon gré. A quoi penses-tu en pleurant ainsi, le nez sur ce morceau de bois ? Donne-le d'abord à nettoyer à ton nouvel ami Main d'or, tu t'es déniché là un troisième amoureux. Bonne recrue, quel beau corps et quelle force. Quand il fait l'amour, celui-là, on doit vite se retrouver au ciel, ce qui n'est pas la sainte route de notre chère Antigone. On pourrait lui fêler son vase sacré, son volcan secret pourrait se mettre à rugir. Allons puisqu'il faut décidément que je t'aide, dis-moi comment ?

— J'ai besoin que nous parlions, Ismène.

— De quoi, de qui ?

— De notre mère, de nos frères, de nous deux. J'ai besoin de parler avec toi, rien qu'avec toi."

Ismène s'écarte vivement de moi, elle me fait face, ses yeux brillent de colère, comme elle est belle en s'écriant :

"Je vois bien ce que tu veux, tu dois pour tes sculptures évoquer notre mère et les jumeaux. Ce sera douloureux et tu vas retomber dans tes pleurnicheries. Tu les détestes, bien sûr, mais aussi tu les aimes, et pour sculpter tu dois avoir les yeux clairs. Ce que tu veux c'est que ce soit moi, ta petite sœur, qui te parle d'eux et que j'accepte de pleurer à ta place pour que tu puisses travailler en paix, les yeux ouverts sur ce que tu appelles la lumière divine. Est-ce que c'est bien ce que tu veux, Antigone ?

— Je ne sais pas, Ismène, je ne sais plus, je ne voulais pas faire ce travail…

— Et maintenant tu veux, et que ce soit moi qui souffre. Bien, je viendrai, je te parlerai d'eux tout le temps qu'il faudra mais pas un jour de plus. Tu as osé, tu as osé me demander cela. En silence, à ta détestable manière. Sans rien demander !"

VIII

LE MONOLOGUE D'ISMÈNE

Puisque tu le veux, Antigone, je parle, je parle, et tu te tais. Pourtant nous parlons puisque je me saisis de ton silence et parviens parfois à lui donner un sens. Je parle, je vais, je viens, je tourne autour de toi, je me fâche, j'éclate de rire tandis que toi, assise devant ton établi, tu regardes sans fin ce que, pour te faire sortir de tes gonds, j'appelle tes bûches. Qui ne sont plus des bûches depuis que Main d'or les a fait devenir de superbes disques, bombés, couleur de miel où l'on peut croire que l'image, obstinément royale, de notre mère va surgir.

Quand le temps que j'ai décidé de consacrer à nos parleries est terminé je m'éloigne et bientôt je te vois sortir de l'atelier tout autre, toute simple comme d'habitude. Cela augmente ma colère contre toi, contre le rôle étrange que tu me fais jouer et ta lenteur ou ton impuissance à te mettre au travail. C'est qu'il faut te voir assise, raide et tendue devant ton établi, regardant fixement le bois, posant peureusement tes mains sur lui comme s'il allait te mordre ou te parler.

Il faut t'entendre soupirer, voir les gouttes de sueur apparaître sur ton front, ton visage, tout ton corps, supporter les moments où tu te mets à trembler. Tout cela pendant que je m'agite et bourdonne éperdument autour de toi.

Je te questionne souvent plusieurs fois de suite, tu sembles ne pas m'entendre puis avec un pauvre sourire, pire que des larmes, tu me réponds d'un mot qui ne m'éclaire pas sur ce que tu ressens ni sur ce que tu penses.

Aujourd'hui je ne veux plus te parler de notre vie d'autrefois. Je veux te parler d'Œdipe, de la vie d'Œdipe et pas seulement du père admirable et joueur de nos petites années. Puisque tu l'as accompagné et confisqué pendant dix ans tu crois être seule à le connaître mais penses-tu que pendant tout ce temps je n'ai pas cherché, comme toi, à progresser dans la connaissance de notre père ? J'ai beaucoup pensé à lui, j'ai parlé de lui chaque fois que je le pouvais et j'ai appris sur lui, sur l'Œdipe des autres, bien des choses que je porte dans mon cœur et que tu ignores.

La première année après ta fuite de Thèbes a été pour moi la plus dure, je me sentais seule, perdue dans ce palais où ma mère était morte et où mon père et ma sœur m'avaient abandonnée. Personne ne s'apercevait de mon malheur sauf l'ancienne nourrice de notre mère : Eudoxia.

Créon lui avait demandé de descendre de sa montagne pour remettre un peu d'ordre au palais et diriger les servantes que le suicide de Jocaste avait affolées. Elle a reporté sur moi l'affection qu'elle avait pour notre mère, elle m'a rendu confiance et orientée vers le bonheur. Ce bonheur dont elle disait qu'il ne faut pas trop attendre car il n'apporte pas tout mais seulement le bonheur.

Eudoxia aimait raconter des histoires et comme j'adorais l'écouter nous étions heureuses, le soir quand je venais me réfugier dans sa chambre. C'est ainsi qu'elle m'a conté que notre mère, lorsqu'elle a été sûre d'être enceinte, a dit à Œdipe son désir de partir seule à la montagne passer quelques jours dans la maison d'Eudoxia. Œdipe qui savait son affection pour sa nourrice et son amour de la montagne l'a encouragée à le faire.

L'absence de notre mère s'est prolongée plus longtemps qu'il ne s'y attendait et Œdipe, un matin, est parti les rejoindre. Il neigeait quand il est arrivé à proximité de la maison d'Eudoxia et il s'est arrêté un moment, caché par un arbre. Assise sur un banc, protégée par la longue pente du toit, il a vu Jocaste qui regardait tomber la neige et, par la porte entrouverte, Eudoxia en train de préparer le repas. Jamais il n'avait vu Jocaste ainsi, enveloppée d'une vieille couverture, elle ne portait aucun bijou et ses pieds s'abritaient dans de gros sabots bleus emplis de paille. Œdipe a été ému de découvrir cet aspect d'elle qu'il ignorait. Il la voyait remuer les lèvres, sans entendre aucun son comme si elle parlait tout bas. Puis elle s'est mise à pleurer très doucement, sa magnifique chevelure presque cachée par la couverture. Œdipe a pensé : elle pleure comme tombent les flocons. Peut-être a-t-elle alors senti sa présence, pourtant il n'avait pas bougé, car elle s'est tournée dans sa direction et a fait de la main une sorte d'appel.

Il s'est avancé vers elle, Jocaste lui a souri avec une timidité qu'il ne lui avait jamais vue. Elle ne s'est pas levée, ne lui a pas ouvert ses bras, et lui n'a pas osé lui parler ni l'embrasser. Elle a dit seulement : "Tu es là." Elle s'est reculée sur le banc, l'a fait asseoir à côté d'elle et a étendu sur lui la moitié de la couverture. Eudoxia est venue à la porte, bien contente de voir Œdipe et a dit : "Il faudra attendre un peu pour le repas, heureusement il y a ce qu'il faut. La reine a eu peur de la chaleur pour son enfant, elle a eu raison et toi, tu as bien fait de venir, roi Œdipe." Quand Eudoxia donnait à notre père le titre de roi ses yeux pétillaient de gaieté car elle était la seule, avec le devin, à savoir que le vrai roi de Thèbes était Jocaste.

En attendant le repas, ils sont restés longtemps sous la couverture, sans se toucher, chacun dans la chaleur de l'autre, regardant la floraison blanche s'enfoncer dans le gris du soir.

Œdipe ne parvenait pas à penser mais tout lui semblait plus proche, plus présent que d'habitude. Il a cru entendre que Jocaste parlait, il a demandé : "Que dis-tu ?"

Elle a répondu : "Je ne dis rien, je suis heureuse, peut-être que c'est mon bonheur qui parle à l'enfant. Son nom est Polynice, toi maintenant parle-lui !"

Œdipe a parlé, il a raconté à Eudoxia qu'il ne se souvenait plus de ses paroles mais que c'étaient des mots d'amour, peut-être des prières, qui s'adressaient à ce qui existait déjà si fort en elle et qui n'existait pas encore pour lui. Ils sont restés tous les deux sur le banc jusqu'au moment où Eudoxia les a appelés pour un repas qu'ils ont partagé avec elle. Ils ont passé ensemble une nuit tendre mais sans se prendre. Le lendemain Œdipe a senti qu'il valait mieux qu'il retourne à Thèbes, Jocaste ne l'a pas retenu. Quand, après de nombreux jours, elle est revenue au palais, elle ne lui a pas parlé de son long séjour à la montagne ni de leurs retrouvailles. Elle était à nouveau la reine, celle que nous avons connue et tellement aimée. Mais Eudoxia m'a dit qu'Œdipe l'interrogeait souvent, sur cette autre femme qu'il avait vue un soir sous l'auvent, celle qui parlait tout bas à son corps en attente, ses pieds parfaits doucement protégés par la paille, dans les deux sabots bleus.

Ne crois pas que je te regarde, Antigone, j'ai senti tes mains s'éveiller, s'émouvoir au contact du bois. J'entends le bruit patient de tes outils et en l'écoutant j'espère que tu vas faire naître une chance, une toute petite chance d'arrêter nos frères, de secourir Thèbes et de nous aider toutes les deux. Je me demande pourtant si tu ne t'es pas lancée dans une tâche impossible. Nous avons tous aimé le soleil de Jocaste mais il y avait en elle un autre astre, celui qui l'a décidée, le malheur venu, à se tuer si durement, sans un mot pour aucun d'entre nous. Jocaste rayonnait, elle était aussi fascinée par la mort, et je crains que tu ne sois comme elle.

Le malheur a été grand, il n'était pas impossible à vivre puisque notre père l'a vécu. En s'aveuglant il s'est uni à la nuit de Jocaste mais ne s'est pas tué. Et quand après avoir surmonté sa détresse, il a quitté Thèbes, il s'est trouvé une Antigone pour exercer à sa place le métier de roi mendiant. Je crois que je pourrais faire comme lui, j'ai hérité de sa ruse, de son amour de la vie et de son goût du plaisir. Oui, du plaisir car enfin, quand il s'est mis à chanter et a été reconnu comme le plus grand aède de la Grèce, c'était bien son plaisir qu'il cherchait dans le plaisir des autres.

Je vois finalement beaucoup de sens et de bon sens chez notre père, mais toi, Antigone, n'as-tu pas hérité de notre mère son esprit d'absolu, même si tu tournes vers le simple, le minime, l'obscur ce qui était chez elle grandeur et fête de la lumière ? C'est là que tu me fais peur, car que feras-tu si un grand malheur survient, comme je le crois, comme semble tellement le craindre ton bien-aimé Clios ? Il sait qu'il n'y a rien à espérer de la folie des jumeaux ni des arrière-pensées de notre oncle Créon et il craint que tes espoirs écroulés, tu ne finisses comme Jocaste. Il est vrai que ton entreprise semble désespérée, qu'en espères-tu, si vraiment tu espères encore ? Réponds, réponds-moi, Antigone ?

Tu te tournes à demi vers moi, je retrouve tes yeux si beaux et la simplicité de ton regard. Ton regard debout, comme l'appelle K.

"L'espérance est encore devant nous, Ismène, j'en suis sûre, même si ce n'est qu'une petite lumière, comme celle qu'on mettait près de nos lits les soirs où nous avions la fièvre.

— La petite lumière, c'est toi, Antigone, mais est-ce que ce n'est pas, sur le mode diminutif que tu affectionnes, l'orgueil de Jocaste qui reparaît. Si cette petite lumière est soufflée par la violence de nos frères ou la perversité de Créon, est-ce que tu pourras encore la rallumer ? Est-ce qu'à bout de forces, tu ne vas pas – oui, il faut que je prononce ce mot – est-ce que tu ne vas pas te suicider comme notre mère ?

— Je ne sais pas. Ismène, je ne peux pas mesurer mes forces. Mais j'aime la vie, je l'aime de toutes mes forces comme toi."

Je suis frappée, éclairée par ta fermeté Antigone et je te crois. Tu travailles en silence, tu n'as plus besoin de moi. Je pars...

Je ne suis pas revenue hier car K. m'a fait savoir que tu as travaillé toute la journée sans demander ma présence. J'ai cru que c'était la fin de ce monologue qui me coûte tant, mais, aujourd'hui, Main d'or est venu me dire que tu souhaitais que je vienne.

Je vois que tu as pleuré – Tu me dis :

"Hier, j'ai pu travailler seule, aujourd'hui..."

Je vois tes mains qui attendent, qui doutent, qui hésitent et tout en marchant et tournant derrière toi je recommence à parler :

"Pendant mes deux années de détresse après ton départ de Thèbes, Eudoxia et sa fille Gaîa m'ont beaucoup parlé des jumeaux. Leurs batailles avaient été un des grands sujets de conversation et de doutes entre elles et notre mère. Œdipe et Jocaste n'avaient attendu et préparé en eux que la naissance de Polynice. La naissance des jumeaux a bouleversé leurs plans, c'est alors qu'ils ont engagé Gaîa pour s'occuper de celui qu'on n'attendait pas. Après quelques jours Eudoxia a vu que notre mère ne donnait le sein qu'à Polynice et faisait allaiter Etéocle par Gaîa. Elle a dit à Jocaste : «Il faut allaiter les deux ou aucun. On dirait que tu préfères le premier-né. Ce n'est pas bon ça.»

Jocaste est devenue très rouge, et a fini par dire : «J'aime les deux mais je ne peux pas allaiter le second. Polynice m'appelle si fort et il ne veut pas de partage.»

Eudoxia a répondu : «Alors n'allaite ni l'un ni l'autre sinon Etéocle ne grandira pas bien. Ce sera mieux d'ailleurs pour tes seins dont tu es si fière.»

Jocaste a beaucoup pleuré, mais Œdipe n'en a rien su car c'était le moment où, poussé par notre mère, il commençait à élargir et hausser les remparts."

Je m'arrête, tu pousses un grand soupir, Antigone, et tu dis, comme tu faisais dans notre

enfance quand Œdipe ou Jocaste nous racon-
taient des histoires :

"Et alors ?" Tu ne peux pas me regarder, toute
ton attention est requise par le bois que tu
entames doucement et ta volonté obéit à l'im-
périeuse nécessité de ne pas laisser tes yeux se
brouiller de larmes. La voix aiguë de petite fille
avec laquelle tu as dit cela me donne un grand
plaisir et je reprends :

"Et alors, a dit Eudoxia, est arrivé ce qu'on
pouvait prévoir. Ne pouvant plus donner de
préférence son lait à Polynice, Jocaste lui a donné
de préférence ses caresses, sa lumière et des
tas de petits noms ou de petites chansons qu'il
adorait. Elle ne les refusait pas à Etéocle mais
le pauvre n'attrapait de tout cela que ce qu'il
pouvait, toujours après et dans l'ombre de son
frère. Cela a fini par indigner ma Gaîa qui s'est
prise de passion pour Etéocle. C'est qu'elle était
belle aussi, Gaîa, et elle a inventé pour Etéocle
des jeux, des noms tendres ou amusants. Il en
était heureux mais il savait très bien qu'ils ne
venaient pas de la reine.

Quand ils ont commencé à se battre, c'est
Polynice qui provoquait son frère, et c'est lui,
qui avait sucé le lait du soleil, qui finissait toujours par l'emporter. Cela troublait beaucoup
Gaîa et j'étais forcée de lui dire : «Ne t'attache
pas trop, Gaîa, cet enfant n'est pas le tien.»

Elle me répondait : «Je dois m'attacher et il
doit devenir le mien, sinon il n'aura rien car
Polynice ne cessera jamais de lui faire de l'ombre.
Et le père, le roi, qui passe tant de temps au
tribunal à rendre, comme il croit, la justice, il ne
voit rien. Il est tellement fasciné par la reine qu'il
n'aperçoit pas cette énorme injustice que son
fils subit chaque jour sous ses yeux.»

Heureusement, ajoutait Eudoxia, vous êtes venues toutes les deux. Toi, Ismène qui voulais plaire à tous et Antigone qui savait contenir ses frères, la seule qui n'a jamais eu peur d'eux. Toute la lumière n'était plus sur Polynice et le roi, voyant que ses fils grandissaient, s'est occupé plus souvent d'eux, ce qui a permis à Etéocle de prendre de la place."

Je m'arrête, je n'ai plus envie de continuer, Antigone, mais tes mains travaillent le bois sans hâte et sans arrêt, et tu me demandes de la même voix aiguë :

"Et alors ?" Je soupire, tu me forces à parler mais je sais que tu ne peux faire autrement :

"Alors tu le sais bien il y a eu leurs batailles. J'ai bien le droit de ne pas en parler, j'étais la plus petite, c'était moi qui avais le plus peur."

Je vois tes mains qui n'arrêtent pas, tes yeux qui n'ont pas le droit de pleurer et je sais que je ne puis refuser ta voix de petite fille qui dit :

"Puisque tu as commencé à raconter, raconte ça aussi." Je te déteste, je réponds : "Je ne peux pas !" Puis, comme si je criais : "Si, je peux !"

Je contrains ma voix à rester froide presque impersonnelle et, comme tu veux, je raconte :

"Dès que les parents n'étaient pas là, Polynice provoquait son frère et la bataille commençait. Etéocle, sachant qu'il serait vaincu, s'appliquait à la faire durer et à la rendre aussi violente que possible pour que Polynice ait mal lui aussi. Ils se battaient partout, dans la salle, sur les escaliers, au bain et jusque dans nos chambres mais Polynice n'entamait jamais le combat s'il n'y avait pas de spectateurs pour assister à sa victoire et de tous les habitants du palais nous étions ceux qu'il préférait pour cela. Leurs combats, chaque année, devenaient plus durs, ils s'insultaient, ils hurlaient dans un tumulte qui nous terrifiait. Horrifiées par leur violence, nous qui savions si bien nous battre, surtout toi la grande sœur, nous redevenions alors celles qu'ils appelaient méchamment les petites filles. Nous ressentions avec honte que nous n'étions pas comme eux et qu'il y avait au centre de nous-mêmes une douceur chaude et délectable que leur brutalité ignorait et qui nous forçait parfois, lorsqu'un des jumeaux avait reçu un coup très douloureux, à verser des larmes que nous cherchions en vain à leur cacher.

La fin était toujours la même, Polynice à genoux sur Etéocle lui collait les épaules au sol en éclatant de rire. Il lui donnait alors un léger coup sur le sexe pour marquer qu'il aurait pu faire pire. Lorsque la lutte avait été particulièrement âpre et indécise, Polynice, au moment où il avait totalement immobilisé son jumeau lui saisissait le nez entre ses dents. C'était pour Etéocle le signe de la suprême défaite et, tandis que son frère se relevait en riant, il criait :

«Un jour, je me vengerai !»

Ce jour est survenu, tu t'en rappelles comme moi et je n'ai pas besoin de t'en parler." Les yeux fixés sur ton ouvrage tu travailles avec une admirable patience comme si tu ne m'entendais pas. Pourtant ta voix menue, un peu flûtée d'autrefois, réclame : "Si, j'ai besoin que tu me le racontes. Pour moi toute seule, avec tes mots."

Puisqu'il le faut, je reprends : "Un jour, comme nous jouions tous les quatre, Polynice a brusquement agressé son jumeau et, lui plongeant dans les jambes, l'a fait tomber. Etéocle s'est relevé avec sa prestesse habituelle mais tout étourdi par sa chute. Sentant qu'il ne pourrait plus se défendre, il a reculé jusqu'à un tas de pierres et, saisissant un pavé, l'a jeté à la tête de Polynice. Surpris par la rapidité de la manœuvre, Polynice s'est baissé trop tard, il a été atteint au front et s'est écroulé sur le sol.

Epouvanté par ce qu'il venait de faire, Etéocle l'a cru mort et s'est précipité sur lui en sanglotant. J'étais en larmes moi aussi. Tu es la seule, Antigone, à avoir gardé ton sang-froid. Tu m'as fait soutenir la tête de Polynice et tu as essuyé le sang avec ta robe. Tu as dit à Etéocle de nous aider à relever Polynice qui commençait à ouvrir les yeux. Quand il a été debout, assez chancelant, avec une blessure sur le front et du sang qui coulait sur ses joues, il s'est mis à crier :

«Etéocle a voulu me tuer… mais il n'est pas assez fort.» Tu as riposté :

«Ce n'est pas vrai, c'est toi qui as commencé, comme toujours !»

Nous étions en train de ramener Polynice quand, prévenue par les servantes, Jocaste est accourue toute bouleversée. En voyant du sang sur le visage de Polynice, elle s'est mise à crier et a couru vers lui en pleurant. Elle l'a embrassé et serré longtemps dans ses bras. Polynice était très content, il était à nouveau le centre éclatant du monde tandis que son jumeau, écrasé par le remords, ne pouvait s'arrêter de pleurer. Laissant notre mère s'occuper de Polynice, tu m'as appelée et nous avons tenté de consoler Etéocle, en le serrant dans nos bras et en lui répétant que ce n'était pas lui qui avait commencé. Après ses cris de frayeur et de colère, Jocaste a compris qu'Etéocle n'était pas seul en tort. Elle l'a appelé et il y a eu une réconciliation générale.

C'est ainsi qu'étaient nos frères, c'est ainsi qu'ils sont toujours comme si, en vérité, ils n'avaient plus grandi. C'est aussi comme ça que tu étais, Antigone, toujours prête à consoler le plus faible. Et pourtant tu aimais la force, n'est-ce pas, la force victorieuse et riante de Polynice."

Tu soupires : "Je l'aime encore." Puis avec insistance : "Continue !" Et tu regardes tes mains qui, pas un instant, n'ont cessé d'être actives comme si c'étaient celles de quelqu'un d'autre.

Je me déplace et je vois tes yeux qui, grâce à moi, ne pleurent pas et qui semblent un peu effrayés par ce qu'ils commencent à découvrir dans l'œuvre.

Je me décide alors à reprendre : "Les parents ont été impressionnés par la violence des combats et la force grandissante des jumeaux. Connaissant ton affection pour Polynice ils ont été frappés par la façon farouche dont tu défendais Etéocle, surtout quand, devant Œdipe, tu as dit face à Jocaste : «A sa place j'aurais fait de même !»

Ils n'ont pas puni Etéocle et, après les premiers éclats de voix de Jocaste, ils ne lui ont plus fait de reproche. Ils ont décidé de les séparer, les jumeaux ont senti que la décision était juste et n'ont pas protesté. Etéocle a été envoyé à Corinthe pour apprendre la navigation et le commerce comme Œdipe autrefois. Polynice est parti pour Argos afin de s'initier aux armes avec le prince héritier qui s'était illustré par de nombreux succès."

Je sens à ce moment que tu ne m'écoutes plus qu'à demi, toute ton attention est concentrée sur le bois où tu sembles sur le point d'entrevoir ce que découvrent déjà tes mains. Tu es si absorbée dans ton travail que tu ne m'entends pas m'éloigner un peu et m'asseoir sur un petit banc le long du mur. Je suis si épuisée que je

m'endors. Quand je m'éveille, tu travailles toujours et K. est là qui dit :

"Il fait presque nuit, arrête-toi, tu ne vois
plus clair."

Et toi : "Je n'ai pas besoin de voir pour cela.

— Je le sais, répond-il, mais si tu en fais trop
aujourd'hui, tu ne pourras plus travailler demain.
Ismène aussi est fatiguée, elle va rester ce soir
avec nous. Hémon et Main d'or ont préparé un
excellent repas. Venez."

Il nous prend toutes les deux par le bras et
nous entraîne à la maison.

Nous avons tous très faim et nous mangeons
en parlant des petits faits de notre vie. Hémon
est heureux, les deux autres sont devenus ses
amis et il te regarde sans cesse, Antigone. Malgré tes traits tirés par la fatigue, tes cheveux
ébouriffés et les traces de transpiration qu'on voit
sur ta robe, tu es très contente d'être ainsi regardée. Je vois tes yeux qui se ferment, K. se lève :

"Viens, je vais t'aider à te coucher." Elle
répond vivement :

"Je le ferai toute seule." Puis : "Non, ce n'est
pas vrai, je n'en peux plus, elle non plus, aide-
nous. J'ai fait pour Ismène, ce matin, un beau
lit tout blanc."

K. nous aide, tu es ravie des draps bleus que
je t'ai apportés. K. nous borde, il nous embrasse,
nous tournons la tête l'une vers l'autre pour
mieux supporter le noir comme nous faisions
quand nous étions petites. Je voudrais te voir
t'endormir mais je n'y parviens pas car déjà,
peut-être, je dors.

Aujourd'hui, quand je reviens dans l'après-midi,
je te trouve les mains posées sur tes sculptures
mais tu ne travailles pas. Je dis : "Tu m'attends ?"

Nous entendons toutes les deux que j'ai ma voix des mauvais jours. Cela ne te trouble pas et tu me dis : "Que tu es belle dans ce bleu, plus belle encore que tu ne t'en doutes."

Cela me désarme, j'essaie pourtant de me fâcher :

"C'est dur de venir ici, toi au moins tu fais quelque chose avec tes mains, moi je ne fais que ressasser des choses que tu sais.

— Je ne les sais plus, Ismène, l'existence si forte d'Œdipe avait occulté tout le passé. Tu le fais revivre avec tes mots."

Je voudrais résister encore, mais je ne puis, je continue et ma voix recommence à s'écouler tandis que tu creuses le bois ou mets tes mains en communion avec lui.

Eudoxia m'a raconté qu'après leur séparation les jumeaux n'ont pas cessé de se préoccuper avant tout l'un de l'autre. Etéocle, qui se moquait de nous à Thèbes quand nous apprenions à écrire, découvre à Corinthe l'importance de l'écriture. Il apprend à lire et à écrire avec sa rapidité habituelle. Il navigue et, au cours de ses voyages, il envoie à son frère de courts messages en forme de poèmes. Polynice en est fier, il les apprend, il les récite lors des fêtes de la cour ou à ses amis sur le stade.

Le roi d'Argos meurt, son fils monte sur le trône, Polynice est devenu son ami, le compagnon de tous ses instants et le chef de ses cavaliers. Comme le nouveau roi n'a pas de fils, il fait de lui son héritier.

Pour le récompenser d'une victoire assurée par son courage il lui donne une mine d'argent et Polynice devient riche. Il l'annonce à Etéocle en Asie, celui-ci vient le voir avec des mineurs lydiens très experts. Ils examinent la mine et découvrent qu'il y a d'autres filons à exploiter. Etéocle lui suggère de ne plus faire travailler là des esclaves mais de vrais mineurs.

Ses conseils sont judicieux, la production de la mine quadruple et Polynice devient très riche. Il n'en est pas surpris, cela fait partie à ses yeux de cet âge d'or pour lequel il est né et que le ciel lui doit. Etéocle sillonne la Méditerranée, il s'enfonce profondément en Asie, il en revient transformé par ce qu'il a vu et compris. Polynice ne s'intéresse pas aux voyages ni à la navigation, mais quand Etéocle lui écrit qu'on trouve en Asie des chevaux et des cavaliers incomparables, il entend. Il part là-bas, son rire, sa hardiesse, sa magnificence plaisent aux princes et aux peuples nomades. Il noue avec eux des amitiés et des alliances durables, et il engage au service d'Argos des cavaliers avec lesquels il remporte des victoires qui le rendent célèbre.

Lorsque après plusieurs années de séparation les jumeaux se retrouvent, pour de brèves périodes à Thèbes, c'est pour eux et pour nous une fête. Les deux frères ne cessent de se surpasser, chacun est pour l'autre l'incomparable mais aussi l'unique et perpétuel rival. Etéocle a beau avoir endurci son corps et élargi son esprit durant ses voyages, Polynice a plus de lumière et l'éclipse en nous entraînant dans son sillage.

Jocaste est heureuse des retours des jumeaux et ce sont avant le drame les dernières et merveilleuses flambées de sa beauté et de sa joie. Nous en sommes tous éblouis mais Etéocle perçoit très bien la différence entre les regards et les sourires qui sont dédiés à son frère et ceux qui s'adressent à lui. Nous sommes alors trop fascinées par Polynice le magnifique pour rétablir la balance entre les jumeaux et Œdipe est si préoccupé par les premiers symptômes de la peste qu'il ne voit pas ce qui se passe chez lui.

Ma voix s'étrangle, ce sont mes larmes au lieu des tiennes qui s'écoulent et je pleure pour nous deux comme tu l'as voulu, Antigone. Les yeux clairs et attentifs, les mains qui ne tremblent pas c'est ta loi, celle que tu me fais subir et la mienne est de continuer à parler.

Quand la catastrophe survient les jumeaux sont si bouleversés par la mort de Jocaste, tellement prisonniers de leur rivalité, qu'ils ne peuvent rien faire pour Œdipe. Aveugle, déchu, obstinément enfermé dans le silence, on dirait qu'il n'est plus rien pour eux, comme si c'était lui le mort et Jocaste la vivante. C'est sa couronne qu'ils désirent, celle du sol indiscutable et des enfers et non le sceptre brisé d'Œdipe. Ce qui les soutient et leur permet en apparence de faire mieux que nous leur deuil, c'est leur opposition forcenée et leur aimantation mutuelle. C'est la certitude absolue de Polynice d'être par don de naissance le seul roi, c'est la résolution d'Etéocle de ne jamais céder devant lui.

Que tes doigts sont souples, calmes, détendus et tes outils tenaces pour travailler la matière opaque et résistante du bois mais les mots que je travaille pour toi sont une matière encore plus dure. C'est en eux que je découvre la Jocaste de Polynice que tu attends. Entre elle et lui il y avait un échange perpétuel, un passage, un sentier de lumière, un chemin de gloire inlassablement parcouru auquel nous n'avions pas accès. Oui, il était sa gloire et il pouvait retrouver sans fin, dans ses yeux, la souveraineté de l'enfant qu'il avait été et l'image royale de l'homme qu'il allait devenir en se contentant splendidement d'exister. Polynice, on aurait dit qu'il ne connaissait que l'été et, si son corps bien entraîné supportait tous les temps, son esprit ne vivait que les saisons ardentes. Tout en lui, comme dans notre famille, semblait destiné au bonheur. Tout sauf Etéocle, celui qu'on n'avait pas désiré ni attendu. Celui que l'amour débordé de Jocaste pour l'autre semblait avoir désigné pour la mort, comme elle avait autrefois accepté l'assassinat d'Œdipe nouveau-né. Et l'aveuglement d'Œdipe, est-ce que cela n'a pas été d'abord son aveuglement sur Etéocle?

La Jocaste de Polynice, c'est la face solaire, lumineuse de notre mère qui a longtemps voilé l'autre, la terrestre, la nocturne, l'inlassable nourricière de mort et de vie. Sa Jocaste est aimante, bien-aimée, royale mais d'une royauté de fleur. Une fleur faite pour s'épanouir et être butinée, on pourrait croire que c'est ce que tu ignores, Antigone, et à ta manière mystérieuse, c'est ce que tu sais le mieux. Mieux que moi et c'est ce qui me rend furieuse, ce qui me donne le droit de te détester, de te frapper comme j'allais le faire mais naturellement Main d'or vient d'arriver. Il ne faut pas que l'odieux, que le précieux courage de tes mains soit entravé par mes coups. Alors Main d'or est là avec sa superbe force et il vaut mieux que je frappe ses épaules que les tiennes. Il rit, il peut supporter ça, tandis que j'ai maintenant les poings tout meurtris. Il rit mais il a eu mal lui aussi et j'en suis contente car j'ai vu tes lèvres se crisper pendant que je tapais de toutes mes forces. Toi, tu n'as plus le droit de crisper tes lèvres ni ton cœur, tu dois être toute à l'ouvrage. A l'ouvrage que nous attendons anxieusement, comme si de ces bûches de bois mort, tu pouvais faire naître une nouvelle mère, une reine capable de nous délivrer de cette absurde guerre.

L'enfant Polynice a vécu Jocaste dans la surabondance du cœur, une profusion de fleurs qu'il n'a jamais cessé de butiner. Comment pourrait-il supporter qu'Etéocle le prive de Thèbes et de l'orgueil du sol maternel. Sur le visage que tu fais naître il y aura, sous le sourire et la souveraineté, un voile d'ombre qui, par l'acte du couteau, va faire porter à Polynice sa part de douleur. Le couteau qui agit par ta main, c'est Etéocle et la douleur c'est la sienne.

Arrêtons maintenant, Antigone, ne poursuis pas sans moi. Il est tard, on m'attend et, à cause de toi et des jumeaux, je vais m'en aller à demi délirante et pas du tout prête au bonheur ni au plaisir. Je reviendrai demain car il faut que nous affrontions ensemble la Jocaste d'Etéocle. L'autre, celle des ténèbres, du gouffre, du suicide. Celle aussi de la lumière enchantée qui pénètre l'âme et le corps mais qui ne réchauffe pas.

Il y a eu un soir, une nuit de songes en labyrinthe, avec du rouge, avec du gris. Je suis de nouveau derrière toi, je regarde tes mains, tes outils qui travaillent la matière de nos vies. Toi, tu écoutes la voix hardie, passionnée sous laquelle je tente de cacher les peurs qui m'assaillent. Etéocle n'était pas celui qui n'est pas aimé mais celui qui l'était moins, toujours moins que son frère.

L'amour d'Etéocle pour Jocaste était un amour incertain, éperdu, qui se cachait. Entre la présence bien-aimée et son petit visage se glissait sans fin celui de l'autre et sa puissance d'attraction

120

plus grande. Etéocle aurait pu être l'enfant de la nuit, de la part d'ombre de Jocaste mais il ne l'a pas été car toujours surgissait entre sa mère et lui, et jusque sur son propre visage, l'image et le rire inaccessible de l'enfant de lumière. Il n'a pu devenir l'enfant noir, le fils de la révolte et de l'autre désir de Jocaste. Toujours la face nocturne de la mère, son corps en sommeil profond, son regard enchanté par la lune s'écartaient de son ciel pour l'apparition lumineuse de Polynice.

Etéocle ne sait pas, ne saura jamais peut-être si ce qu'il aime c'est Jocaste elle-même ou sur son visage le reflet des astres de Polynice que, de toutes ses forces, son intime obscurité veut éteindre. "Tu arrêtes, Antigone, tu pleures avec moi. Est-ce que cela veut me dire que tu pourrais continuer seule ?

— Je le crois, Ismène, grâce à toi je vois maintenant dans toute son étendue la blessure d'Etéocle et la nôtre. J'aimais Etéocle mais comme notre mère je l'aimais mal, dans une perpétuelle comparaison avec Polynice. De cette façon l'un était le modèle et l'autre la copie à jamais incapable de l'égaler. Etéocle, avec une peine immense, a rejeté le modèle et il a bien fait. Grâce à toi j'ai senti dans mes mains et dans tout mon être une proximité, une compassion pour celui qui, comme moi, a toujours dû prendre le chemin le plus long.

— Est-ce que c'est vraiment celui qu'il faut prendre ?"

Tu me regardes, tes yeux pleins de larmes me renvoient ma question : "Est-ce qu'il y en a un autre ?"

IX

ÉTÉOCLE

Les sculptures de Jocaste sont terminées, je les montre à K., je demande : "Est-ce que je suis encore injuste envers Etéocle et préfère toujours Polynice ?

— Je les vois égaux.

— En moi ?

— Pas seulement, Antigone, ils le sont aussi dans la matière que tu as travaillée."

Jusqu'ici je n'ai pas pu montrer mes sculptures à Hémon, quand il vient à la fin de la journée je lui fais voir la Jocaste d'Etéocle.

"Que ta mère est belle, mais, lui Etéocle, comme il souffre, je ne savais pas qu'il était si malheureux."

C'est son immense amitié pour Etéocle qui permet à Hémon de comprendre si vite. Quel bonheur pour Etéocle et pour moi. Je ne puis m'empêcher de lui dire :

"Heureusement que tu es là, Hémon, et que tu nous aimes tant tous les deux."

Il rougit : "C'est mon bonheur de vous aimer. Etéocle et moi nous ne nous cachons rien, je lui ai parlé de toi, il m'a dit : Antigone, c'est la meilleure.

— Il n'a rien ajouté ?

— Oui, il a dit : C'est la meilleure et la plus redoutable."

Redoutable ! Ce mot m'atteint : "Tu n'as pas peur, Hémon, de cette femme redoutable. Etéocle est très perspicace…

— Ma seule crainte si des dangers surviennent, c'est que nous ne les vivions pas ensemble."

Et soudain, comme un cri : "Antigone, quittons Thèbes tous les deux !

— Mais ton père ? Etéocle ? Et ton commandement ? Chacun à Thèbes pense qu'un jour tu seras roi !

— Je ne suis pas seulement un soldat, j'aime la terre. Nous bâtirons une maison, je cultiverai pour toi et nos enfants."

K. semble soutenir du regard la parole d'Hémon. Une grande espérance la soulève et elle est devenue très ardente.

"Partons, Antigone, il le faut. Tout de suite !"

J'accueille en moi l'espoir et le renoncement d'Hémon. Je voudrais lui dire oui. Je sens que K., à côté de nous, de toute sa pensée lucide, l'espère. Mais une inflexible constellation me force à dire : "Je voudrais quitter Thèbes avec toi, Hémon, mais je ne puis abandonner mes frères."

Le visage de K. se ferme, Hémon devient sombre : "Alors nous ne partirons pas, Antigone, ou seulement après de grands malheurs."

Je sais qu'il a raison, je ne puis que dire : "Je ne peux pas fuir."

Ils ne répondent pas, ils n'espèrent rien de mes efforts, ils n'y croient pas. Je romps leur silence, en disant : "J'ai terminé les sculptures, je voudrais les montrer à Etéocle et lui parler."

Hémon s'en va tristement, K. et Main d'or l'accompagnent comme s'ils voulaient lui rendre courage.

Je reste seule, bien seule. Je voudrais pouvoir partir avec Hémon, quitter Thèbes, sa prison de murailles, son odeur de fauve en cage. Pourquoi, après celui d'Œdipe, faut-il encore porter le fardeau des jumeaux ?

Avant de les faire voir à Etéocle je veux montrer mes sculptures à Ismène. Je l'ai prévenue et elle m'attend dans son jardin. Elle a mis des fleurs dans ses cheveux, qu'elle est belle ainsi et comme elle est bien la fille de Jocaste avec la perfection de ses bras nus, de ses épaules et les cheminements mystérieux de ses pensées. Quand je lui demande de regarder mes sculptures, elle refuse :

"Je t'ai aidée à les faire parce que je te voyais souffrir et que tu croyais qu'elles pourraient éclairer les jumeaux. Je ne veux pas replonger plus avant dans les souvenirs qu'elles suscitent en moi. Nos frères sont des guerriers, des génies peut-être, mais ce sont d'abord de grands fous, débordés par leurs passions. Nous ne devons pas, toi et moi, nous mêler de leur rivalité. Ils sont en guerre ouverte l'un avec l'autre, Créon en guerre secrète avec eux. Chacun a ici des partisans cachés, nous devons nous tenir à l'écart de ces conflits. Est-ce qu'Hémon ne te l'a pas dit ?

— Hémon voudrait que je quitte Thèbes avec lui.

— Hémon quitter Thèbes ! Lui, qui est presque roi. Comme il t'aime, Antigone. Mais si Créon apprend qu'il t'a proposé cela, il ne te pardonnera jamais. Hémon a raison, pars tout de suite.

— Et je laisse nos frères s'entre-tuer ?

— Nous n'y pouvons rien, il faut détourner les yeux de cet abîme.

— C'est pour cela que tu ne veux pas regarder les sculptures, les nôtres, car sans toi elles n'existeraient pas.

— Je veux préserver mon bonheur, je refuse de délirer avec les jumeaux."

Je me lève : "J'ai compris, je vais faire ce que tu me conseilles et quitter Thèbes avec Hémon."

Ismène devient très pâle : "Après être revenue si peu de temps, tu oserais repartir et me laisser à nouveau seule en face de Créon et de ces deux fous. Crois-tu vraiment que c'est ce que je veux ?

— Ce n'est pas ce que tu veux mais c'est ce que tu vas me forcer à faire si tu refuses de voir les sculptures. Elles sont nées dans la douleur, notre douleur, Ismène. Elles doivent être utiles aux jumeaux, il faut que tu me dises si elles peuvent l'être, si ce sont des actions d'amour. Je ne peux pas les aimer toute seule.

— Je devrais te dire : Pars, pars tout de suite, Antigone. Je ne peux pas. Mets les sculptures dans la maison, j'irai les voir seule."

Quand je reviens nous restons longuement l'une près de l'autre à écouter le son paisible de l'eau qui déborde de la fontaine. Ismène se détend peu à peu et entre dans la maison. A son retour, je vois qu'elle a pleuré et qu'elle a retrouvé son calme.

"C'est beau, Antigone. C'est elle et ce sont eux. C'est la beauté de notre mère, non pas comme elle était mais dans leurs regards. Etéocle qui sait qu'il est fasciné, presque aveuglé, et Polynice qui l'est aussi mais qui, enfermé dans sa gloire, l'ignore.

C'est aussi tellement toi, Antigone, cette confiance intarissable dans l'action de la vérité, dont on ne sait si elle est magnifique ou seulement idiote. Crois-tu qu'on peut, sans délirer, espérer comme tu fais ? Est-ce que tu penses que les jumeaux te comprendront et que même s'ils te comprennent, cela les fera sortir de leurs passions ? J'ai peur de l'esprit d'incendie que je vois dans notre famille. Moi aussi, souvent, je suis folle. Je voulais te dire : Pars, pars vite avec Hémon et je me suis rétractée. Je me rétracte encore en te disant : Ne pars pas, ne m'abandonne pas à Thèbes pour la deuxième fois. Va à la catastrophe avec nous, puisque c'est ce que veut ton courage.

Tes sculptures sont une œuvre d'amour. Elle touchera, elle blessera les jumeaux, elle ne les arrêtera pas. La destruction les fascine comme elle a fasciné un jour notre mère. Est-ce qu'aujourd'hui elle ne te fascine pas, toi aussi ?"

Nous nous regardons en silence, effrayées par cette question soudaine, je finis par dire :

"Dans la folie des jumeaux, il y a c'est vrai une sorte d'appel ou d'ordre qui m'est adressé. Il ne va pas vers la destruction, il est peut-être au-delà du drame de nos frères. Est-ce que les femmes doivent céder toujours à la folie des hommes ? Nous aimons toutes les deux Polynice et Etéocle mais leur pensée est intolérable, celle de Créon aussi : elle mène à la guerre et à la mort. Avons-nous le droit de garder cachée notre propre pensée ?

— Si tu veux la manifester à Thèbes, Antigone, ce sera au prix de ta vie."

Le lendemain, Hémon me conduit au poste de commandement d'Etéocle. Dans cette pièce presque nue se trouve une énorme table portant le plan en relief de la cité. Je suis stupéfaite de voir ses nouvelles dimensions, la hauteur, la force des remparts et la puissance des sept portes. Je suis thébaine et quand Etéocle survient je lui dis avec fierté :

"Thèbes est maintenant la principale cité de la Grèce et la mieux protégée."

Etéocle est content mais il riposte aussitôt : "C'est pourtant cela, ce que nous avons fait, tout ce que nous allons faire encore que tu voudrais que j'abandonne à Polynice."

Je ne suis pas de taille à discuter avec Etéocle, et ce n'est pas pour cela que je suis venue :

"Tu m'as demandé deux sculptures de notre mère, j'ai fait deux bas-reliefs, les voici."

Du grand sac que Main d'Or m'a aidé à porter, je sors les deux œuvres. Je suis effrayée soudain de leur poids, de leur dimension et de l'intense présence de Jocaste qui émane d'elles. Je leur cherche une place et n'en trouvant pas d'autre je les adosse à une sculpture représentant un fragment des remparts et une des portes de Thèbes. Je le regrette aussitôt mais il est trop tard, les deux images ont déjà trouvé leur place dans la muraille. Des deux côtés de la porte fortifiée, elles sont les images géantes et opposées de la cité. Les deux sculptures sont un acte d'amour pour Jocaste, elles manifestent aussi l'irréductible antagonisme de mes frères. Etéocle, d'abord impassible, ne cherche plus à voiler son émotion tandis que nous contemplons ensemble, comme si elle ne sortait pas de mes mains, mais d'une existence plus profonde, cette nouvelle incarnation de notre mère.

"Jamais je n'aurais osé faire ces sculptures si tu ne me les avais demandées, Etéocle, et si Ismène ne m'avait pas soutenue.

— Tu as aimé notre mère mieux que nous, Antigone.

— En sculptant j'ai vu que Polynice ne pourra pas rompre le lien qui l'attache toujours à notre mère. S'il y a la guerre, il t'y enchaînera, toi aussi, et c'est dans la mort de Jocaste qu'il nous entraînera tous."

Il ne répond pas, le silence qui nous a unis dans une sorte de bonheur pèse maintenant d'un poids très lourd. Etéocle finit par demander :

"Qu'attends-tu de moi, Antigone ?

— Fais le premier pas vers Polynice.

— Je le fais, je t'ai demandé ces sculptures. Je t'enverrai les lui porter.

— J'irai, mais que pourrai-je dire de ta part à Polynice ?

— Les sculptures suffisent. Si Polynice les regarde vraiment, il verra quelle ombre il a projetée sur ma vie et que j'ai droit, moi aussi, à une part de lumière.

— Cette part, c'est Thèbes.

— Rien d'autre.

— Il te faut Thèbes, pour supporter l'existence de Polynice.

— Ce n'est pas son existence, Antigone, c'est sa liberté que j'aimais tant, que j'aimerai toujours, qui m'a été insupportable. Comme Jocaste, il suffisait à Polynice d'exister pour être libre et pour régner. Mais cela n'est plus vrai aujourd'hui, à cause de moi qui ai dû toujours faire tant d'efforts pour avoir ma place et exister en face de lui. Comme Œdipe, je dois sans cesse faire face à l'énigme qui m'attire à sa poursuite. Polynice n'avait pas d'énigme, je lui en ai donné une à sa mesure et cette énigme c'est moi. Il ne comprend pas, il ne comprendra jamais comment si sensible à sa grâce, à son génie, parfois même à sa bonté, j'ai pu entrer constamment en lutte avec lui, le gêner et aller jusqu'à le troubler dans la conscience qu'il a d'être, de droit divin, l'élu. Il sait que je ne cesserai jamais de l'empêcher d'être une nouvelle incarnation de Jocaste et le maître de sa mémoire. Tel est mon rôle en face de lui, telle est l'exorbitante exigence de ma haine ou de mon amour malheureux pour notre incomparable frère. Cet homme conçu pour le bonheur et qui n'était pas fait pour souffrir, il souffre maintenant à cause de moi, autant que moi et c'est justice.

Tu as su imprimer notre souffrance sur le double visage de notre mère, est-ce que Polynice pourra la reconnaître dans tes sculptures et comprendre ce qu'elles veulent ? C'est la seule espérance d'arrêter la guerre, tu as su la faire naître. Essaie de la mettre en œuvre, va voir Polynice.

— Et si Polynice comprend, que feras-tu ?

— C'est à lui d'agir. Il est roi d'Argos, s'il me laisse Thèbes et veut conquérir l'Asie, je m'allierai à lui avec toutes nos forces.

— Tu oserais engager Thèbes dans cette folle aventure ? Et Polynice pour ne pas te faire la guerre ici devrait aller la faire en Asie. Quelle idée monstrueuse, Etéocle. Il n'y a plus aucune mesure, aucune justice dans tes pensées. Tu ne penses plus qu'à vaincre.

— Il le faut, Thèbes c'est moi."

Je ne puis supporter cette folle présomption. Je crie : "Non, ce n'est pas vrai !" de toutes mes forces.

Nous sommes face à face, comme des ennemis. Il y a quelques instants, en regardant les grandes images de Jocaste nous étions proches pourtant, plus proches que nous ne l'avions jamais été. Etéocle est profondément blessé mais il se domine tandis que moi, déjà je pleure. Rien ne pourra combler notre désaccord, l'échec est là, irrémédiable. Je ne puis le supporter, je ne veux pas pleurer en face de lui.

Je le supplie : "Je veux partir… tout de suite. Aide-moi… mets les sculptures dans le sac."

Etéocle m'aide, il me soutient avec une douceur inattendue mais il faut, il faut absolument que je crie encore : "Polynice non plus ne peut pas dire : Thèbes c'est moi. Assez, assez de votre orgueil !"

Je pleure, je pleure, Etéocle ne répond rien, il me guide car je suis aveuglée par d'absurdes sanglots. Il me confie aux mains attentives d'un être atterré. Je ne veux plus savoir qui il est, ni dans quelle direction marcher. J'arrache durement mon bras à celui qui me soutient. Je continue en trébuchant. J'ouvre péniblement les yeux, à un noir opaque succède un blanc désespéré.

X

LA LUMIÈRE DANS LA CAVE

Il y a eu ce moment de bonheur : retrouver Etéocle, être plus près de lui que nous ne l'avions jamais été. Mais pourquoi ce bonheur, si c'était pour me retrouver une fois de plus devant le mur du refus et la certitude du désastre ?

Après il y a eu sous le mien un bras très aimant mais comment peut-on m'aimer et être en même temps l'ami et le second d'Etéocle ? Celui qui l'accompagnera jusqu'au bout – oui, c'est écrit dans son esprit fidèle – et qui exécutera sous ses ordres tous les excès que les jumeaux méditent. L'amour que je sentais dans ce bras qui deviendra, lui aussi, criminel m'a fait horreur. J'ai dégagé vivement le mien et crié de toutes mes forces : Va-t'en !, avec l'espoir affreux de blesser mortellement Hémon.

J'ai couru ensuite en aveugle le temps de quelques foulées et Hémon ne m'a pas suivie. J'ai réussi, je suis toute seule, la triste pleureuse que personne ne comprend. Sur la route il n'y a plus que moi, il n'y a plus que rien, tandis que je marche en trébuchant dans les ruelles interminables. Que je patauge et voudrais me laisser tomber dans les flaques abandonnées par l'orage qui vient de finir, dont je n'ai même pas entendu le tumulte.

Je suis fatiguée, bien trop fatiguée, je m'arrête, une petite fille saisit mon genou et l'embrasse. Naturellement je pleure de nouveau car c'est ce que je faisais, moi aussi, quand j'étais petite et que le genou d'Œdipe était un second visage plus accessible que l'autre. Tout a toujours été trop haut, beaucoup trop haut dans ma vie.

Une femme s'approche, elle a un enfant au bras, elle me tend un bol et dit : "Elle est bien fraîche." L'eau est exquise, je bois, je ne puis remercier ni sourire et me remets à pleurer en la regardant. Elle pense que pleurer me fera du bien, cela ne m'en fait pas, et nous marchons côte à côte un moment sans rien dire. Elle partage mon chagrin qu'elle ignore, elle doit s'arrêter à cause de l'enfant. Elle me sourit, elle embrasse mon épaule, peut-être que j'en suis contente.

Je marche de nouveau toute seule, je marche pourquoi ? Le sac avec les sculptures me scie les épaules, je le laisse tomber sur le sol. Tant pis pour les sculptures, qui m'ont fait si peur, qui m'ont inspiré tant d'amour et m'ont fait espérer en vain. Elles sont sans pouvoir, sans amour peut-être et je ne suis plus capable de les aimer encore. Vite, que quelqu'un les ramasse et les brûle. Pas si facile, car j'entends Main d'or qui s'approche. Je me sauve, je ne veux pas qu'il me voie avec le visage que j'ai. Je ne me retourne pas et lui fais de la main signe de partir. Il ramasse le sac et s'en va. En courant, comme Clios.

Je glisse sur le sol détrempé, je bute sur la moindre pierre, je voudrais tomber et pourtant je ne tombe pas. Inexorable, Antigone, tu es inexorable envers toi-même et tu marches, tu continues inexorablement à marcher comme si Œdipe était encore devant toi pour t'emmener n'importe où, n'importe comment.

Il n'y a plus personne devant moi, ce sont mes frères maintenant qui me forcent à marcher pour aller vers le lieu ignoré de leur malfaisance. Cette route est la pire de toutes celles que j'ai dû parcourir, je suis à bout de forces, je me traîne, je n'avance plus qu'à peine mais persiste en moi ce fond de vigueur indésirée qui me force encore à marcher. Après les ruelles déguenillées du faubourg, j'affronte un lent tournant, des jardins, des arbres et tout au bout du chemin je vois le grand corps d'Hémon qui m'attend anxieusement devant la porte.

Je n'ai plus la force de crier mais ce n'est pas nécessaire, il se met à courir et moi aussi, je ne sais comment, je parviens à m'élancer vers lui comme si j'étais encore vivante. Il est là, il me serre dans ses bras, je pleure franchement, je n'ai plus honte de mes larmes. Je crie, j'ose laisser sortir de moi ma colère et ma peur.

"Etéocle... quelle honte... il veut que j'aille chez Polynice... mais comment... rien qu'avec les sculptures... ? Et il veut tout garder pour lui... Comment faire... ? Impossible !"

Hémon me soutient, m'embrasse, m'enlève. Il ne répond rien, il ne va pas désavouer Etéocle. Il ne répond pas mais il m'écoute, même quand je suis cette créature affolée qui hurle :

"Et Polynice... est-ce qu'on peut l'aimer encore... Un traître... attaquer Thèbes, avec des Nomades... Lui, un Thébain... Etéocle ne vaut pas mieux... tous les deux ils se battent à travers mon cœur et celui d'Ismène... Les aimer... de quel droit... de quel droit ?"

Hémon n'approuve ni ne contredit, mais il m'écoute. Je suis écoutée et je me laisse traîner, presque porter jusqu'à la maison, qui est enfin là, quel bonheur !

Il me fait entrer après avoir enlevé mes sandales pleines de boue, il me conduit jusqu'au foyer où le feu brûle et me réchauffe. Hémon sort, K. avec ses doigts de femme enlève ma robe trempée, lave mes pieds et mes jambes. Me sèche, me passe une autre robe qu'Ismène a dû lui donner. Il me fait asseoir, à côté du feu, en face de lui, il me regarde, sans rien dire et son regard un peu voilé m'apaise. Je ne pleure plus, je n'ai plus honte d'avoir crié, il le fallait. Je respire, je recommence à respirer librement, est-ce que je m'endors aussi dans la chaleur du feu ? Est-ce que c'est en dormant que j'entends une voix un peu sourde – la mienne peut-être – ou celle de K ? Une voix qui dit :

"Les jumeaux s'enfoncent dans le crime, c'est vrai, mais ils y entrent avec amour, avec haine, avec une sauvage grandeur. Le crime aussi est une route sur laquelle on peut marcher. On ne sait pas où mène cette route, mais comment pourrais-tu la nier, comment pourrais-tu condamner les criminels, toi, qui leur as été envoyée ? Pourquoi à eux ? On l'ignore, c'est ce qui est écrit jusqu'ici dans ta vie. Le sort des jumeaux est trop dur, bien trop vaste pour toi, tu ne peux rien pour eux. Rien que les aimer tels qu'ils sont."

Mes yeux s'ouvrent, étais-je endormie vraiment ? En face de moi K. me regarde de son regard silencieux.

"Est-ce toi qui as parlé ?"

Il ne répond pas, j'interroge :

"Est-ce que c'est moi qui parlais ?

— Quelque chose a parlé."

Il ne dira rien de plus et d'ailleurs peu importe, je me sens mieux, il faut que je bouge, que je rejoigne Hémon et Main d'or. Le jour tombe déjà. Comment est-ce possible, il était très tôt ce matin quand je suis partie à la forteresse d'Etéocle ? Est-ce que je suis restée si longtemps avec lui ? Il est vrai qu'ensuite j'ai marché à mort dans mes ruelles tordues.

Le fardeau des jumeaux pèse toujours mais il n'écrase plus. Plus tout à fait. Hémon me parle du travail de Main d'or qui a vidé la cave de la terre et des pierres qui l'obstruaient. Il fixe une lampe au mur pour éclairer l'escalier, et pendant qu'il descend je découvre avec bonheur la lumière grisée que les murs me renvoient en sourdine. Un peu tremblante, elle glisse, tenace, irrésistible vers l'obscurité de la cave où elle produit des ombres vigoureuses. Je dévale les marches en courant pour suivre ses rayons. J'accoutume mes yeux au clair-obscur, je retrouve Hémon qui me dit ces paroles merveilleuses :

"Antigone, tu viens m'aider, quelle chance ! Tiens, prends cette cruche."

Nous travaillons un moment côte à côte, quand nous remontons, Hémon qui n'a rien aperçu veut décrocher la lampe. Je demande :

"Laisse-la, sa lumière est si belle. Va chercher les autres, asseyons-nous un moment pour la regarder ensemble."

Les autres viennent et nous regardons l'action de la lumière qui, avec un mur sale et l'obscurité de la cave, s'approche de la beauté et la contemple sans vouloir la saisir.

Quand nous entrons dans la maison, je demande à Hémon :

"Il fait déjà nuit, est-ce que je suis restée longtemps avec Etéocle ?

— Plusieurs heures, Etéocle ne reçoit jamais personne si longtemps. J'ai dû renvoyer ses visiteurs.

— Et quand je suis sortie ?

— Vous étiez malheureux tous les deux. Lui, je n'ai pas osé le regarder et toi, quand j'ai voulu t'aider, tu m'as repoussé. Heureusement K. était là, il m'a fait signe de partir.

— Tu étais là, K. ?

— A peine, Antigone, à peine comme toujours. Main d'or a ramené tes sculptures. Quand je l'ai retrouvé à la maison, il mâchonnait un proverbe... Assez dur, dis-le Main d'or :

— Les loups avec leurs griffes... avec leurs dents... les loups mourront... ils mourront dans leur peau de loup !"

Peut-être que Main d'or a raison, que Polynice et Etéocle ne sont que des prédateurs enfermés dans leurs vies de loups ? Je n'ai pas envie de manger, j'ai besoin d'être seule, je sors. Les jumeaux sont comme ils sont, je ne suis pas sûre d'espérer vraiment qu'ils changeront. Ils pensent tous que je vais échouer. On a bien le droit d'échouer. De tenter seulement de faire un peu de lumière et des ombres, comme la lampe dans l'escalier, et de s'éteindre ensuite sans bruit.

Clios doit danser ce soir en regardant les étoiles. Peut-être qu'il pense un peu à Antigone et se dit, à sa manière, que tout a un sens qui nous donne parfois des instants, des instincts de bonheur.

On dirait que le grand dessin des étoiles va se mettre à danser comme le fait à tout petits pas la lumière de la lampe sur le mur glorifié de la cave. Je ne vais pas rester sans rien faire alors que partout les dieux des forêts, des mers et des montagnes dansent pour eux-mêmes dans la nuit.

Moi aussi, après tout le malheur qui a été, avant celui qui va venir, je puis danser pour moi, pour mon ombre et cette part, infinie un peu, infirme sûrement, qui m'a été donnée dans l'acte d'exister. Je m'élance au milieu du beau cercle d'herbe qu'Hémon et Main d'or ont, avec tant de soin, tracé au milieu du jardin. Une joie, une vigueur souveraine montent du sol et viennent instruire et éclairer l'instrument de mon corps. Mes gestes ne m'obéissent plus, ils sont inscrits dans le parcours mémorable, leur force, leur élan sont vécus et prescrits par l'instance céleste.

Je danse pour ce que j'aime et ce que je n'aime pas, pour ceux que je connais et ceux que je ne connaîtrai jamais, je danse la route nouvelle d'Œdipe et les desseins criminels des jumeaux. Enfin je ne danse plus pour personne et, de toutes mes forces, je célèbre l'existence. Rien, rien d'autre que l'existence farouche, son grand corps unanime et son immense matière mortelle.

Je sens confusément que deux formes ont sauté dans le cercle et dansent près de moi. Ce sont Hémon et Main d'or mais je ne puis les voir car mon regard est capté par la louange, par l'innocence qui est partout.

K. est là, lui aussi, j'entends les sons faibles de sa voix aussi purs, aussi continus que la lumière des étoiles. Mes danseurs ont comme moi enlevé leurs vêtements mais ils sont si absorbés, si abandonnés au mouvement qu'ils ne peuvent plus me voir. Qu'ils sont beaux, les yeux mi-clos, contemplant en eux-mêmes leur part d'immortalité qui danse. Et c'est à moi, qu'ils révèlent l'intime splendeur dont ils sont l'imagination passagère, qu'il est de leur nature d'ignorer.

A ce moment la lampe de l'escalier se met à grésiller, sa lumière s'éteint et, comme si elle pénétrait en moi, je suis saisie d'enthousiasme.

Je quitte celle qui danse et je deviens celle qui s'élève et grandit dans un effrayant mouvement d'allégresse. Je dépasse les toits, les tours et les remparts et je me fonds dans la nuit étincelante, très loin au-dessus de Thèbes. Je suis obscure, je suis lumière, je ne suis rien, je ne suis plus rien et du haut du grand arbre du ciel, j'aperçois mon Antigone terrestre, Hémon et Main d'or et j'entends les sons purs de K. qui précèdent dans le ciel le parcours de mon instant.

Les trois danseurs tournent vers moi leurs visages extasiés et, d'un lent mouvement joyeux et souple, se laissent couler dans l'herbe, endormis. Alors mon périple ailé, mon amoureuse ascension, sans se dissiper, n'est plus. Se transforme en rêve, en rivage heureux, en désir du sommeil profond où, rejoignant le corps de l'autre, je m'endors.

Le froid nous éveille, Main d'or déjà se lève. Hémon tourne la tête vers moi, prend ma main et l'embrasse avec une douceur, une humilité incroyables.

"Que tu étais belle quand tu dansais, nous avons cru voir la déesse qui habite en toi.

— Vous aussi, en dansant, vous étiez beaux.

— Mais nous n'avons pas dansé, nous n'avons fait que te regarder."

Il m'aide à me relever, je suis heureuse qu'ils aient oublié ce moment parfait, leurs mouvements de grands animaux aériens et terrestres, leur parade de cerfs amoureux sous la lune. Tout ce qui n'a existé que pour moi et pour le trésor intérieur.

Nous revenons à la maison et nous nous réchauffons avec plaisir près du feu.

"Pour aller chez Polynice, dit Hémon, il faudra t'habiller en homme.

— Je l'ai fait souvent, en quittant les Hautes Collines, j'étais habillée en berger, personne ne m'a reconnue. Et même, ça m'allait très bien.

— Ça, j'en suis sûr."

Il a dit cela d'un seul élan et je suis contente d'avoir cherché à lui plaire, comme n'importe quelle femme, à un homme qui lui plaît.

Il est très tard, il faut dormir. Je sens que les astres là-haut poursuivent leur navigation bien-heureuse, sans daigner rien voir, sans penser à personne.

XI

POLYNICE

En m'habillant en berger, je me rappelle la façon dont Constantin me regardait quand, vêtue ainsi, j'ai quitté les Hautes Collines. Est-ce qu'Hémon me verra des mêmes yeux avant ce redoutable voyage au camp de Polynice ? Main d'or m'accompagne et comme nous traversons l'énorme porche de la porte de Dirké nous entendons un bruit de galop. C'est Hémon qui arrive sur un char tiré par un cheval noir que le soleil fait briller. Il l'arrête, on dirait sans effort, saute du char avec plus de vigueur que de grâce et nous dit qu'Etéocle l'autorise à nous accompagner tout le jour. Sa force, sa joie, le soleil qui surgit de l'ombre, l'étalon noir étincelant, tout m'éblouit et je sens que je suis une part, moi aussi, de la splendeur de ce matin.

Touché dans son amour des chevaux par la beauté ardente de l'étalon, Main d'or le bouchonne avec de petits grognements d'admiration.

"Son nom est Niké, dit Hémon, c'est le plus beau cheval d'Etéocle.

— Un... un roi, dit Main d'or.

— Etéocle désire, Antigone, que tu le donnes de sa part à Polynice."

Ce demi-dieu noir dont je dois faire présent à Polynice me fait peur. Que veut Etéocle ? Est-ce qu'il ne s'aventure pas dans un rôle qui est plutôt celui de Polynice que le sien en faisant ce cadeau royal ?

J'interroge Hémon :

"Est-ce qu'il envoie Niké à Polynice en signe de paix ?

— Je l'ignore. Etéocle aime passionnément ce cheval, mais moins que Polynice, c'est sa façon de le lui dire.

— C'est aussi sa façon de ne pas lui parler de Thèbes, non ?"

Hémon ne répond pas, il ne faut pas trop questionner l'espérance, m'a dit K., et d'ailleurs il est temps de partir.

Main d'or prend un cheval et je monte sur le char avec Hémon. Il me tend les guides, je m'effraie, il y a si longtemps que je n'ai plus monté à cheval ni conduit un char.

"Je me rappelle qu'autrefois tu égalais tes frères, ça ne s'oublie pas. Il a la bouche fine, on le conduit au poids des rênes."

Je m'aperçois que je peux toujours mener un cheval et y prendre plaisir, d'autant qu'Hémon me regarde faire en riant.

"Un temps de galop, maintenant, jusqu'à l'arbre là-bas."

Je lance Niké, je le contiens sans le retenir. Merveilleuse légèreté de ses allures, on croirait qu'il touche à peine le sol et galope dans l'air ou sur l'eau. A proximité de l'arbre, je le modère et l'arrête sans effort. Je me tourne vers Hémon et je lis sur son visage une admiration qui, bien injustement, s'adresse moins à Niké qu'à moi. Je lui réponds par un mouvement de joie, qui a dû naître très profond, dans les ténèbres enchantées du corps.

Déjà je fais repartir Niké, de son pas allongé qui est un plaisir pour l'œil. Il y a aussi quelqu'un qui plane au-dessus de nous et contemple avec un certain détachement cette Antigone, habillée en garçon, entre ces hommes qui l'aiment. Combien les regards d'Hémon et l'affection de Main d'or plaisent à cette fille, émue par leur désir, la belle journée et l'étincelant cheval noir. Est-ce vraiment celle qui a suivi Œdipe sur la route et supporté si longtemps le sourire noir, l'amère dérision et l'amour de Clios ?

Le soir, Hémon nous prévient que nous traverserons bientôt un pays ravagé. Après la bataille avec Etéocle, une partie des Nomades de Polynice s'est soulevée. Il les a matés avec d'autres mais nous trouverons sur notre route beaucoup de ruines et de morts abandonnés sans sépultures.

Hémon se lève, Main d'or a soigné et sellé son cheval. Il m'embrasse avec tendresse, je suis inquiète :

"Après cette longue journée, tu vas de nouveau chevaucher toute la nuit.

— J'ai l'habitude et je vais ménager mon cheval de façon à pouvoir entrer à Thèbes au galop pour manifester à Etéocle et à Créon combien je t'aime."

En sortant du territoire contrôlé par Thèbes nous trouvons les traces de la retraite de Polynice et de la révolte des Nomades. Ce ne sont que maisons incendiées, champs ravagés, chars et chariots qui ont perdu leurs roues et tas énormes d'immondices. Des cadavres d'hommes et de chevaux ont été abandonnés sans sépultures, et des odeurs affreuses s'élèvent de ces charniers où grouillent encore les charognards. Abandonnés au hasard par les bêtes, on voit des bras, des jambes et même des têtes d'hommes qui ont été séparés de leurs corps pour être dévorés.

Au détour d'une colline nous découvrons une rangée de squelettes empalés, leurs faces à demi rongées tournent vers le ciel leurs bouches cruellement torturées par le pal. A notre approche des vautours et des corbeaux s'envolent pesamment, jamais je n'avais imaginé que des êtres humains puissent être humiliés de telle façon après leur mort. Je suis sur le point de tomber du char et Main d'or heureusement me soutient. Je ne puis supporter l'idée de ces corps abandonnés sans sépulture, dont les âmes vont demeurer errantes parmi nous. Main d'or me comprend et, parvenus auprès d'une petite source, nous décidons de pratiquer un rite collectif pour tous ceux qui n'ont pu recevoir l'honneur d'un tombeau.

Nous accomplissons les rites de la terre mère, puis ceux de l'eau, de la pierre et du feu. Nous jetons un peu de sel dans la flamme et récitons les prières qui conviennent aux morts. Puis nous décidons, malgré les risques, de continuer par un autre chemin.

Après plusieurs jours de détours nous atteignons enfin une vaste piste qui conduit au camp de Polynice. Elle ne cesse de s'élargir et de livrer passage à de grands mouvements de troupes, de cavaliers et de chars. Je reconnais l'activité intense, l'animation que suscite la présence de mes frères.

Nous arrivons à un poste de garde, le chef de poste me dit en voyant le sceau de bronze que m'a donné Etéocle :

"Allez, le roi vous attend.

— Comment peut-il nous attendre ?

— Il a reçu un message de Thèbes."

Je suis abasourdie par cette nouvelle et je vois qu'un messager déjà part au galop avertir Polynice. Main d'or a soigneusement nettoyé le char, il a fait briller le harnachement de Niké et l'étalon noir resplendit et attire tous les regards.

Le camp dont nous approchons est beaucoup plus vaste que je ne m'y attendais. Il a la forme d'une grande roue dont les rangées de tentes de couleurs vives sont les barreaux et la circonférence. Au centre, blanche et or, surmontée du disque solaire de Polynice, sa tente vers laquelle tout converge.

Main d'or, en entrant dans le camp, imprime à Niké un léger galop qui provoque des murmures d'admiration chez les soldats qui sortent des tentes pour le voir. C'est d'une manière digne de mon grand frère que nous nous arrêtons en face de la porte où il nous attend, le visage éclairé par la joie. Main d'or saute du char pour m'aider à descendre mais Polynice le prévient. Il me cueille dans le char, m'accorde un instant de tendresse dans ses bras et me pose en face de lui pour mieux me regarder. Moi aussi je le dévore des yeux, qu'il est beau, qu'il est grand, qu'il est bien accordé à cette large roue d'hommes et de tentes colorées qui tourne immensément autour de lui. Mes vêtements de berger lui plaisent et il me dit comme si nous nous étions quittés la veille :

"Tu es toujours belle, fillette, et ce qui est mieux tu es toujours toi-même, Antigone."

Il se tourne vers Main d'or :

"Tu as bien conduit ma sœur. Vous vous êtes bien défendus quand des déserteurs vous ont attaqués, tu as caché vos traces et pris des chemins inattendus. Je sais tout sur votre voyage car, depuis notre dernière bataille, mon frère

147

m'a appris à me renseigner et me force à être attentif à tout. Tu es un homme fidèle et habile, j'ai besoin de gens comme toi, quand tu auras reconduit Antigone à Thèbes, veux-tu devenir un de mes hommes ?"

Main d'or s'incline avec respect et la réponse est non.

"Tu fais partie d'un clan ?

— Cli… Clios !

— Tu ne veux servir ni roi ni cité ?

— Non."

Il dit cela très simplement en regardant mon frère en face et cela plaît à Polynice. Je voudrais bien être comme lui et ne jamais hésiter aux frontières du oui et du non mais je ne suis pas ainsi.

Niké sent que l'écurie est proche et ses mouvements d'impatience font ressortir sa beauté. Polynice s'en approche, le flatte et le contemple avec une admiration grandissante.

"Je n'ai jamais vu un aussi beau cheval, d'où vient-il ?

— Etéocle m'a chargé de te le donner, c'est le cheval qu'il aime le plus.

— Une splendeur. Il veut me le donner, encore faut-il que j'accepte un tel cadeau. Et venant de lui ! Je veux voir ses allures, son intelligence, sa vitesse, tout. Main d'or monte avec moi sur le char."

Je ne vais pas les laisser s'amuser avec Niké et rester ici toute seule. Un soldat tient le cheval de Polynice :

"Je vais avec vous. Je prends ton cheval !"

Polynice est déjà sur le char qui s'ébranle, il me crie quelque chose, ce doit être une approbation. Je cours vers le cheval, le soldat a l'air effrayé, il dit :

"Seul le roi…"

Mais déjà je suis sur le cheval qui se cabre très haut, bouscule l'homme et m'emporte dans un galop furieux. Il se défend de toutes ses forces, il n'a sans doute jamais été monté que par Polynice, mais je sens qu'il ne m'aura pas et je suis au comble du bonheur.

Nous rattrapons le char où Polynice étudie les allures de Niké. En me voyant les dépasser sur ce cheval déchaîné, Polynice exulte et me crie : "Laisse, laisse aller."

Le cheval, sentant que je lui rends la main, accélère encore l'allure mais cesse de se débattre. Derrière moi j'entends le char qui se rapproche et Polynice qui crie : "Va !" Il a lancé Niké à toute vitesse, il arrive à ma hauteur, les deux chevaux sont un moment côte à côte, puis sans aucun effort apparent Niké nous dépasse et nous devance de loin.

Polynice saute sur le sol et crie : "Retiens-le !" Quand j'arrive sur lui, il se jette sur les rênes de son cheval et m'aide à l'arrêter. Il est content :

"Tu es, avec moi, la seule à l'avoir monté sans être jetée à terre."

Et comme Main d'or nous rejoint :

"Quelle cavalière, quelle audace et dire que tout le monde te croit si douce."

En retournant au camp, il me dit :

"Quel cadeau me fait Etéocle. Trop beau. Comment le lui rendre, comment l'égaler ?

— Pourquoi l'égaler ?

— Il le faut, il faut trouver un étalon qui le vaille et je le trouverai."

Ce soir-là, Polynice donne une fête et me propose d'y assister mais je suis trop fatiguée par le voyage et le galop effréné de son cheval. Je ne veux plus penser à mes redoutables frères ni à leurs rivalités. Je veux dormir et oublier.

J'entends en rêve d'énormes vagues se briser contre des rochers. Suis-je en mer, est-ce une tempête que j'entends de la rive, je ne puis le savoir car la nuit est épaisse et le sommeil m'engourdit. Je commence à distinguer, dans le tumulte des vagues, des paroles confuses, coupées de cris de colère. C'est la voix de Polynice, elle s'élève des flots chargés d'écume qui vont s'écraser sur les brisants. Mon frère est là, il va, il vient en criant dans ma tente. Mais est-ce bien Polynice ? Il est pâle, il est gris, il souffre, il n'y a rien en lui qui rayonne. Est-ce qu'Etéocle est parvenu à entraîner son frère dans les ténèbres de l'angoisse nocturne ? Tandis que je prie pour que le jour paraisse, Polynice crie et explose :

"Quel piège, ce cheval si beau ! Le prince, le roi des chevaux, comment découvrir son égal ? S'il existe ? Un présent d'Etéocle qui surpasserait tous les miens. Tu n'as pas gagné, frère, je trouverai ! Et si je ne peux te donner son égal, je te renverrai Niké et j'irai te le prendre de force à Thèbes, sois-en sûr."

Je me lève, il me voit enfin :

"Antigone... je suis venu te dire que je pars. Quelques jours avec Niké et Main d'or. Ne crains rien en m'attendant, il faut que je trouve.

— J'irai avec toi, je t'aiderai."

La nuit se dissipe, il ouvre la porte de ma tente et avec les premiers rayons je retrouve mon grand frère solaire, impérieux, souriant, celui que j'ai toujours connu.

Il s'en va sans me répondre. Quand j'ai fini de m'habiller Main d'or m'amène un bon cheval et nous retrouvons Polynice qui chevauche Niké avec un plaisir évident. Quelques Nomades, montés sur de petits chevaux ébouriffés, nous suivent.

"Ce sont mes meilleurs alliés, dit Polynice, les hommes du clan bleu, celui-là est leur chef : Timour. Des hommes et des chevaux d'une extrême endurance et des chasseurs extraordinaires, avec eux, je ferai bientôt à Etéocle une guerre à laquelle il ne s'attend pas."

Pendant de nombreux jours nous allons voir des éleveurs. Nous voyons de très beaux chevaux mais le regard impitoyable de Polynice, de Main d'or et Timour a vite fait de leur trouver des défauts et il est vrai qu'aucun d'eux ne supporte la comparaison avec Niké.

Nous poursuivons notre voyage sans résultat. Polynice s'attache de plus en plus à l'étalon noir et son impatience devient extrême. Une nuit, je rêve que je suis en barque sur la mer, je dois passer entre deux caps que traversent des courants puissants. Un cheval nage vers moi, il est à demi submergé par les vagues et pourtant il continue. Je reconnais la tête superbe de Niké, et quand il arrive près de moi, je peux lui passer un harnais. Il bondit hors de l'eau et galope sur la mer, je crois qu'il va sauver la barque mais les courants grandissent et Niké n'avance plus qu'avec peine. A ce moment apparaît un autre cheval, à deux ils peuvent galoper sur le sommet des vagues et franchir le passage dangereux. Le matin je raconte mon rêve :

"Quelle couleur… le deuxième cheval ?" demande Main d'or.

Je m'aperçois que je l'ai oublié, mais Polynice affirme :

"Il est blanc, c'est un étalon blanc qu'il faut à Etéocle."

Je me rappelle alors que le cheval du rêve était blanc.

"Tu vois, dit Polynice, tu as rêvé de lui, c'est qu'il existe."

Main d'or nous conduit au bord de la mer chez un éleveur qui vend des chevaux aux rois d'Asie. Lui non plus n'a pas le cheval souverain que nous cherchons mais quelque chose m'incite à lui demander :

"Où habite l'éleveur qui a un étalon blanc ?" Il feint l'ignorance et semble effrayé. Je suis sur la voie et à ses réponses négatives j'oppose obstinément un sourire en répétant : "Où ?"

Il ne peut plus résister à ma question d'autant qu'il y a derrière moi la présence formidable de mon frère et de Timour. Il dit :

"Au nord, mon frère Parmenios en a eu un mais je crois qu'il l'a vendu."

Nous allons chez Parmenios, c'est un homme riche, très entendu dans son métier. Il sait qui est Polynice et désire manifestement le satisfaire. Il nous fait visiter toute son installation, il a de beaux chevaux mais aucun n'approche de Niké. Il n'a pour le moment, dit-il, aucun cheval blanc.

Je sens pourtant qu'il y a autour de lui quelque chose de blanc qui m'attire et qui nous est caché. Je sors au milieu de la nuit avec Main d'or et Timour et laisse cette sourde attirance me guider. Après une longue marche nous parvenons à proximité d'un petit bois, à travers les troncs je discerne une forme blanche et nous découvrons, attachée là, une très belle jument blanche, un peu lourde, bien pourvue d'eau et de fourrage. Je m'approche d'elle, je la caresse, je passe mes mains sur son flanc, comme je m'y attendais elle porte un poulain.

Nous ramenons la jument avec nous. Le lendemain Parmenios nous assure qu'il a bien eu un étalon blanc mais qu'il l'a vendu. Il ne peut expliquer pourquoi il a caché la jument. Polynice lui ordonne de rester dans sa maison, Timour et Main d'or parcourent la propriété avec la belle jument, ils entendent des hennissements et nous finissons par découvrir une écurie souterraine, une véritable forteresse, dans laquelle se trouve caché le magnifique étalon blanc dont nous avons pressenti l'existence.

Parmenios est désespéré, il aime ce cheval avec passion et refuse de le vendre. Mon frère lui offre une somme énorme, Parmenios sait que s'il persiste dans son refus Polynice prendra l'étalon de force mais il ne peut se résoudre à dire oui. Pendant le bref délai qui lui est accordé pour se décider, Main d'or m'emmène revoir la jument. Après l'avoir examinée et palpée très attentivement il annonce qu'elle va avoir un poulain mâle dont les qualités égaleront celles de son géniteur. Parmenios comprend qu'il ne peut refuser plus longtemps l'offre de Polynice et se résout à l'accepter.

Polynice est au comble du bonheur et veut comparer immédiatement les deux chevaux. Il monte Niké, Main d'or prend l'étalon blanc, et je regarde avec Timour ces chevaux magnifiques et ces deux superbes cavaliers évoluer au manège puis rivaliser de vitesse dans la plaine. Les Nomades eux-mêmes, toujours impassibles, ne peuvent cacher leur plaisir et leur enthousiasme. Les deux étalons que l'on croyait chacun incomparable se valent et leur rivalité, très visible, plaît beaucoup à Polynice.

Il veut les voir ensemble de tout près et sans aucune entrave. Main d'or lui dit qu'ils vont se battre, cela ne l'arrête pas, c'est sans doute ce qu'il désire. Il leur enlève lui-même les licous et c'est parfaitement nus qu'ils se font face, nerveux, piaffants, le corps parcouru de frissons. La présence de l'autre, du rival, les électrise, leurs crinières se hérissent, ils ruent et se cabrent en hennissant l'un en face de l'autre. L'étalon blanc est le premier touché, on voit le sang couler le long de son cou mais l'autre est atteint bientôt lui aussi.

Entre Timour et Main d'or, j'assiste terrifiée à cet admirable combat, chaque mouvement, chaque déplacement des corps est porté à sa perfection mais nous sommes bientôt saisis par la crainte de voir ces deux merveilles terrestres, que la passion rend presque surnaturelles, se blesser gravement dans leur affrontement. Polynice ne ressent pas cette crainte, il est en plein bonheur et les excite au contraire de ses cris. Ne se rend-il pas compte que si les étalons ou l'un d'entre eux se mutilent, son voyage et sa longue recherche de l'égal de Niké se termineront par un échec ? Il le sait sans doute mais s'abandonne tout entier au plaisir que lui procurent la perfection des chevaux affrontés et la beauté sauvage du combat. Le duel se durcit, Parmenios ne peut plus supporter le spectacle du sang sur la robe de son cheval et s'enfuit.

Les deux chevaux se cabrent à nouveau l'un en face de l'autre, plusieurs fois, et frappent du sabot le poitrail de l'autre. Ils sont également rapides et forcenés, aucun des deux ne peut l'emporter et le risque grandit d'un abominable accident.

Je ne vois plus que leurs têtes, leurs yeux affolés, leurs lèvres retroussées sur leurs dents. Ce ne sont plus des chevaux, je vois les têtes de deux superbes monstres, je vois mes frères prêts à s'entre-tuer. Je ne puis le supporter, je cours vers eux, pour les forcer à se séparer. Je ne suis pas assez forte, je suis foudroyée par leurs regards furieux, par leur écume, par leurs dents. Je reçois d'énormes coups de tête, je suis mordue, je crie, je tombe, je vais être piétinée par eux.

Polynice surgit, d'un poing formidable il frappe le chanfrein de Niké, écrase celui de Jour, les contraint à reculer. Couchée sur le sol je le vois immense, sa chevelure dorée est une crinière et, en les frappant, il ne crie pas, il hennit plus fort que les deux étalons. Il me soulève, il me sort de l'espace redoutable où leurs sabots me menaçaient. Une corde siffle au-dessus de nous, c'est Timour qui prend Niké au lasso, il recommence et c'est Jour. Main d'or et les Nomades saisissent les cordes et immobilisent les chevaux sans parvenir à les séparer. Polynice me dépose dans les bras de Main d'or, se rue vers eux et avec une force incroyable leur passe le mors. Il les frappe, il les caresse, il les frappe encore avant de les remettre maîtrisés aux mains de Timour et des Nomades.

Main d'or me porte dans la maison de Parmenios, sa femme me lave, je suis couverte de sang mais ce n'est pas le mien. Je suis assommée par les coups que j'ai reçus, je n'ai pas de vraie blessure. Parmenios est atterré mais Main d'or lui assure qu'aucun des chevaux n'a de blessure grave.

Polynice arrive encore exultant de la fièvre et de la fureur de la lutte :

"Quel combat, quel feu, quels incomparables chevaux. Ce que je voulais, vraiment égaux, l'un et l'autre. Et toi, qui ne peux pas le supporter, qui te jette entre eux avec ton grand cœur. Pâle, les cheveux dressés, aussi farouche qu'eux et prétendant imposer ta bonté à leurs instincts. C'était la vie ça, la vraie vie, déchaînée, celle que nous aimons, Etéocle et moi, celle que tu aimes sans le savoir, Main d'or aussi qui, en te voyant tomber, a eu envie de me tuer. Toi, au milieu de tout ça, la plus belle, la plus folle et Timour, qui ne te quitte pas un instant des yeux, qui lance son lasso comme un aigle pour te protéger. Ne pleure plus, Antigone, j'étais fier, oui, très fier de ma petite sœur sauvage. C'était dangereux, c'était même insensé, c'est vrai, mais quel combat, quel spectacle, et quel plaisir nous avons ressenti."

Main d'or revient, il a examiné et soigné les chevaux avec Parmenios.

"Les deux étalons, dit Parmenios, se sont montrés égaux. En vous le vendant j'ai stipulé que le nom de «Jour» ne serait pas changé. C'est celui de l'étalon noir qui doit l'être, il serait faux de l'appeler encore «Niké» comme s'il avait vaincu le mien. Il faut l'appeler «Nuit» dorénavant."

Polynice accepte avec enthousiasme : "Dorénavant je chevaucherai «Nuit», dont Etéocle n'avait pas trouvé le nom juste."

Il se tourne vers Main d'or : "Qu'aurais-tu fait si, à cause de moi, Antigone avait été blessée ou tuée ?"

Main d'or ne répond pas, mais son visage assombri fait voir que des pensées de mort ont traversé l'esprit de cet homme si bon.

"Tu aurais pu me tuer seul ?

— Pas… pas seul.

— Qui ?… Timour ?… Admirable ! Quelles passions tu provoques, fillette. Mon fidèle Timour a aussi voulu me tuer. A cause de toi !"

Polynice rayonne, il aime vivre au milieu des sentiments violents que sa présence provoque.

"Antigone dans l'enfer des chevaux. Quel spectacle ! Vous en avez souffert, vous en avez joui autant que moi.

— Oui", dit Main d'or. Sa colère est toujours présente mais il ne peut s'empêcher de sourire un peu, avec cet air complice des hommes qui ont joué ensemble au grand jeu.

Pendant le long voyage de retour, je sens souvent sur moi le regard perçant de Timour qui brille d'étrange façon dans son visage bleu. Si son regard rencontre le mien, il se détourne immédiatement. Il a noué avec Main d'or une grande amitié sans paroles. En dehors de ses hommes, il ne parle qu'à Polynice qui est le seul Grec à comprendre sa langue. Lorsque nous revenons au camp de mon frère, il me suit avec lui jusqu'à ma tente. Il fait de ses mains un très beau geste de salut, presque de soumission que ses yeux accompagnent. Il ajoute quelques mots que Polynice traduit :

"Je suis heureux de t'avoir rencontrée, j'irai plus loin grâce à toi. Je suis ton ami."

Je réponds seulement :

"Merci", mais il voit que je suis émue. Son regard aigu me déchire un peu. Le visage bleu s'incline, il s'en va.

Je dis à Polynice : "Je dois retourner à Thèbes, quand verras-tu mes sculptures ?"

Il est préoccupé, et répond distraitement : "Demain au plus tard."

Il n'a pas vu ma tristesse. Je voudrais être à Thèbes, que K. soit là, qu'il vienne me border dans mon lit comme s'il était la grande sœur que j'aurais tant aimé avoir, je m'endors tout endolorie. Dans mon sommeil je suis troublée par les vagues sombres qui viennent frapper la falaise ruinée où je me tiens. Ce sont les vagues de la colère où percent peu à peu les cris et la voix de Polynice.

Tu ne l'emporteras pas sur moi avec Nuit, frère, Jour est son égal, mais je n'ai pas vu que ce piège en cachait un autre. Ainsi ma vie va d'un piège à l'autre. Pour trouver Jour j'ai perdu du temps, il est trop tard pour attaquer Thèbes cette année, avant que tu aies fini d'agrandir les trois dernières portes. Tu m'as joué encore une fois, l'an prochain, les portes seront achevées, la victoire plus difficile.

Je distingue confusément dans la nuit quelque chose d'énorme qui est Polynice et bien plus que Polynice, qui heurte de front ma falaise et la fait trembler. J'ai peur, je ne dois pas avoir peur, je dormais, donc je suis dans mon lit, dans ma tente où il n'y a pas de falaise, pas de vagues ni de tempêtes.

"Quel est ce fracas que j'entends, Polynice, quelle est cette vague qui me frappe et qui n'existe pas ?

— C'est ma pensée, sœur, celle qui se heurte à la poussée continuelle des rochers noirs d'Etéocle, de ses pièges souterrains. Il a été le plus faible pendant notre enfance. Il s'en est fait un droit. Le droit de prendre Thèbes, le sol sacré, ma couronne incorruptible.

Grâce à toi, j'ai trouvé Jour, j'ai déjoué son premier piège, je suis tombé dans le second. Qu'il bâtisse ses nouvelles portes, je vais lui faire une guerre à laquelle il ne s'attend pas.

— Pourquoi, Polynice ?

— Pour Thèbes, pour que nous allions tous les deux au bout de nos forces. Si nous délirons ainsi, Antigone, c'est un peu ta faute, si tu ne nous avais pas abandonnés comme tu l'as fait, tu aurais pu nous maintenir dans la réalité. Au lieu de cela, tu files derrière notre père et tu nous laisses dans la turbulence des passions. J'ai vu à Colone qu'Œdipe avait changé mais est-ce qu'il avait besoin de toi pour cela ?"

Sa question me bouleverse, il voit mon trouble : "Tu vois, tu ne peux pas me répondre.

— Non, je ne peux pas, c'est vrai. Il est parti et je l'ai suivi parce que je ne pouvais pas faire autrement.

— Et si c'était Ismène qui était partie ?

— Ismène ! Elle l'aurait ramené.

— Cela aurait mieux valu pour lui.

— Non !" Je crie : Non ! de toutes mes forces et avec une absolue certitude. Ma violence fait rire Polynice.

"Quel beau cri, comme quand tu t'es jetée entre les deux étalons. Il veut dire qu'Œdipe devait coûte que coûte devenir le voyant qu'il était mais que moi je n'ai pas le droit d'être ce que je suis : le roi de Thèbes. C'est pour me dire ça que tu es venue et pour m'apporter les pièges d'Etéocle ?

— Je suis venue seulement pour te montrer les sculptures de Jocaste qu'Etéocle m'a forcée de faire.

— Forcée ?

— Oui, je ne voulais pas les faire. Je ne pouvais pas. Ismène m'a longtemps parlé de vous et de Jocaste. En l'écoutant, peu à peu, elles sont nées de mes mains.

— Dans la souffrance ?

— Oui.

— Celle aussi d'Etéocle et d'Ismène. Tu voudrais que j'y ajoute la mienne. Est-ce nécessaire,

Antigone, est-ce que la vie ne suffit pas ? Pourquoi nous fais-tu si souvent souffrir, pourquoi es-tu sans cesse sur notre chemin ? Œdipe s'en va de Thèbes et tu le forces à te prendre avec lui. Est-ce qu'il devait vraiment devenir une sorte de sage, de juste, d'aède illuminé ?

Etéocle m'a volé le trône de Thèbes, nous nous faisons la guerre, c'est bien naturel. Nous nous combattons, nous nous faisons souffrir mais ainsi nous vivons fort, beaucoup plus fort. Il me porte des coups superbes, profonds, inattendus, je fais de même. Pense à Nuit, à Jour que tu vas lui ramener, à tout ce que cela représente de pensées ardentes et tendues vers l'autre, dans la joie de trouver, de vaincre ou de s'égaler.

Tu voudrais que nous fassions la paix, que Thèbes devienne une cité paisible, un peu dormante, nourrissant de petits bonheurs, mais elle n'est pas comme ça, c'est un grand rapace qui a besoin d'un ciel, un cheval de guerre qui veut la bataille. Tu souhaites que je laisse Etéocle tranquille, que je devienne un bon roi qui laisse ses concitoyens engraisser et célébrer le culte des bons sentiments mais les sentiments comme les dieux sont sauvages, quand ils se civilisent, ils meurent et les rois bons perdent leur trône. Etéocle a besoin d'un adversaire à sa taille, moi aussi, cette lutte fait notre plaisir et tu prétends nous empêcher d'en jouir. Tu aurais pu trouver le tien en aimant un homme, en ayant une maison, des enfants. Tu as préféré protéger notre père, mendier pour lui, faire compatir toute la Grèce à son malheur et à ta piété filiale. Tu as trouvé là un singulier et sans doute énorme plaisir, pourquoi veux-tu maintenant nous enlever le nôtre qui est de tenter de battre le rival admirable…"

La voix de Polynice me frappe en plein corps, en plein cœur et chaque fois qu'une de ses vagues vient frapper ma falaise intérieure, je sens que celle-ci se délite et lentement s'effondre.

A travers la toile de la tente le point du jour s'annonce, Polynice n'est plus seulement cette forme noire, cette vague écumante et confuse qui me terrifiait. Je devine le mouvement de ses épaules, ses cheveux brillent doucement, sa voix n'a plus le souffle rauque de la tempête, elle s'adoucit, elle interroge :

"Pourquoi est-ce que tous : Œdipe, Clios, Etéocle, Ismène et moi-même nous te laissons déranger nos existences, troubler nos désirs, nos folles ambitions et notre goût effréné de la vie ? Oui, pourquoi t'aimons-nous tellement, je ne m'étais jamais posé cette question, mais ta présence, ton silence m'interrogent ? Nous t'aimons à cause de ta beauté, qui n'est pas celle de Jocaste ni d'Ismène, mais, plus cachée, plus attirante, celle des grandes illusions célestes. Et tu n'es pas seulement belle, ma sœur, tu es encore si étonnamment folle, tu fais si bien croire à ta folie, tu la fais si bien vivre autour de toi."

Il rit de son rire de lion qui me réchauffe car je sens que je suis aimée, et qui me terrifie car en lui j'entends combien nos voies sont divergentes et nos vies dangereusement liées. Le jour se lève, sa voix devient plus chaude, plus attirante :

"Avec toi, on croit aux dieux, à ceux qui éclairent et à ceux qui transpercent. On croit au ciel, aux astres, à la vie, à la musique, à l'amour à un degré inépuisable. Toujours tu es celle qui s'élance dans l'espérance de l'infini et qui nous entraîne grâce à tes yeux si beaux, à tes bras secourables et à tes grandes mains de travailleuse qui ne connaissent que compassion."

Les brumes s'élèvent, le ciel commence à s'éclaircir et la voix de Polynice ne cesse de gagner en lumière. Il tourne à pas lents autour de moi, il me regarde, il me contemple comme s'il ne m'avait jamais vue. Je vois qu'il a été très malheureux et que sa tristesse m'implore et me caresse de la voix. Est-ce qu'il me parle vraiment ? Ce n'est pas sûr, je ne perçois que des sons qui m'enveloppent, me rassurent, me rappellent le temps où il était un petit garçon qui, dans son amour des jeux violents, tombait et se blessait souvent. Qui venait à moi pour que je sèche ses larmes, que je l'entoure de mes bras bien plus petits que les siens, que je frictionne ou que j'embrasse le siège de son mal. C'est ce qu'il veut aujourd'hui encore pour que je l'aide à oublier la nuit d'Etéocle et l'aube de tumulte et de déréliction qu'il vient de vivre. Il espère que je vais lui ouvrir mes bras, est-ce que je peux refuser, est-ce que je ne suis plus sa petite sœur, celle qui a pouvoir de consolation ?

Je me lève, je le prends dans mes bras et je vois que je suis toujours le refuge de sa secrète blessure. Il se serre contre moi, nous nous berçons un peu comme autrefois et je sens la joie, avec une grande force, qui remonte en lui. Ses mains glissent le long de mes bras, parcourent tendrement mes épaules, sa voix répète avec douceur : ma sœur, ma sœur.

Je l'entoure, je le serre encore dans mes bras mais je voudrais qu'il s'en détache et retourne à ses jeux comme jadis. Je sens que c'est devenu impossible et la pensée, qui se taisait, resurgit sèchement en moi, disant : Il n'a pas pu avoir sa mère, il veut avoir sa sœur.

J'ai un tel désir de le protéger, de l'apaiser, je suis si bouleversée par ce qui se passe en nous, par ce grand mouvement de désir qui vient à moi revêtu des images de l'enfance que je ne suis plus capable de me défendre. Je pense avec égarement : Nous sommes perdus, Hémon est perdu et Etéocle jamais, jamais ne pourra pardonner.

Son visage descend vers mes seins qu'il embrasse avec cette dangereuse douceur et douleur qui délie mes forces. Il m'envahit de ses mains impérieuses, sa voix murmure : ma sœur, ma sœur, mon amour.

C'est avec ce mot qu'il me sauve. En l'entendant mon corps se cabre, se refuse, je me dégage et je cesse de serrer dans mes bras celui qui était un enfant et qui soudain ne l'est plus. Polynice s'irrite de ma résistance inattendue, il me saisit les mains, glisse ses doigts entre les miens et entreprend de me faire plier, comme il le faisait dans nos luttes garçonnières de jadis. Il ne sait pas que jadis j'ai sculpté dans la falaise l'immense figure de l'Aveugle de la mer et que pour le faire j'ai dû me donner tout entière à l'invention de la matière.

Polynice, après tant de combats et d'actions amoureuses, a une telle confiance dans les pouvoirs de ses mains qu'il n'imagine pas que je puisse résister. Quand ses mains se heurtent à mes mains de pierre, il ne peut croire l'obstacle infranchissable. Il redouble de désir et d'effort sans voir que c'est en lui renvoyant sa propre force que ma statue le contraint sans hâte mais de façon irrésistible à plier devant moi comme il nous obligeait, Ismène et moi, à le faire devant lui. Tant qu'il exerce sa force contre moi je ne puis arrêter celle de mes mains de pierre. Soudain il comprend, cesse de lutter et hurle à sa façon énorme : "Arrête ! Arrête !"

Mes mains s'ouvrent, les siennes retombent inertes, douloureuses. Malgré son visage crispé par la douleur, il parvient à sourire :

"Bien fait, dommage."

Je soutiens son regard en silence :

"Tu m'as vaincu… Incroyable ! Je vais voir mon masseur, je ne pourrais plus tenir mes armes."

Il s'en va, ayant retrouvé déjà son assurance et son altier bonheur de vivre. Je reste là, étourdie par ce qu'il a osé. Un désordre violent règne dans ma tente, Main d'or entre, il était dehors prêt à me secourir. Il a vu Polynice sortir : "Ma… maté !"

Il me dit que tout est prêt pour notre départ et que nous pouvons repartir avec Jour quand je le voudrai.

Polynice revient bientôt, son masseur a été effrayé en voyant ses mains, il lui a dit : "Ta sœur a été l'élève de Diotime, la grande guérisseuse. Elle connaît sans doute des remèdes que j'ignore, car avec moi, ce sera très long."

"Crois-tu que m'ayant blessé tu pourrais maintenant me soigner ?

— J'ai travaillé avec Diotime, je puis essayer."

Je le fais asseoir en face de moi et, malgré la douleur, je masse ses mains et les remets en mouvement. J'éprouve peu à peu que ce n'est plus nécessaire et qu'il suffit que je garde ses mains dans les miennes pour les détendre et leur redonner confiance. Polynice s'est confié tout entier à la joie, à la fureur d'exister et je l'admire d'être si totalement natif de lui-même, si libre dans son refus radical des vérités qui ne sont pas les siennes. Son regard bleu m'assure que je ne pourrai conjurer son malheur ni celui d'Etéocle et de Thèbes et que cela n'a pas tant d'importance. Ce qui importe, c'est que dans cet instant, le seul qui compte à ses yeux, je sois la protectrice de ses mains que dans sa rage de toujours vaincre, il a été sur le point de me faire écraser.

Si je l'avais fait, je le comprends soudain, j'aurais pu arrêter la guerre. Infirme, il n'aurait pu la continuer. Ce n'est pas ce que j'ai fait, pas ce que je veux.

"Tu m'as guéri." Il se lève, il délie ses mains des miennes avec son aisance souveraine :

"La haine, la colère entre Etéocle et moi ne s'adressent pas à l'autre mais au ciel, à la vie humaine qui est trop muselée, trop mutilée pour nous. Pas d'illusion, je ne renoncerai à rien, lui non plus. Tu es venue ici pour me faire voir tes sculptures. Je t'ai bien fait attendre, j'en avais peur peut-être. Montre-les-moi."

Je sors les sculptures du sac et les adosse à la toile blanche et tendue de la tente.

Nous regardons longuement les images de notre mère, il dit :

"Etre admirable dans la victoire, c'est facile, l'être comme Etéocle dans la défaite et la comparaison perpétuelle c'est ce que jamais je n'ai pu surpasser."

J'attends qu'il en dise plus, il est ému mais ne veut pas parler. Il remet dans mon sac la sculpture où Jocaste, dans sa gloire, l'admire. Il garde celle où son visage est assombri par le fardeau qui pèse sur la destinée d'Etéocle.

"Pourquoi celle-là ?

— Parce que Etéocle est le futur. Le futur de la nuit, contre lequel les débris de la lumière doivent lutter. Par simple vaillance, Antigone."

Nous repartons le lendemain. Jour est déjà attelé à notre char et piaffe d'impatience quand Polynice survient. La guerre va reprendre, je ne le reverrai plus, peut-être, ou dans des circonstances affreuses. Je ne puis détacher mon regard du sien, de ses gestes si beaux, de son visage où pourtant je lis déjà l'impatience de s'élancer vers d'autres actions, d'autres joies. En l'embrassant je lui redis les paroles d'Œdipe à Colone : "Tu es roi, mon fils, tu es plus, tu es le roi, comme ta mère était la reine." Sans doute les a-t-il oubliées car il les écoute et semble les découvrir avec joie. Je lui rappelle alors les mots ajoutés par Œdipe et qu'il n'a pas voulu entendre : "Un vrai roi, comme tu l'es, n'a pas besoin de trône pour régner."

Il ne prend pas le risque de me répondre, il me soulève comme un fétu et me balance sans ménagement dans le char où heureusement Main d'or a bondi. Il me fourre les guides dans les mains et, avec le long cri des cavaliers nomades, il précipite Jour au galop. J'ai grand-peine à ne pas tomber et, quand je parviens à ralentir le cheval, il est trop tard. A peine doré, il n'y a plus derrière nous qu'un nuage, le grand frère, son rire, son soleil, sa gloire aventurée sont engloutis dans la poussière.

XII

LE RETOUR

L'échec de ma rencontre avec Polynice, la tristesse de le quitter occupent ma pensée et ma vue, Jour pendant ce temps a changé d'allure et pris de lui-même un beau trot allongé. Main d'or s'est assis pour mieux suivre du regard l'action de l'étalon, un sourire d'admiration sinue sur ses lèvres et par de légers hochements de tête il approuve ce qu'il voit. Je laisse mon regard se guider sur le sien et, comme lui, je perçois le mouvement rythmé des épaules, l'attaque hardie des pattes, l'harmonie de l'encolure, des gestes de la tête et du bruit de la respiration. Je retrouve le contact léger, le toucher à peine des sabots de Nuit sur le sol, que le rêve m'a évoqué avec tant de justesse en me le donnant à voir en train de galoper sur les vagues.

Je passe les rênes à Main d'or, je m'assieds à sa place et je m'absorbe à sa façon dans la contemplation des actes d'un corps juste. Je m'abandonne, je me quitte, je me retrouve dans la souveraineté des allures de Jour. Au fil des heures je commence à entrevoir que le renoncement d'Etéocle à Nuit, la quête ardente de Jour par Polynice, le don superbe qu'ils se sont fait l'un à l'autre, m'en apprennent plus sur les jumeaux et leurs contradictions que tout ce que j'ai pu observer et savoir jusqu'ici.

Le voyage de retour est long, mesuré par les forces de l'étalon que nous voulons amener à Etéocle en état parfait. Après quelques jours nous voyons un cavalier qui vient à notre rencontre, c'est Hémon. Il donne son cheval à Main d'or et monte dans le char avec moi. Il semble émerveillé de me revoir mais il ne l'est pas moins par la beauté de Jour. Je suis un peu piquée de voir qu'il partage son attention entre nous. Je dis : "J'ai échoué."

Il hoche la tête et ne dit rien, il rend la main à Jour pour un moment de gloire. La tristesse remonte en moi, je ne puis m'empêcher de sottement demander : "Enfin, que veulent mes frères ?"

Il me montre des yeux l'élan libéré de l'étalon qu'il regarde avec un évident plaisir. Je ne comprends pas, il hausse un peu les yeux, et me fait voir deux rapaces qui tracent de vastes cercles dans le ciel :

"Comme eux… s'éployer."

Je suis un peu irritée par cette réponse mais le soir quand je la rapporte à K. il se met à rire et dit seulement : "C'est ainsi.

— Et moi alors ?

— Toi aussi tu t'éploies, Antigone. A ta manière."

Le lendemain Etéocle veut me voir dans sa forteresse, et me dit d'emblée :

"Ainsi Polynice n'a pu supporter mon cadeau, il a voulu m'envoyer un étalon plus beau que le mien.

— Pas plus beau, son égal.

— C'est ça le sens ?

— Il me l'a dit : Etéocle est mon égal.

— Je n'ai jamais cru à cette égalité, je n'y crois pas maintenant. Polynice a du génie, je ne suis qu'un besogneux du pouvoir."

Je dépose en face de lui la seconde image que j'ai sculptée, celle où on voit Jocaste sourire, rayonnante du soleil de Polynice. Etéocle s'étonne :

"Il n'a pas gardé celle-ci ?

— Il a gardé l'autre, celle où Hémon dit qu'on voit ta souffrance.

— Etrange… mais après tout c'est juste et il m'envoie pour la guerre ce prodigieux animal, car c'est bien pour la guerre que nous avons échangé ces présents."

Soudain je ne puis m'empêcher de le saisir dans mes bras :

"Etéocle est-ce que tu sens ce lien entre nous trois ? Est-ce que tu n'as pas peur du gouffre où Polynice nous entraîne ?

— Nous n'avons pas choisi ce lien, il est là, nous ne pouvons le refuser. C'est Polynice qui commande, il ne tolère pas la peur, notre devoir est d'être à sa hauteur. Et nous le serons, comme il veut."

Il éclate d'un rire aussi superbe que celui de Polynice. J'entends qu'une porte vient de se fermer pour toujours.

Main d'or attend Etéocle sur la plaine pour lui faire essayer Jour. Etéocle m'emmène, et après avoir admiré l'étalon nu, il regarde Main d'or le faire évoluer. Etéocle le monte lui-même, après une longue course, il lui fait franchir plusieurs obstacles et le ramène près de nous écumant mais à peine marqué par l'effort.

"C'est vraiment, dit-il, l'égal de Niké, je croyais cela impossible. Comme lui, il galoperait à mort si on ne le retenait."

Ces mots me déchirent car mes frères n'auront pas comme les chevaux des mains fermes et aimantes pour les retenir. Ils n'auront personne, personne que moi qui suis bien incapable de les arrêter.

Etéocle descend de cheval et vient près de moi.

"Je te remercie d'avoir fait ce dangereux voyage et de m'avoir ramené ce cheval. Polynice me l'envoie pour me protéger et me donner toutes mes chances dans la guerre. Je ne savais pas qu'il m'aimait tant."

Il est heureux, presque ému, je me risque à lui dire :

"Vous vous aimez tant, pourquoi la guerre entre vous ?

— C'est notre façon à nous d'être libres. Ma pauvre sœur, je crois que tu ne comprendras jamais rien à la haine. La haine, c'est l'amour en dur."

Je tente de bafouiller quelque chose sur l'amour, cela fait rire Etéocle :

"L'amour, Antigone, n'est que l'autre visage de la haine, c'est son visage pâle. Ce n'est pas sa force ardente, celle que Polynice m'oppose sans arrêt depuis l'enfance."

Je tente de lui faire face mais ne parviens pas à proférer le non dont tout mon corps est empli.

Il hausse les épaules et, d'un air excédé, emmène Hémon et me plante là…

Le lendemain, Hémon apporte le reste de la somme considérable que K., à ma grande confusion, a exigée pour mes sculptures.

"La guerre va reprendre, me dit-il, il y aura beaucoup de malades et de blessés, les centres de soins et les guérisseurs leur seront réservés, il faut d'autres lieux et d'autres soins pour les malades et les pauvres de la ville. Tu as appris à soigner et à guérir avec Diotime, Etéocle voudrait que tu crées chez toi un petit hôpital pour les malades et les pauvres de ton quartier."

J'accepte, je soigne déjà K. et une partie des femmes et des enfants des environs. Main d'or qui est si habile m'aidera pour préparer les remèdes. La maladie de K. ne cesse d'empirer, il est obligé de rester couché une grande partie du jour et le faire manger demande de grands efforts. Ismène lui apporte souvent des informations et lui demande conseil, Etéocle lui-même vient parfois le consulter et j'entends à travers la porte que ces entretiens sont fréquemment entrecoupés de grandes crises de toux.

Je commence à recevoir de nouveaux malades, c'est Main d'or qui les fait entrer quand nous avons mangé et qui les fait repartir lorsqu'ils ont été nourris et soignés, il m'aide aussi à préparer les remèdes. Ainsi je puis continuer à sculpter pour un marchand car l'argent d'Etéocle ne durera pas toujours.

K. continue à s'affaiblir, une nuit il crache beaucoup de sang et le matin il ne peut plus se lever. Main d'or me dit qu'à Thèbes il va mourir, il faut qu'il retourne très vite à la montagne chez Clios.

"Tu l'accompagneras, tu le soigneras là-bas ?"

Main d'or me regarde avec tristesse mais acquiesce.

K. se rend bien compte de son état, il me dit :

"Ici, c'est vrai, je ne pourrai plus tenir qu'un mois, deux au plus, mais je suis près de toi, je peux encore être utile. Si je parviens à aller jusque chez Clios, je pourrai vivre encore un an, peut-être plus, il n'est pas sûr que je puisse t'aider de là-bas.

— Tu le pourras, ce qui compte pour moi c'est ta vie. Pars chez Clios avec Main d'or, nos pensées ne se quitteront pas." Je parle de ce départ à Ismène et comme toujours elle sait comment faire. Le sceau, que Polynice m'a donné à son camp, permettra à K. et à Main d'or de traverser ses lignes et d'être protégés par ses troupes. Etéocle lui en donne un autre pour lui assurer la protection des troupes de Thèbes et de nos alliés. Il y ajoute un chariot léger où K. pourra s'étendre et un bon cheval.

La veille du départ K. me parle longuement, il insiste pour qu'après l'avoir conduit chez Clios, Main d'or revienne à Thèbes m'aider. Je refuse, Main d'or doit rester chez Io pour le soigner avec elle mais aussi pour aider Clios à mener à bien le grand projet de creuser dans le flanc de la montagne le tracé du parcours d'Œdipe autour d'Athènes. Cette forme est très importante même si nous n'en pénétrons pas encore le sens. Je rappelle à K. la réflexion d'Etéocle en voyant le modèle que Clios m'a envoyé : Le long de ces demi-cercles qui vont en s'élargissant vers le haut on peut marcher, on peut s'asseoir, on peut attendre et voir un événement.

"Quel événement ? demande K.

— Je ne sais pas, pas encore. Les événements peuvent survenir si vite dans la vie. Un matin j'ai vu Jocaste avec des yeux désespérés mais, pour moi, comme pour les autres, toujours belle, toujours la reine. Une heure plus tard elle était morte et mon père s'était crevé les yeux.

Une part de ma vie s'est brisée alors, mais c'est allé si vite que je n'ai pas pu comprendre.

— Dans ce lieu on pourra comprendre ?

— Peut-être mieux. Les enfants quand ils jouent au loup, est-ce qu'ils n'apprennent pas un peu ce qu'est un loup et comment se défendre ?"

Un bref éclair surgit dans le regard de K., est-ce que ses yeux clairvoyants vont comprendre ce que je ne fais confusément qu'entrevoir ?

Comme K. se tait, j'ajoute :

"C'est toi, peut-être qui vas trouver là-bas le sens de ce lieu ou nous le découvrirons ensemble en pensant l'un à l'autre. C'est pour cela qu'il faut que tu vives et que Main d'or reste avec toi. C'est ce qui est le plus important.

— Pourquoi ?

— C'est pour cela que je suis venue."

Je ne comprends pas ce que je viens de dire, il me semble que quelqu'un a parlé à ma place mais K. approuve, il murmure :

"Oui, c'est pour cela."

Je vois que son départ demain est aussi pour lui un grand chagrin. Il a une longue quinte de toux, quand il est remis il me souffle :

"Tu pourras compter sur Vasco, l'ami d'Etéocle et ses jeunes amis, il me l'a promis. Il se fera connaître le jour venu, tu peux lui faire confiance."

Hémon et Etéocle n'ont pu revenir encore de leur dernière expédition et je suis seule, avec Ismène, pour conduire les voyageurs jusqu'à la porte.

Je mesure en les accompagnant tout ce que je vais perdre, la force joyeuse, la bonté de Main d'or et le regard de K., la justesse de ses rares conseils ou de ses silences et ses chants, maintenant murmurés, qui ont soulevé mon âme au-dessus d'elle-même. Je retiens à grand-peine mes larmes, il le voit et brusque notre séparation. Il saisit ma main et l'embrasse à sa manière d'un léger effleurement, il se penche vers Ismène et lui souffle quelque chose à l'oreille. Je crois qu'elle va pleurer mais, à la façon de Jocaste, elle se redresse et se contient.

Nous étreignons Main d'or et sur un signe de K. il bondit sur le chariot qui s'ébranle.

Nous les suivons longuement des yeux, Ismène finit par m'entraîner sur le triste chemin du retour. Je l'interroge :

"Qu'est-ce que K. t'a dit ?"

Elle n'hésite pas :

"Il m'a dit : Protège-la si tu peux.

— Tu as presque pleuré ?

— Oui, car je ne pourrai pas te protéger, tu ne veux pas l'être. T'aider peut-être, un peu. Pour moi aussi le départ de K. est une grande perte, pour Etéocle également, il était devenu son meilleur conseiller et Polynice n'est pas son seul adversaire."

Les malades arrivent, ils arrivent chaque jour plus nombreux, les premiers jours je souffrais seulement de la solitude, je mesure maintenant combien l'aide de mes amis me manque. Chaque jour Main d'or filtrait les malades, il ne les laissait entrer qu'à l'heure dite, s'il avait des doutes pour certains il les envoyait chez K., son regard perçant, ses questions toutes simples en apparence avaient vite fait de déceler les simulateurs. Je n'avais qu'un nombre déterminé de malades qui venaient à leur tour et que j'avais le temps d'examiner, d'écouter, de soigner. Le soir Main d'or m'aidait à préparer les remèdes.

Je suis bien incapable de maintenir l'ordre que mes amis avaient établi. Les malades sont plus nombreux, ils viennent plus tôt, ils partent plus tard, ils se querellent et parfois se battent pour être soignés les premiers. Certains sont affamés, ils arrachent les légumes de Main d'or, ils pillent les provisions, devant leur misère je n'ai pas le courage de les arrêter et souvent le soir je n'ai plus rien à manger moi-même.

Ismène vient me voir souvent, elle s'aperçoit du désordre et de la saleté qui commencent à envahir la maison de bois et me dit :

"Tu es débordée. Il ne faut pas tout faire toi-même, il y a des remèdes qu'on peut faire préparer au marché, pour tes pauvres il faut organiser une soupe et une distribution de pain.

— Comment payer cela ?

— Avec l'argent d'Etéocle.

— Je l'ai gardé, cela me semble injuste, je veux le lui rendre.

— Sottise, tu as gagné cet argent, puisque tu ne veux pas l'utiliser pour toi, emploie-le pour tes malades."

Je lui donne l'argent et chaque jour Ismène vient à midi. Elle a convoqué les marchands qui apportent des remèdes, d'autres qui apportent de quoi faire la soupe et distribuer du pain sous son contrôle et je puis m'occuper seulement de soigner les malades. C'est merveille de la voir rétablir l'ordre, diriger les femmes qui préparent le repas et calmer les disputes au moment difficile de la distribution de la soupe et du pain. Sa gaieté, ses plaisanteries détendent l'atmosphère et c'est avec une autorité souveraine qu'au milieu d'un flot de rires et de bons mots elle décide les voleurs et les faux malades à s'en aller de bonne grâce.

Quand la distribution du repas est finie, elle vient s'asseoir près de moi avec une écuelle bien remplie qu'elle me force à manger après avoir fait s'écarter les malades. C'est un moment très doux, nous nous parlons peu, mais nous sommes très proches. Parfois j'hésite à continuer à manger, elle insiste :

"Achève tant qu'il y a quelque chose à manger ici, ce soir il ne restera rien, tu auras de nouveau tout donné. Hémon serait bien fâché s'il voyait ça.

— Hémon me paraît si loin… tu crois qu'il reviendra ?

— C'est parce que tu te fatigues trop que tu en doutes. Je ne passe ici que deux heures et je reviens chez moi fourbue. Toi, tu tiens toute la journée, je ne comprends pas comment tu fais."

Elle m'embrasse, elle s'en va de son pas léger mais je sens que sous son air rieur elle est aussi inquiète que moi. Chaque jour il y a plus de malades et de gens affamés qui viennent le matin, l'argent d'Etéocle s'épuise et il ne revient pas pour nous donner le subside qu'il nous a promis. Chaque jour je crois que nous n'aurons pas assez pour le repas et pourtant nous y parvenons car des donateurs inconnus – prévenus par qui de notre détresse ? – nous envoient de quoi continuer.

Un soir, comme je suis seule en train de préparer les remèdes du lendemain, un aveugle survient, et me dit :

"Soigne-moi comme tu faisais pour ton père, les aveugles tu connais ça. On m'a dit que tu as un petit atelier dont tu ne te sers plus pour le moment. Fais-moi un lit là, tu vois que je suis discret je ne te demande pas une place dans ta maison. Il commence à faire plus froid, il ne convient pas qu'à mon âge, oui j'ai l'âge d'Œdipe, je loge encore au grand air dans cette saison. Je connais presque toutes les chansons d'Œdipe, si tu prends soin de moi, je te les chanterai."

Je sens tout de suite en lui le simulacre, il a la taille haute d'Œdipe, il porte un bandeau à sa manière, il s'est fait son long pas hésitant, sa voix brève, il ne voit plus très bien mais il n'est pas aveugle. Il simule l'aveuglement et cela me touche car cela ranime en moi l'image du père. Je pressens qu'en face de ce mélange de faux et de vrai je vais pouvoir penser autrement à Œdipe, limiter le souvenir, ne pas me laisser submerger par le manque ou par l'admiration.

Je fais ce que l'homme me demande, je dresse un lit dans l'atelier où je n'ai, c'est vrai, plus le temps de sculpter, je lui donne le pain qui me reste et le préviens :

"Tu ne pourras rester qu'une nuit car demain ma sœur Ismène, qui est plus ferme que moi, découvrira que tu n'es pas aveugle et te fera partir.

— Je sais qu'Ismène me chassera en riant à midi, mais Antigone me reprendra le soir. Je sais attendre, comme toi ma fille, à la fin c'est toi qui l'emporteras et je resterai dans ce lieu qui me plaît et où je saurai me rendre utile.

Je vais maintenant te chanter un poème d'Œdipe, demain j'en chanterai un autre pour Ismène et ceux à qui vous distribuez la soupe."

Il commence un poème que j'ai entendu plusieurs fois chanter par Œdipe, il raconte comment Héraclès, encore enfant, découvre sa force, exulte de sa découverte et s'effraie des travaux immenses qu'elle va requérir de lui.

La voix de Dirkos est belle mais n'a pas l'étendue de celle d'Œdipe, et ce qu'il chante est récité
et non pas inventé avec des mots chaque fois
nouveaux comme le faisait mon père. Pourtant
même appauvri, durci par l'usage que d'autres
en ont fait, c'est encore le chant d'Œdipe et la
parole anonyme des aèdes et chanteurs de
toute la Grèce. Jamais je n'ai ressenti avec autant
de force que, si Œdipe nous a quittés, sa pensée,
ses rythmes et ses chants vivent toujours au
milieu de nous.

Le lendemain quand Ismène déniche Dirkos
dans l'atelier, elle explose :

"C'est un imposteur, un chanteur des rues et
des carrefours qui peut gagner sa vie et trouver
où se loger. K. t'a prévenue pourtant, ne garde
personne pour la nuit ou tu seras vite submergée. Hémon et Etéocle lorsqu'ils reviendront
seront fâchés de voir que je te laisse t'exténuer
comme tu fais. Ils le seront bien plus si je laisse
envahir ta maison et ton atelier par des gens qui
t'exploitent. Je vais le mettre dehors cet homme !"

Elle s'en va apostropher Dirkos qui, incapable
de répondre aux plaisanteries dont elle l'accable,
se laisse faire sans résistance.

Au moment de la distribution de la soupe il
se poste devant l'entrée et commence à chanter
la rencontre d'Œdipe et de la Sphinx. Ismène
se fâche mais il lui fait remarquer qu'il est resté sur
le chemin et que personne ne peut lui enlever
le droit de chanter.

Ismène revient sans mot dire, la distribution
reprend et je vois qu'elle écoute avec attention
ce que chante Dirkos. La distribution terminée
elle le hèle :

"Si tu as une écuelle, viens, il reste un peu
de soupe."

Il arrive avec son écuelle et Ismène le sert elle-même ce qu'elle ne fait jamais, elle rit et plaisante avec lui mais lui enjoint de filer et il s'en va sans protester.

Quand je suis seule le soir, il revient, il va droit à l'atelier et prépare son lit lui-même.

"Je suis bien chez toi, Antigone, je gagne ma vie mais maintenant que je t'ai trouvée, je vais rester.

— Et Ismène ?

— Ismène a raison de me chasser et moi de rester.

— C'est mon atelier...

— Tu n'en auras plus besoin.

— Tu as décidé cela ?

— Pas moi, la guerre, la misère vont prendre toute ta vie, Antigone. Ecoute, je vais chanter pour toi seule."

Il chante l'Apollon le plus antique, le dieu noir avec son cortège de loups et de rats porteurs de la peste. Apollon qui lentement se transforme et devient le dieu des muses et du soleil levant.

Je suis surprise je n'ai entendu Œdipe chanter la métamorphose d'Apollon qu'une fois chez Diotime. Comment le chant a-t-il pu parvenir jusqu'à lui ?

"Je l'ignore, Antigone, je ne sais pas lire. Ce que je chante je l'ai appris en écoutant parfois Œdipe lui-même, plus souvent par d'autres aèdes ou grâce aux chants que tu as écrits et qui circulent, ici et là."

Il enlève son bandeau il me regarde avec ses yeux fatigués :

"Je suis celui qui vient après, ce que je chante est incomplet, souvent fautif et abîmé, bien que je tente d'être fidèle. Pourtant pour ceux qui m'écoutent Œdipe redevient présent et sa parole est entendue. Oui, c'est par de pauvres chanteurs, de vieux débris comme moi qu'Œdipe et Antigone continueront de vivre."

Il se prépare posément pour la nuit et en me regardant déclare :

"Maintenant, rentre chez toi et mange quelque chose, ma fille, tu en auras besoin demain."

Le lendemain quand Ismène arrive, elle demande : "Il est revenu ?"

Je fais signe que oui.

"Que tu es molle. Tu ne peux pas dire non ?

— Je peux parfois, mais pas à lui.

— Je reviendrai ce soir pour te délivrer.

— Laisse-le, il dit que c'est par des chanteurs comme lui qu'Œdipe continue à vivre.

— C'est vrai mais c'est un souvenir diminué d'Œdipe, un chant rabougri, un arbre sans branches ni feuilles.

— Un jour, un poète viendra, qui redonnera des ailes à ce chant pauvre qu'il maintient.

— Quand ?

— Quand ne nous concerne pas."

Dirkos revient le soir avec son ami aveugle, il s'appelle Patrocle et semble n'avoir rien pour se faire aimer. Pourtant ils sont pleins d'attentions et d'affection l'un pour l'autre et je me dis que cette amitié entre deux hommes pauvres, vieillis, diminués par l'âge et les infirmités, est sans doute une des belles chose que j'ai vues.

C'est Dirkos qui fait vivre son ami mais Patrocle est sa mémoire. Dès qu'il le peut Dirkos l'installe à proximité des chanteurs, des conteurs, des prêtres qui lors des fêtes content les généalogies et les aventures des héros et des dieux.

Patrocle enregistre cela dans sa prodigieuse mémoire et le récite ensuite à Dirkos jusqu'à ce qu'il le retienne.

Patrocle me demande de lui raconter l'histoire qu'il ignore de la traversée du Labyrinthe par Œdipe et de son arrivée en Egypte. Quand j'ai terminé, il me récite un des chants d'Œdipe. Je suis à la fois heureuse et navrée de l'entendre car il y a, presque à chaque vers, des tournures et des mots qu'Œdipe n'aurait jamais employés.

Patrocle, quand je le lui dis, me demande de le corriger, et me tend pour cela sa grosse main toujours un peu humide qui me dégoûte un peu. A chaque erreur, je touche sa main en lui disant le mot qu'Œdipe aurait employé. Il le répète, après dix vers il s'arrête et reprend le poème depuis le début. Son incroyable mémoire a tout retenu et malgré sa voix lourde et son mauvais accent, je reconnais la façon de dire inimitable d'Œdipe.

Heureuse, je m'écrie :

"C'est ça, c'est ça qu'il chantait !"

Ismène, qui est survenue, est aussi touchée que moi : "Ce n'est pas Œdipe, ce n'est pas sa voix et pourtant, il est là. Nous vous aiderons Patrocle, toi et Dirkos, ce sera une belle façon d'oublier nos malheurs."

XIII

LE CRI

Le malheur, c'est vrai, est en train de fondre sur nous, sur les malades et les pauvres dont le nombre ne cesse de croître. La campagne entamée par Etéocle et Hémon devait être brève et elle ne cesse de se prolonger. Les messagers envoyés à Thèbes ne parlent pas de retour mais de la nécessité de dégager les routes et du besoin de renforts.

Etéocle, en me demandant d'ouvrir ma maison aux malades, m'a promis que la cité prendrait les frais en charge. Quand Ismène a rappelé cette promesse à Créon, il lui a répondu qu'Etéocle dirigeait les finances de la ville et que lui n'avait pas le moyen de nous aider.

La pénurie commence à s'installer à Thèbes, les prix montent, Ismène s'en étonne car elle sait qu'Etéocle a constitué d'importantes réserves, elle pense que des spéculateurs profitent de son absence.

Pendant que chaque jour nous apprenons à Patrocle les mots et les sentiments d'Œdipe, la réalité ne cesse de nous assaillir. Les marchands de plantes et de remèdes vont arrêter de nous fournir. C'est la guerre, dit l'un d'eux, il faut payer comptant. Je leur parle de la promesse d'Etéocle, cela n'entame pas leur méfiance et je m'aperçois qu'ils se demandent si Etéocle et Hémon sont encore en vie.

Dirkos, qui apprend le soir avec Patrocle les chants d'Œdipe que nous avons revus, parcourt les rues de la ville en demandant, entre deux chants, qu'on vienne au secours de notre pénurie. Beaucoup de gens nous apportent chaque jour du pain et des provisions, parmi eux beaucoup de gamins et de gamines qui déposent leurs dons à l'entrée et se sauvent à toutes jambes sans que nous puissions leur parler. Cela nous permet de tenir mais il faut réduire de moitié les distributions et les remèdes vont manquer tout à fait.

Avec tous mes malades et les deux petits enfants abandonnés que j'ai recueillis, je me sens, comme au temps d'Œdipe sur le cap, menacée par une énorme vague. Cette vague, celle de sa folie et de celle de Clios, Œdipe est parvenu à la maîtriser. Une autre vague est là maintenant, née de la folie de mes frères et elle a pris la forme de cette marée croissante de pauvres, de malades et d'infirmes qui est en train de nous submerger.

Le matin quand les malades arrivent j'écoute ceux qui ont besoin de parler, je panse les blessés légers et quand c'est le tour des autres, ceux qui ont des affections graves et qui ont besoin de remèdes, je leur fais face et leur dis :

"Aujourd'hui, il n'y aura pas de remèdes. Je n'en ai plus, il n'y a plus d'argent."

Ils lèvent vers moi leurs yeux où se lit une confiance totale et ils soupirent, on dirait tous ensemble : "Il y en aura quand ?"

Le pire est là, ils sont sûrs que je leur trouverai toujours des remèdes et du pain. Je n'ose plus les regarder, je baisse les yeux, je finis par proférer une sorte de cri pitoyable :

"Quand ?... Je ne sais pas..."

Une rumeur sourde s'échappe d'eux, j'entends qu'elle dit : "Ce n'est pas possible."

Ils vont prendre le pauvre morceau de pain et la soupe claire qu'Ismène leur fait distribuer. Ils ne protestent pas mais il y a toujours, autour de moi, cette vague rumeur qui dit : "Ce n'est pas possible que toi, Antigone, la fille d'Œdipe, toi qui as traîné comme nous sans abri et sans pain, ce n'est pas possible que tu ne trouves pas... Nous reviendrons... nous reviendrons demain."

Je m'enfuis, je cours affolée vers la maison car je sais qu'ils espèrent avec confiance, qu'ils sont même sûrs que demain j'aurai trouvé. Trouvé quoi ?

Les deux enfants dorment encore, dans quelques minutes ils vont s'éveiller et je ne pourrai plus penser. Œdipe aurait su que faire. Qu'ai-je donc appris en le suivant si longtemps ? A marcher, à tenir bon sur la route. Rien de changé, la route j'y suis toujours et je marche sans rien comprendre du matin jusqu'au soir. Quand j'étais avec lui et avec Clios, le soir on s'arrêtait et je partais mendier. C'est ça que je sais faire, c'est pour ça que je suis faite, c'est ça que je dois recommencer à faire.

Les deux petits s'éveillent, je les change, je les caresse un peu pour me redonner courage en les voyant sourire et je les confie aux deux femmes qui, comme chaque jour, sont en train de tout ranger.

"Occupez-vous d'eux aujourd'hui, il faut que j'aille chez Ismène." Elles me regardent avec des yeux confiants, quelques malades sont restés se reposer et mangent les pauvres restes du repas. Je leur fais signe, ils me disent : "A demain." C'est affreux, ils sont tous persuadés que je serai là demain, avec des remèdes et du pain.

Je pars, je marche sans oser penser à ce que je vais faire, j'arrive chez Ismène :

"Donne-moi une robe, la mienne est trop vieille, je ne veux pas inspirer la pitié.

— Tu as pleuré... que vas-tu faire ?

— Mendier. Quoi d'autre ? Mendier à l'agora chez les riches."

Je vois qu'elle pense : Toi, la fille de Jocaste, la sœur d'Etéocle, ma sœur, mais elle ne le dit pas, avec sa rapidité habituelle elle a tout compris.

"Je vais te donner une robe, te baigner, te coiffer. Puisque tu veux le scandale, il sera d'autant plus grand.

— Je ne veux pas le scandale. Je veux de l'argent ! Tout de suite, sans cela il y aura des morts. Beaucoup."

Elle se tait, inutile de parler. Elle me baigne, me coiffe et malgré tout je suis heureuse de sentir sur moi ses mains tendres et décidées. Elle me donne une robe, sa couleur me rappelle un peu le manteau que m'a donné Diotime en un temps que je ne savais pas plus heureux que celui-ci.

Il me semble que, comme le manteau de Diotime, tous mes souvenirs heureux ont été usés et déchirés par le travail incessant, l'inquiétude obstinée de ces dernières semaines.

Ismène me propose de venir avec moi, non, il faut que j'aille seule.

A proximité de l'agora je passe devant le bâtiment du Conseil. Sur le perron, il y a deux gardes devant la porte, les conseillers sont en séance. Une impulsion subite me fait gravir les marches, les gardes m'arrêtent :

"Interdit. Descendez !

— Je dois leur parler. Absolument.

— Interdit. Rien que les conseillers. Jamais les femmes. Filez !"

Je redescends et tourne machinalement autour du bâtiment, à l'arrière il y a un escalier qui descend vers une porte. Pas de garde. La porte n'est pas fermée, l'intérieur est obscur, plein de matériaux sombres, de caisses et de tonneaux. Au fond je distingue confusément un escalier, je tente de me glisser jusqu'à lui, je m'accroche, je me déchire, la robe bleue sera tachée de graisse et de poussière. Je suis sur l'escalier, il n'est pas trop encombré, je peux passer. Je vais pouvoir atteindre peut-être la porte de la salle du Conseil et alors… Alors, terreur ! Que pourrai-je faire devant tous ces hommes. Je m'aperçois que mes mains sont noires et que comme je transpire de peur, je les ai passées sur mon visage. Je monte l'escalier à tâtons, au-dessus il y a une porte. Derrière une rumeur de voix, les conseillers sont bien en réunion. La porte n'est pas fermée à clé, mais elle résiste, elle est coincée, une rage me prend, si près du but, de ne pouvoir entrer. Je pousse de toutes mes forces et soudain la porte s'ouvre avec un abominable fracas. Aveuglée par la lumière, je suis projetée dans une vaste salle où beaucoup d'hommes sont solennellement assis.

En face de moi il y a un homme jeune qui s'est levé en sursaut et me regarde d'un air effrayé comme si j'étais une apparition. Il cesse d'avoir peur, il crie :

"C'est une femme !… Dehors, dehors !"

Une rumeur de ruche s'élève de la salle. L'homme soudain menaçant s'avance vers moi. Pour lui échapper, je me glisse en courant par la travée centrale qui mène au siège de celui qui préside.

Je suis devant lui, je saisis ses genoux, je le reconnais c'est Thymos, un des officiers de l'armée, un ami d'Œdipe, il a bien vieilli, comment pourrait-il me reconnaître, moi aussi j'ai changé. Il faut le supplier, vite, tant qu'on ne m'a pas jetée dehors.

"Je suis Antigone, la fille d'Œdipe, la sœur d'Etéocle. Mon frère m'a demandé de soigner les malades et les pauvres du faubourg. Il devait me donner de l'argent, il n'est pas revenu et je n'ai plus rien. Plus de remèdes pour les malades, plus de nourriture… Et les enfants, demain ils vont mourir. De l'argent, il faut de l'argent tout de suite !… Vous ne me reconnaissez pas parce que je me suis salie dans la cave. Ne me chassez pas ! Je suis Antigone."

Il me regarde avec bonté et je vois qu'il me reconnaît.

"Tu n'avais pas le droit d'entrer ici, Antigone, ce n'est pas un lieu pour les femmes mais nous allons t'aider. Je vais proposer qu'on vote un subside pour tes pauvres et tes malades en attendant le retour du roi."

Il y a une rumeur d'approbation dans la salle mais je proteste :

"Ce sera trop lent, il y aura beaucoup de morts. Donnez tout de suite chacun, un peu d'argent, un peu de ce que vous avez."

Le visage de Thymos se ferme :

"Ce n'est pas l'usage d'agir ainsi en ce lieu."

Dans mon dos j'entends le même bruit de guêpes furieuses qu'à mon entrée. Cela veut dire : Chassez-la ! C'est intolérable !

Je leur fais face, je dis :

"Ce qui est intolérable c'est la guerre, celle qui se fait sans que vous le sachiez, la guerre contre les malades qui n'ont plus de remèdes, contre les pauvres qui ont faim, contre les petits enfants qui vont mourir. Etéocle le roi, mon frère, m'a

188

promis de l'argent. La guerre l'empêche d'être là. Vous savez bien qu'à son retour il tiendra sa promesse mais alors plus de la moitié de ceux dont il m'a confié la charge seront morts."

Je me tourne vers Thymos, je le supplie :

"Donne le premier, car ce n'est pas à moi que tu vas donner mais aux grandes mains célestes et à la déesse rayonnante, ce sont eux qui t'invoquent par ma bouche."

Thymos hésite encore et je lui dis très bas :

"Souviens-toi que j'ai mendié dix ans pour Œdipe, ton ami, sans jamais rien te demander."

Il se lève, il apaise d'un geste les rumeurs qui persistent. Il sort deux pièces de sa bourse et les pose dans mon panier de mendiante. Il fait plus, il me prend par le bras et me guide vers les rangs des conseillers. Le premier d'entre eux est un homme très vieux, il me dit :

"Je ne vois plus bien Antigone mais je t'ai entendue. Tu as bien fait de venir et de nous dire des choses que nous avions tort d'ignorer. J'espère que tous te donneront comme moi."

Il me donne deux pièces et y ajoute une bague. Je passe avec Thymos dans les rangs de ces hommes aux visages imposants et orgueilleux, tous me donnent, certains pour faire comme les autres mais beaucoup, saisis de compassion, ajoutent aux pièces des bijoux, des bagues ou des colliers.

Quand je suis passée devant tous les conseillers Thymos me reconduit à la porte. Je me retourne, un grand mouvement de joie m'envahit et je dis : "Vous nous avez donné, je ne suis plus seule, nous ne sommes plus seuls. Merci."

Je souris à Thymos pendant qu'il m'ouvre la porte et dit aux gardes stupéfaits de me laisser passer. Son visage sévère s'éclaire et il me dit :

"Nous t'aiderons encore."

Je suis heureuse, je suis troublée. Je me perds et quand je finis par arriver chez Ismène, elle est effrayée en voyant ma robe pleine de taches et mon air égaré.

"Que t'est-il arrivé ? Tu es tombée ?"

J'enlève le linge qui couvre mon panier et je dis : "Il est arrivé ça !

— Qui te l'a donné ?

— Les conseillers. Je suis entrée chez eux par en dessous, et je me suis salie dans le noir. Ils voulaient me chasser. Thymos m'a reconnue, il m'a aidée. Ils ont donné, tous. Vite, vite, regarde s'il y a assez pour les remèdes et pour nourrir les pauvres."

Elle commence à compter, elle bat des mains.

"Rien qu'avec les pièces tu as de quoi payer les dettes et tenir un mois en attendant Etéocle.

— Envoie vite chercher les marchands, Ismène, payons-les pour qu'ils nous livrent demain."

Le lendemain remèdes et nourriture sont là, les malades sont nombreux et Dirkos m'assiste, comme le faisait Main d'or en ne les laissant venir que chacun à leur tour.

A midi, Ismène arrive triomphante :

"Le principal bijoutier du marché a acheté les bijoux qu'on t'a donnés. Il m'a proposé un prix que je n'espérais pas. J'allais accepter quand Vasco est entré à côté de moi.

— Qui est Vasco, Ismène ?

— L'homme d'Etéocle. Aussi l'étrange ami de K. Le chef de la police secrète d'Etéocle si tu veux, mais cette police comporte pas mal de voleurs, d'esclaves en fuite et de gamins chapardeurs, comme ceux qui t'apportent si souvent des légumes et de vieux vêtements.

— Etéocle a une police secrète ?

— Naturellement, sans cela quand il est en campagne Créon serait le maître. Vasco a dit : – Ces bijoux valent plus. – Pas pour moi, a dit le bijoutier. – Un tiers de plus, a dit Vasco, sinon… Le bijoutier a un peu blêmi et a dit tout de suite : J'accepte. – Et tu feras encore un bon bénéfice, a dit Vasco. Quand j'ai voulu le remercier, il avait disparu. Nous aurons l'argent demain, te voilà tranquille pour deux mois. D'ici là Etéocle sera revenu. "

Nous avançons dans l'automne, nous allons vers le froid, le prix des denrées ne cesse de monter, chaque jour il y a de nouveaux malades et d'autres affamés qui frappent à ma porte. Ismène, qui s'est réconciliée avec Dirkos, lui a appris à les examiner d'abord et à renvoyer les simulateurs et ceux qui ont encore une famille qui peut les assister. Il n'a pas pour cela l'autorité joyeuse de Main d'or ni le regard infaillible de K. mais quand il a des doutes il appelle Patrocle et celui-ci avec ses mains d'aveugle discerne vite si la détresse de celui qui vient à nous est vraie ou jouée.

Je reçois un bref message d'Hémon, il a pu secourir une ville alliée, il y a même recruté des soldats. La campagne est dure, les Nomades s'infiltrent partout. Il ne pourra pas revenir avant l'hiver. Etéocle reviendra avant lui. Il me dit qu'il m'aime de plus en plus.

Etéocle doit revenir mais il n'est pas là. Créon a bloqué le subside que les conseillers ont voté pour nous. C'est Etéocle qui gère les finances, a-t-il répété, rien ne peut se faire sans son accord.

Ismène pensait qu'avec l'argent reçu je serais tranquille pour deux mois. Un mois seulement s'est écoulé et presque tout est dépensé. Dans quelques jours il n'y aura plus rien et les malades, les pauvres, les petits enfants que j'ai recueillis seront toujours là. Il me semble qu'ils sentent le danger et que malgré la gaieté et les plaisanteries d'Ismène ce sont des regards angoissés qu'ils tournent déjà vers moi.

Est-ce qu'Etéocle sera revenu avant que nous soyons sans rien, comment l'espérer alors que tout devient plus sombre et plus menaçant chaque jour.

Cette nuit je fais un rêve : Quelqu'un me demande de graver sur une pierre un cerf qui court vers la source des eaux. Comme il va me donner de l'argent, j'accepte. Je commence à tracer le dessin sur la pierre, ce n'est pas un, ce sont deux cerfs qui apparaissent mais la source que je m'efforce de sculpter s'éloigne sans cesse et il est de plus en plus évident que les cerfs ne l'atteindront jamais. Je m'éveille désespérée mais je me rendors vite et dans un autre rêve je vois une meute de cerfs poursuivre avec une gaieté, une férocité admirables les deux grands chiens qui les poursuivaient jusque-là. J'entends le souffle de mes frères devenir haletant, ils courent moins vite, ils trébuchent, ils vont tomber. Je m'efforce en vain de les secourir et je sens que je vais succomber avec eux. Un homme de l'ombre regarde la scène, c'est le tiers nécessaire, dit une voix.

Je suis épouvantée par ces rêves mais leur beauté sombre et sanglante me transporte. Elle exige un oui donné sans réserve à l'inflexible marche de l'événement et je découvre en moi une petite intrépidité à ma taille, qui va suffire pour ce que j'ai à faire.

Le lendemain je dis à Ismène :

"Demain j'irai mendier, il ne nous reste presque plus d'argent, je ne veux pas être prise de court.

— Il en reste encore pour trois jours. Etéocle sera peut-être de retour.

— Je ne veux plus l'attendre et avoir peur, je ne veux plus dépendre de lui ni de personne. Je ferai ce que je sais faire, ce que je peux faire toute seule : mendier. Je veux redevenir ce que je suis vraiment : une mendiante. J'ai vu cette nuit ce que je dois faire maintenant, je dois penser à l'argent avec autant d'intensité qu'Etéocle. Et je dois dépenser cet argent pour les pauvres avec la même prodigalité que Polynice.

— Et si les gens ne te donnent pas, Antigone, ou trop peu.

— Le délire des jumeaux m'emporte, les gens donneront, il faudra qu'ils me donnent !

— Je ne t'ai jamais vue comme ça, j'ai confiance, je t'aiderai."

A ce moment, Dirkos vient chercher Ismène car une querelle s'est élevée pendant la distribution du pain. Elle se sauve et je passe le reste de la journée à préparer des remèdes pour plusieurs jours. Le lendemain matin je reçois les malades plus tôt, puis avec mon panier je pars mendier au pied d'une colonne de l'agora.

Pendant ma course vagabonde avec Œdipe j'avais renoncé à mendier de maison en maison. Je m'installais au centre du village et je poussais un long cri. C'était sans doute un cri de détresse mais qui disait seulement : Nous sommes là, l'aveugle et moi, nous attendons, nous avons faim, qu'est-ce que vous allez faire de ça ? Chacun dans le village finissait par entendre cette question qui devenait de plus en plus pressante. Chacun portait l'obscurité d'Œdipe et les deux êtres, l'homme et sa fille, sans maison, sans lit et sans pain.

Finalement, au fil des années, nous avons beaucoup reçu et c'est ce don pauvre mais perpétuel qui a rattaché Œdipe à la vie. Demander, recevoir parce qu'on a eu la confiance de demander, on s'aperçoit alors qu'on ne mendie pas seulement pour survivre, on mendie pour n'être plus seul.

Je me recueille longuement et je pousse mon cri, comme dans les villages autrefois. J'entends un pas rapide, une femme me glisse un pain : "Vite, cache-le, que mon mari, que personne ne sache. Heureusement que j'ai l'oreille fine, je t'ai entendue." Une bande de gamins à l'air déluré s'arrête, ils me font signe que leurs poches sont vides. "Nous te connaissons, Antigone, si les gens te donnent demain, nous t'aiderons à transporter, aujourd'hui c'est trop tard." Deux passants jettent des piécettes dans mon panier, une femme y dépose un quignon de pain. Si c'était comme autrefois pour Œdipe et pour moi ce serait suffisant, ce n'est rien pour ma grande famille d'affamés.

Le soir tombe, les gens passent sans me voir, la ville est beaucoup plus sourde que la campagne.

Le lendemain, mendiante définitive au cœur de Thèbes, je vais plus tôt à l'agora. Je me prosterne d'abord au pied de ce qui doit devenir ma colonne et j'embrasse la pierre en me disant : Je ne suis plus dans les petits villages où je mendiais pour mon père. Je suis dans la cité des frères ennemis, dont Etéocle a fait une ville immense, un pays de riches que Polynice veut prendre et posséder de force. Ce n'est plus l'ancien cri que je dois pousser ici, il est trop faible pour la ville inexorable où plus personne n'écoute.

Jamais je n'ai mendié dans une grande ville, je ne sais pas ce qu'il faut faire. Qu'importe ! La première fois qu'il a chanté, Œdipe ignorait aussi quelle voix allait sortir de son ventre et de son âme. Je fais silence en moi, je me concentre sur cette image du premier chant d'Œdipe, le soir du solstice d'été quand Diotime s'est penchée vers moi pour me dire : Notre aède nous a trouvées.

Je mets mon panier de mendiante devant moi et j'attends en murmurant des prières, derrière les colonnes, sur les toits je vois les gamins d'hier et beaucoup d'autres qui me regardent comme si quelque chose devait se produire. Je les oublie, je ne les vois plus ni ceux qui passent et qui me jettent peut-être quelques sous. Toute mon attention est requise par ce qui se passe en moi et qui vient de bien plus profond. Il y a une colère, une étrange et brusque fureur qui grandit en traversant mon corps et va produire un cri. Le cri d'un enfant malingre, enfermé, abandonné dans une cave et qui entrevoit, à travers les millénaires ténébreux, l'espérance, l'existence de la clarté. C'est le cri vers la lumière de ceux qui sont nés pour elle et qui en ont été indéfiniment exilés. Le cri progresse sauvagement en moi, il me déchire, il me brise sur un sol sans devenir et me force à verser mes larmes les plus dures. Le cri, le crime, plane au-dessus de la ville et il n'est plus question de le retenir mais seulement de l'expulser en douleur et en vérité pendant tout le temps qu'il exigera pour naître.

Je suis perdue, plus perdue que jamais dans l'obscurité de mon existence mais je sens que je ne suis plus seule. Des gens, beaucoup de gens sont accourus à mon appel, certains pleurent avec moi, d'autres m'apportent une part de ce qu'ils croyaient à eux et ne peuvent plus garder.

Je voudrais les remercier, leur dire : Assez, c'est assez ! Je ne peux plus retenir un autre cri, le second qui ressemble à celui d'une femme en amour ou d'une ville forcée. J'entends des gens, encore des gens qui accourent. Ils jettent des pièces dans mon panier qui déborde de dons. On pose des pains, des galettes tout autour de moi. Je reconnais la voix tremblante de la boulangère qui dit : "Arrête, Antigone, ou je te donnerai tout. Tout ce que je devrais vendre. Mon mari ne t'entend pas, certains, c'est incroyable, ne t'entendent pas. Si je te donne plus, il me battra à mort."

J'ai pitié d'elle, je me prosterne, le front contre le sol, pour ne plus appeler, ne plus hurler comme un enfant perdu. Le cri veut s'élever encore, je tente de le contenir dans mon ventre qui se crispe, de le barricader dans ma gorge qui s'étrangle, malgré tout il jaillit : Non ! Non, il n'y a pas assez de malheurs, de hontes, de crimes, pas assez d'absurdes désastres, de vies détruites, d'espérances piétinées. Pas assez de sang, d'enfants tués, de destructions et de folies sur la terre. Il faut que la chose grandisse encore, montre enfin au grand jour sa tête hideuse et molle et dévoile sa puanteur. Il ne suffit pas que la chose soit vue, il faut qu'elle soit parlée, plus haut, beaucoup plus haut. Qu'elle soit criée, que son terrible langage soit entendu, qu'il déborde ici et maintenant, puisque le lieu où il devrait être proféré, puisque ce lieu n'existe pas.

Le cri me déchire et me force à me relever tandis qu'il se termine en sanglots saccadés. Je parviens à ouvrir les yeux, il y a autour de moi une foule qui me regarde et qui pleure en silence. Oui, de cette ville belliqueuse, avare et dure, tous ces gens sont venus pour pleurer avec moi, pleurer sur le malheur qui est, sur celui qui s'annonce et dont le cri leur a fait entrevoir l'imprévisible étendue. Il devait porter aussi quelque obscure espérance puisqu'ils ont apporté tout cet argent et cette prodigieuse quantité de dons qui m'entourent.

Fendant la foule un homme s'avance vers moi. Je pense : c'est l'homme d'ombre du rêve. Il arrête d'un geste la fin de mon cri. Il dit : "Assez !" Il dit : "C'est trop… Ici, c'est la vie. Ce n'est pas le lieu pour cela.

— Où est le lieu ?"

On voit sur son visage qu'il a pleuré, lui aussi, il me parle et me regarde très sobrement comme quelqu'un pour qui – comme pour Œdipe – échec et victoire, bien et mal, tout est devenu la même chose.

Je voudrais lui parler du lieu, s'il existe, mais déjà il a disparu.

La nuit approche, comment vais-je transporter à la maison de bois tout ce que j'ai reçu ? Un des gamins qui ne cessent de m'observer, un grand garçon à l'air hardi s'approche. Quand je me suis relevée après mon cri, je l'ai vu qui pleurait dans la foule, maintenant il me sourit :

"Je m'appelle Zed, tu auras besoin de charrettes pour transporter tout ça, les autres sont allés en chercher.

— Qui vous envoie ?"

197

Il est surpris : "Vasco, naturellement.

— Vasco, c'est l'homme qui est venu me parler.

— Oui, nous sommes sa bande. Voilà, tes charrettes sont là."

Un essaim de gamins et de gamines attifées en garçons m'entoure, Zed me dit :

"Nous crevons de faim comme toujours, donne-nous un peu de pain et tout le reste arrivera chez toi sans perte. L'argent, garde-le bien dans ton panier mais c'est sans risque, nous te protégeons.

— Vous me protégez ?

— Il y a longtemps que nous le faisons, sans cela, confiante comme tu es il y a beau temps qu'on t'aurait tout volé."

Ils chargent les charrettes avec soin et après leur avoir distribué du pain, je prends plaisir à revenir entourée de leurs visages futés et rieurs. J'ai envoyé un message à Ismène, elle m'attend quand nous arrivons en tumulte à la maison de bois.

Elle est aussi stupéfaite que moi par l'importance de l'argent et des dons que j'ai reçus.

"Tu as tiré tout ça de ces sourds, de ces avares, c'est incroyable. Comment as-tu fait, Antigone ?

— Je ne sais pas. J'ai crié.

— Tu as crié ! Toi, Antigone ?

— Oui. J'avais honte mais ils ont donné. Ils ont dû.

— Ils ont dû ! Tu criais quoi ?

— Je ne sais pas, ce n'était plus moi qui étais là… Je criais contre la vie ou pour elle."

Elle me prend dans ses bras :

"En tout cas la maison de bois est tirée d'affaire pour un temps.

— Je n'en suis pas sûre, Ismène, j'ai annoncé que je retournerais à l'agora tous les deux jours. Il le faudra."

Il le faut en effet car l'armée commence aussi à nous envoyer des blessés. Nous sommes clairement protégés maintenant par Vasco et ses bandes de jeunes. Ils ont trouvé une meilleure maison pour nos voisins qui ont déménagé. Les garçons ont abattu la clôture et aménagé la maison où je puis installer plusieurs femmes sans logis qui se chargent de la cuisine et m'aident à préparer les remèdes.

L'hiver survient, je reçois parfois de brefs messages d'Hémon que la guerre retient loin de Thèbes. Ces messages me donnent de la joie mais semblent m'arriver d'un autre univers. Je suis tellement plongée dans la part malheureuse et souffrante de Thèbes, si occupée par les angoisses de ceux dont j'ai la charge que je n'arrive plus à imaginer un autre monde ni une autre vie. Quand je passe dans l'ombre immense de nos murailles, dans les rues battues par le vent et la pluie et que je sens monter vers moi l'odeur écœurante des caves humides, je ne parviens plus à croire à la chaleur d'une maison, à la présence de petits enfants, à tout ce qui, un moment, a paru presque proche entre Hémon et moi. Le possible, avec la guerre, ne cesse de rétrécir ou de s'éloigner hors de portée. La vie n'est plus tout à fait la vie mais une sorte d'attente, de ciel gris et de mort en suspens.

Je vais mendier tous les deux jours à l'agora et beaucoup de jeunes viennent là se faire soigner par moi. J'apporte des remèdes, je leur donne un peu de pain, j'apprends qu'ils appartiennent à des bandes rivales qui, chose étrange, se réclament toutes de Vasco. Je ne comprends pas les causes de leur rivalité et je les soigne tous sans faire de différence entre eux. Zed vient me voir à l'agora ou à la maison de bois dès que Vasco le laisse libre. Il devient un compagnon de chaque jour et sa connaissance cruelle et amusée de la vie me surprend. Je lui demande comment il a pu dès le premier jour manifester une telle confiance en moi ?

"Je te connaissais déjà très bien.

— Comment cela ?

— Il y a longtemps que nous parlions de toi, Antigone. Vasco nous avait tout raconté : La Sphinx, Œdipe, Jocaste, puis ton père aveugle qui s'enfuit de Thèbes et toi qui le suis et mendies pour lui. Il nous a parlé aussi de Clios le danseur, de Diotime et du jour où tu as refusé de devenir reine des Hautes Collines parce que tu aimais mieux repartir sur la route avec Œdipe.

— Pourquoi parlez-vous ainsi de moi, je déteste cette curiosité."

Zed est navré : "Ce n'est pas de la curiosité, on aime parler de toi avec Vasco."

Il est vrai que Vasco est devenu une sorte d'ami. Quand je suis à l'agora je le vois souvent, derrière une colonne, ou dans l'entrebâillement d'une porte, qui m'observe. Si j'ai besoin d'aide, il est toujours là et répond à mes demandes par oui ou par non. Souvent je le vois passer avec une de ses bandes et les gamins, si bruyants lorsqu'ils m'aident ou viennent se faire soigner, le suivent en silence comme une meute de jeunes loups. Il me déconcerte, j'aime sentir autour de moi sa présence mystérieuse et redoutable.

Un soir, après une journée où j'ai mendié avec succès, un homme de haute taille s'arrête et dépose des pièces dans mon panier. Mon attention est ailleurs et je le remercie sans le voir, d'une formule rituelle. Je l'entends rire, c'est Etéocle, je me lève d'un bond, je le serre dans mes bras :

"Toi, enfin toi !"

Il est bruni par le soleil et le vent. Il a beaucoup maigri, il est aussi heureux que moi de nos retrouvailles.

"Ainsi tu mendies, toi notre sœur, et à Thèbes ?

— Tu ne revenais pas, tu n'as pu me donner ce que tu avais promis. L'argent manquait.

— Que dirait Polynice ?

— Polynice ? Il dirait : Quel bon tour tu joues à tous ces avares !

— Mais qu'aurait dit Jocaste ?

— Avec Jocaste, il n'y aurait pas eu de guerre, elle vous aurait subjugués tous les deux !"

Il rit franchement, son rire est aussi beau que celui de Polynice, mais on sent qu'il recouvre une profonde tristesse.

Je demande : "Et Hémon ?

— Encore en campagne avec la moitié de l'armée, pour empêcher Polynice d'investir déjà la ville.

— S'il assiège Thèbes, ce sera dur.

— C'est ici que nous devons le vaincre, Antigone, en rase campagne, avec ses cavaliers bleus, il a l'avantage.

— Vous avez perdu des batailles ?

— Non, nous avons toujours pu décrocher à temps, mais reculer, c'est dur, surtout quand Polynice rit. Ici, il cessera de rire car je lui ferai, à mon tour, un type de guerre auquel il ne s'attend pas.

— Est-ce qu'Hémon ne sera pas fâché de savoir que je mendie ?

— Hémon t'aime comme tu es."

Que cette parole m'est douce. Je voudrais encore parler d'Hémon avec Etéocle mais il est pressé comme toujours. Il m'embrasse et s'en va. Comment fait-il pour être si fort, si joyeux – aussi joyeux que Polynice – et en même temps si triste ?

XIV

VISIONS

Depuis le retour d'Etéocle, la ville inquiète et désorientée se redresse et reprend espoir. Il a approvisionné les marchés, brisé la spéculation et remis tout le monde au travail en faisant renforcer les remparts et creuser des souterrains qui permettront, en cas de siège, de prendre l'ennemi à revers. Il a fait venir des mineurs pour achever plus vite l'agrandissement de la porte du Nord et de celle de Dirké. Ismène me dit que c'est Vasco qui dirige ces travaux et fait régner autour d'eux, pour échapper aux espions de Polynice, un secret total.

"A la grande colère de Créon, me dit-elle, c'est Vasco, avec ses bandes de jeunes voyous et de petites voleuses qui t'aiment tant, c'est lui, appuyé sur le peuple de la ville souterraine, qui détient maintenant, quand Etéocle est en campagne, le plus grand pouvoir à Thèbes.

— Est-ce qu'il est aussi fidèle à Etéocle qu'Hémon ?"

Elle hausse les épaules : "Hémon est l'ami d'Etéocle, Vasco a pour lui une sorte d'amour fou."

Ismène, bien qu'elle évite de m'en parler, est aussi anxieuse que moi pour l'armée d'Hémon que Polynice tente d'encercler. Etéocle part souvent en expédition pour soulager et dégager

Hémon par des attaques latérales contre les Nomades.

Ismène et parfois Etéocle veulent m'expliquer ces événements mais je n'entends rien d'autre que le bruit d'une énorme trappe qui nous précipite lentement dans l'abîme. Je comprends que bientôt nous serons assiégés, enfermés dans Thèbes, coupés de Clios, de Diotime et de nos deux voyageurs, K. et Main d'or.

Avec K. une grande douceur était entrée dans ma vie, pour la première fois je me sentais éclairée, protégée par l'esprit subtil et la parole juste d'un homme qui avait le courage d'aimer les autres et la vie, sans illusions. Gravement malade, peut-être mourant, il erre, par tous les temps sur de mauvais chemins. Heureusement que près de lui il y a Main d'or, son attention, sa gaieté, sa vigueur. Je lui ai donné des remèdes pour K., je lui ai conseillé de prendre le risque d'un détour pour aller avec lui prendre conseil de Diotime.

Le soir, quand je prépare mes remèdes et que la fatigue fait flotter ma pensée, je suis souvent sur la route avec eux.

K. est couché sur le chariot, presque sans connaissance. Main d'or marche à sa droite et conduit le cheval en tentant d'éviter les heurts. Il y a malgré tout des cahots, K. gémit faiblement, je suis à sa gauche, je tiens sa main dans la mienne et tente de lui envoyer un peu de ma force. Peut-être que je lui faisais du bien, mais je me retrouve en face d'une femme qui m'a demandé de refaire son pansement. Elle dit : "Tu es bien fatiguée, Antigone, tu me soignais et soudain tu n'étais plus là."

Je fixe le pansement et me contente de répondre : "C'est vrai, je suis fatiguée."

Le lendemain, c'est mon jour d'agora, la route est longue. En marchant je suis à côté de Diotime, elle examine K., elle donne un remède à Main d'or et lui apprend un massage que je ne connais pas. Quand elle a terminé K. demande : "Alors ?"

Diotime soutient son regard avec sa fermeté et sa douceur habituelles.

"Pars tout de suite pour la montagne, tu iras mieux.

— Combien de temps ?

— Tant qu'Antigone vivra.

— Comment le sais-tu, Diotime ?

— Je ne le sais pas, K., je viens seulement de le voir."

J'arrive à l'agora, je lance mon cri de mendiante. Je me prosterne et j'entends K. dire :

"Dans longtemps ou vite ?

— Assez vite, K."

Diotime pleure, elle voudrait que nous vivions plus longtemps, ce n'est pas ce qu'elle a vu.

Je pousse un nouveau cri pour appeler ceux qui donnent. Je voudrais moi aussi vivre plus longtemps. Je ne connais rien de plus beau, je ne connais rien d'autre que vivre. Les gens viennent, ils souffrent parce que je pleure. Ils me donnent beaucoup, ils croient que je pleure sur les malheurs et les malheureux de Thèbes. Je ne les oublie pas mais aujourd'hui je ne puis pleurer que sur moi-même.

Le soir tombe, Zed et les gamins sont là, ils ont amené deux charrettes, ils ramassent tout ce qu'on m'a donné, ils disent :

"C'est un bon jour, Antigone."

Je marche, souvent des larmes me viennent aux yeux, je chancelle. Zed me prend le bras, il sent qu'il se passe quelque chose et me guide.

Il ne peut savoir que je suis sur la route avec Main d'or, le chemin est escarpé, le cheval avance avec effort, il y a de grands cahots et K. souffre et gémit. Quand la douleur est trop forte Main d'or le prend dans ses bras. Heureusement il est si fort et K. ne pèse plus très lourd. Main d'or lui dit avec son cœur qui ne bégaie jamais : Dors, dors, c'est Antigone qui te porte et te protège comme tu l'as protégée dans l'infâme cité de Thèbes. Et K. s'endort, comment ne pas verser des larmes heureuses, quand il s'endort ainsi dans mes bras.

Nous arrivons à la maison de bois, Zed surveille le déchargement des charrettes mais Dirkos a besoin de moi. Un malade agonise. On nous a apporté deux enfants abandonnés. On a retrouvé la mère de l'un des deux, elle va venir, il faut que tu lui parles, Antigone. On va l'aider mais il faut qu'elle l'emporte. L'autre, eh bien, l'autre tu vas vouloir le garder, n'est-ce pas ?

Je fais signe que oui et Dirkos, qui a vu ce qu'on m'a donné et qui pense : c'est une bonne journée, est déconcerté par mon silence. Il dit :

"On a préparé un repas, il faut manger Antigone. Tu t'affaiblis à t'exténuer ainsi."

J'ai envie de crier que j'aimerais bien m'affaiblir, devenir très faible, et être soignée au lieu de soigner les autres mais ce n'est pas ce que je fais. Je sais qu'il faut que je mange pour rassurer Dirkos, puis que je persuade la femme qui a abandonné son bébé de le reprendre. Elle est très pauvre, elle n'est pas belle, elle n'a pas d'homme. Nous lui donnons ce que nous pouvons. Elle reviendra chaque jour, une de plus.

Ismène me dit qu'Hémon et ce qui reste de son armée s'approchent de Thèbes, Etéocle assure qu'ils seront là dans peu de jours. Je vis ces jours dans le travail constant, dans l'affairement, avec leurs lots de misères et parfois l'implacable affleurement d'un bonheur insensé, sous les remparts de Thèbes, dans son odeur de prison.

Une nuit, je vois Hémon dans son camp, assailli sans cesse par les Nomades, Etéocle comptant sur la vitesse de Jour est venu seul avec Vasco pour lui rendre confiance. Hémon est plein d'espoir, il est sûr maintenant de revenir à Thèbes. C'est Etéocle qui va courir un grand risque en traversant, seul avec Vasco, ce pays sillonné sans cesse par les cavaliers ennemis. Il prend des chemins qu'il croit ignorés des Nomades et pourtant le danger est là. Les cavaliers bleus le suivent, ils ne cherchent pas à l'atteindre, Jour est trop rapide, mais ils empêchent toute retraite, toute esquive latérale.

Thèbes n'est plus très loin quand sort d'un petit bois un char qui se lance à la poursuite d'Etéocle. Polynice, c'est lui, a bien choisi son terrain, une plaine où Nuit, plus frais, devrait l'emporter. Je ne veux plus, je ne veux pas voir le combat des deux frères. Je devrais dormir, pourquoi dois-je subir ces inépuisables visions ? Etéocle freine, pousse Vasco en bas de son char, il reste étendu sur le sol. Polynice lance un cri de joie mais, quand son char passe à toute allure près du corps de Vasco, celui-ci bondit en avant et fait un geste que la poussière m'empêche de voir. La roue gauche du char se brise à grand bruit, le char se renverse et Polynice est précipité sur le sol, cramponné aux guides du cheval qu'il parvient cependant à arrêter.

Vasco rejoint en courant le char d'Etéocle. Celui-ci a une lueur d'admiration dans les yeux, il dit : "Tu as réussi, Polynice n'aurait pas mieux fait !" Un sourire, qui ressemble à un événement immense, apparaît sur les lèvres minces de Vasco.

Le lendemain Ismène me dit qu'Etéocle et Vasco sont bien revenus du camp d'Hémon. Polynice les a poursuivis mais ils lui ont échappé.

C'est un jour où je mendie à l'agora. Vasco passe, je lui demande :

"La roue du char de Polynice, comment as-tu fait ?"

Il est surpris, puis il dit : "Simple, j'avais ma lance de fer, je l'ai enfoncée dans sa roue."

Il ajoute : "Etéocle est allé sur les remparts hier soir. Polynice est arrivé sur son étalon noir, il a crié : Nous allons bien ton merveilleux cheval et moi. Bientôt nous serons là !

— Et Hémon ?

— Ne t'inquiète pas, il revient et Etéocle lui envoie demain deux convois. Un pour qu'il soit pris par les Nomades. L'autre parviendra ainsi plus sûrement.

Après cela il y a des jours de lumière et d'obscurité où parmi les pauvres, les malades, les problèmes sans cesse renaissants, je perdrais pied s'il n'y avait Ismène, sa gaieté, son esprit acide et clair qui résout les difficultés et remet en place mes pensées et mes actes. Elle voit bien que parfois je suis ailleurs et me dit un jour :

"Antigone, tu es en train de devenir une voyante, comme notre père."

Elle éclate de rire.

"Tu as mieux à faire !"

Ah ! que ce rire me fait du bien, je lui saute au cou et je ris avec elle :

"Heureusement que je t'ai Ismène. Grâce à toi je peux vivre mes visions et ne pas devenir idiote !"

Un soir on m'apporte un message d'Etéocle : Dans deux jours Hémon sera là avec ses hommes. Après la journée harassante, la joie me soulève jusqu'à la montagne de Clios où K., qui va beaucoup mieux, et Main d'or viennent d'arriver. Comme je m'y attendais Io ressemble à une biche et sa voix est un bonheur pour l'oreille.

Clios conduit ses amis au chantier où il fait creuser le chemin en demi-cercles qu'Œdipe a parcouru jadis autour d'Athènes. K. et Main d'or sont surpris par l'ampleur et les justes proportions des travaux. Je les vois, moi aussi, avec joie mais je n'oublie plus que je suis en même temps à la maison de bois en train de piler des plantes dans mon mortier.

La montagne, taillée en gradins, descend, rangée par rangée, vers la partie la plus basse où un éperon rocheux, que Clios a conservé, forme une sorte de vaste table. Du haut des gradins, on a une vue plongeante sur cette table de pierre et la chute du torrent qui sépare deux montagnes avant de se jeter dans la rivière.

Quand leurs clans se faisaient la guerre c'est là qu'Alcyon et Clios se sont aimés d'un impossible amour.

K. dit à Clios : "Tu es en train de faire ici quelque chose que l'Egypte n'a pas pu faire. Malgré leurs formidables travaux, les Egyptiens n'ont pas de lieu dans leurs œuvres, les dieux occupent toute la place. Ceci est un lieu pour les hommes."

C'est peut-être le lieu qui manque, celui que j'espère sans savoir ce qu'il sera. Mais il est temps d'écouter Ismène qui ne veut pas que je sois une visionnaire. Je reviens à mon mortier, aux choses qui m'entourent. Elles sont là, impétueusement, si fortes, présentes et agressives qu'il faut que j'oublie celles que j'ai vues sur une autre marche de l'étrange escalier que mon existence dévale et peut-être gravit.

XV

TIMOUR

Les journées sont brèves, la lutte continuelle contre le froid et l'obscurité, au milieu de la misère qui grandit. La seule détente, c'est quand le soir tombe, d'écouter Dirkos dire les chants d'Œdipe. Nous les avons corrigés et il les a fait s'inscrire dans la mémoire infaillible de Patrocle. Peu à peu ce sont les vraies paroles d'Œdipe qu'il nous fait entendre, ce n'est pas sa voix, pas sa présence mais, mystérieusement, sa pensée et ses images sont là.

Avec les malades, les pauvres qu'il faut nourrir je suis perpétuellement dans l'urgence et n'ai plus le temps de penser. Quand les choses deviennent trop difficiles, Vasco apparaît et trouve des solutions, il est de plus en plus présent dans ma vie, comme il l'est, dit Ismène, dans la ville où il remplace Etéocle, requis par la guerre. Grâce à lui j'ai parfois de brèves nouvelles d'Hémon, il continue sa lente retraite vers la ville, avec le risque, lors des marches, de se voir submergé par les Nomades de Polynice. Etéocle l'assiste en contre-attaquant sans cesse et Vasco m'apprend qu'il vient de remporter un grand succès, il a entouré de nuit un troupeau de chevaux nomades, il a pu s'emparer d'une partie des bêtes et disperser les autres. Il faudra longtemps aux Nomades pour les rassembler à nouveau et pendant ce temps Hémon sera délivré de leurs attaques. Vasco ajoute qu'Etéocle a décidé d'une nouvelle tactique contre les cavaliers nomades : attaquer et détruire les chevaux.

Mon cœur se serre : "Ce sera terrible, jamais les Nomades ne pardonneront, pour eux les chevaux sont sacrés. Ils se vengeront."

Un sourire, plus dur encore que celui d'Etéocle, apparaît un instant sur les lèvres de Vasco : "C'est ce qu'il nous faut, que la colère et la haine grandissent !"

Je n'ai pas le temps de répondre. Vasco est déjà loin et je m'aperçois que je ne sais rien sur cet homme qu'Etéocle a manifestement chargé de me venir en aide.

Quand je vais mendier sur l'agora je me souviens de ce qu'il m'a dit, je ne m'abandonne plus au cri, je le contiens et m'arrête si je sens qu'il pourrait déborder. Les dons sont beaucoup moindres mais Etéocle et Vasco compensent par l'argent et les provisions qu'ils m'envoient.

Ismène me demande pourquoi j'ai renoncé à ce cri qui a bouleversé Thèbes et qui peut-être aurait pu la changer.

"Vasco m'a dit que ce n'était pas le lieu, j'ai senti que c'était vrai.

— Où est ce lieu ?

— Je l'ignore mais un jour il existera."

Ismène ne se satisfait pas de ma réponse.

"Vasco t'a fait taire quand Etéocle est revenu. Il ne voulait pas qu'il t'entende car c'est la seule chose qui aurait pu l'arrêter.

— Non, non ! Jamais !

— Quelle violence, Antigone, pourquoi ne pouvais-tu tenter de contenir la folie des jumeaux ?"

Je ne réponds pas et Ismène s'en va en haussant les épaules.

Les Nomades font beaucoup d'incursions nocturnes autour de la ville. Ils restent à distance et avec leurs arcs plus puissants que les nôtres ils envoient au-dessus des murailles des flèches enflammées qui mettent en feu les maisons proches. Etéocle évacue les maisons en danger, institue un service d'incendie et fait appel aux femmes sans enfants et aux adolescents pour renforcer les gardes de nuit sur les remparts. Je monte la garde une nuit sur trois avec Ismène et c'est là, que du haut d'une des portes de la ville, à la fin d'une nuit très froide, nous voyons arriver les restes de l'armée d'Hémon, protégés par les troupes de soutien d'Etéocle. En les voyant émerger des brumes de l'aube nous ne pouvons d'abord croire qu'ils sont là. Ce sont eux pourtant, et d'abord les détachements couverts de poussière d'hommes fatigués mais en ordre. Quand ils approchent on voit sur leurs visages la joie de retrouver la cité et les murs puissants de Thèbes qu'ils n'espéraient plus revoir.

Ensuite, protégés et encadrés par des hommes valides, il y a une cohue grise d'éclopés, de blessés, de malades qui se traînent comme ils peuvent. A cause des attaques-surprises des Nomades ils ont gardé leurs boucliers mais la plupart ne sont plus capables de porter leurs armes qui suivent sur des chariots avec les grands blessés. Les chevaux et les mules épuisés qui les tirent ne suffisent pas et des hommes attelés à des cordes les aident. Puis vient l'arrière-garde et c'est de nouveau le mur de fer, l'impénétrable force thébaine entourée par les cavaliers d'Etéocle et mon frère lui-même, avec son visage impassible et son armure couverte de sang.

Tous ceux qui sont avec nous sur les remparts l'acclament et moi aussi, je ne sais si c'est d'enthousiasme ou de soulagement, je mêle mes cris à ceux de tous. Soudain je suis saisie d'angoisse et je dis à Ismène :

"Où est Hémon ?"

Elle est inquiète elle aussi et me dit :

"Comme toujours il sera resté au point le plus dangereux. Il arrivera le dernier car l'ennemi les suit. Regarde, ils sont là !"

On voit sortir de la brume un vaste nuage de poussière qui a, selon l'habitude des Nomades, la forme de deux ailes ouvertes, des rayons de soleil y font furtivement briller les armes et les casques.

"Le voilà !" me crie joyeusement Ismène.

Le dernier chariot de blessés, entouré de traînards, approche péniblement. Derrière eux, deux hommes en armes, Hémon et Vasco, le protègent.

Les Nomades semblent s'arrêter mais deux archers à cheval foncent vers eux. De très loin un des archers tire une flèche qui atteint Vasco et le fait tomber. Hémon s'élance vers lui pour le secourir, il ne voit pas le second cavalier qui déjà tend son arc. Je crie, Hémon m'entend et tente d'arrêter l'homme en lui lançant son javelot. Il ne l'atteint pas. La flèche va partir, ne va pas manquer cette vaste cible debout. Je crie encore et Hémon plonge sur le sol et la flèche passe juste au-dessus de lui. Le Nomade est tout près mais n'a pas eu le temps de saisir son sabre. Hémon, à genoux sur le sol, a son glaive et d'un vaste mouvement de faucheur atteint les pattes antérieures du cheval qui s'abat, précipitant son cavalier sur le sol. Hémon saisit l'arc, retourne l'homme, il a le visage peint des Nomades des clans bleus. Des soldats le font prisonnier, tandis qu'Hémon entraîne Vasco qui n'est que légèrement blessé.

Je me précipite vers l'escalier, je veux voir Hémon, le toucher, tout de suite. Ismène me dit en riant :

"Mais tu l'aimes ! Tu l'aimes vraiment."

Sans réfléchir je crie en dévalant les escaliers :

"Si nous chassons Polynice et ses Nomades, nous nous marierons et nous partirons d'ici pour toujours."

Je suis émue de voir Hémon de près, si grand, si sale, avec une barbe hirsute et cet air sauvage qu'il avait pendant le combat. Il ne m'a pas encore vue, je m'approche sans bruit, j'embrasse son épaule couverte de boue et qui sent la sueur. Il se retourne vivement, il me regarde, il regarde sa pauvre Antigone, fatiguée elle aussi par sa nuit de veille et déjà un peu usée par tant de travaux et de détresses. Son visage s'éclaire, je réponds à son sourire, je lui laisse voir toute l'angoisse que je viens d'éprouver et ma joie de le retrouver, écrasé de fatigue et couvert de sang.

D'un regard il comprend que je l'aime tel qu'il est, profondément blessé par cette dangereuse et interminable retraite, par tant de petites défaites que n'effacent pas le retour et la précaire victoire de ce jour. Il m'aime lui aussi comme je suis, son Antigone qui n'a pas combattu mais qui saura soigner les blessés qu'il ramène. Il ne me parle pas, il ne m'embrasse même pas mais, comme l'homme robuste et taiseux qu'il est, il étend sur moi sa protection, et d'un geste inattendu me soulève dans ses bras et me porte quelques pas.

Je ne savais pas qu'Hémon pouvait me rendre aussi heureuse, bien plus heureuse que je ne m'y attendais. Quand il me dépose doucement sur le sol je lui dis :

"Tu as conquis un bel arc, Hémon, donne-le-moi demain, je sens qu'il a quelque chose à m'apprendre."

Il a l'air étonné mais accepte, alors je lui souffle à l'oreille :

"Quand nous aurons chassé Polynice, nous quitterons Thèbes, si tu le veux encore.

— Je le veux toujours mais chasser Polynice sera bien plus difficile que tu ne crois. Avec ses Nomades, il est le plus fort. Notre dernière chance…

— C'est ?

— Etéocle, l'esprit d'Etéocle… Et celui de Vasco."

Dans l'extrémité où nous sommes je sens que cette dernière chance ne peut plus être qu'une chance affreuse.

Je ne veux pas au moment de son retour chagriner Hémon, j'embrasse sa main et je lui dis :

"Il est temps pour toi d'entrer dans la ville, de répondre aux acclamations de la foule et de montrer à tous l'arc de l'homme bleu que tu viens de vaincre."

Il m'approuve, il se redresse et entre le dernier dans la ville, pour présenter aux Thébains l'image de vainqueur qu'ils attendent.

Je marche un moment derrière lui, puis je pense à Créon et me contente de le suivre des yeux. Un grand tumulte s'élève du côté des remparts, Ismène très pâle survient :

"Les soldats ont ramené le Nomade qu'Hémon a renversé, les gens ne les laissent pas passer, ils veulent le lapider.

— Lapider un prisonnier, le prisonnier d'Hémon… !"

Ismène fait un geste d'impuissance et veut m'arrêter, mais déjà je cours.

Sur une petite place au pied du rempart la foule hurle à la mort autour de trois soldats qui soutiennent le Nomade grièvement blessé. Malgré le sang dont son visage est couvert je reconnais Timour. Je crie :

"Arrêtez, arrêtez, c'est le prisonnier d'Hémon !"

Déjà des projectiles sont lancés. Deux soldats soutiennent Timour, le troisième avec sa lance essaie mollement d'écarter les agresseurs.

Je traverse la foule, les pierres commencent à fuser de partout, j'entends le bruit de celles qui manquent Timour et s'écrasent sur le mur mais surtout le son mat de celles qui le frappent.

Les soldats commencent à être frappés eux aussi, ils se protègent avec leurs boucliers et laissent Timour sans défense, adossé au mur. Je prends le bouclier d'un des soldats que je repousse et je tente de mon mieux de protéger Timour.

Heureusement Zed et les gamins sont là, ils crient avec moi : Arrêtez, c'est le prisonnier d'Hémon ! Les premiers rangs s'arrêtent mais ceux qui sont derrière ne comprennent pas et continuent à nous lapider. Atteint par une lourde pierre, Timour tombe et m'entraîne dans sa chute. Des pierres nous frappent encore et je pense que la foule va se précipiter en avant et nous écraser.

A ce moment une voix retentit qui commande : Arrêtez… puis : Faites place ! d'un tel ton que la foule subjuguée s'écarte et fait silence. Zed, atteint lui aussi, m'aide à me relever. Etéocle est là sur son étalon blanc, Ismène qui l'a prévenu, est à côté de lui.

Etéocle est en colère et la foule s'écarte :

"Vous alliez lapider ma sœur Antigone et le prisonnier d'Hémon qui vient de sauver notre armée. Que personne ne s'avise de le toucher ! Ne restez pas ici, allez à l'agora acclamer Hémon comme il le mérite."

La foule se disperse. Ismène m'examine anxieusement, mes blessures ne sont pas trop graves. Etéocle ordonne de transporter Timour chez moi, il félicite Zed et ses gamins de leur courage, puis d'un mouvement soudain me soulève sur son cheval et me reconduit ainsi glorieusement à la maison de bois.

En me quittant il me dit :

"Tu vois Antigone, la haine est en train de monter toute seule des deux côtés. Elle est nécessaire pour vaincre."

Je ne suis pas de taille à lui répondre, j'entends retentir en moi la voix faible et musicale de K. je vois son sourire attentif et rusé qui me souffle : "C'est bien leur logique d'incendiaire, ça fonctionne très bien, jusqu'au moment où tout est brûlé. Il ne faut pas discuter, il faut dire non, rien que non."

Je refuse de la tête le propos d'Etéocle, un sourire un peu moqueur doit l'accompagner car il surprend mon frère, et l'irrite :

"Que veux-tu dire ?

— Rien. Je suis contente que tu aies sauvé Timour, c'est l'ami de Polynice."

Couvert de poussière et de sang, le visage durci par la fatigue, il est superbe sur son étalon blanc. Aussi beau que Polynice, il le voit dans mes yeux, il sourit, hausse les épaules et s'en va.

Les soldats qui portaient Timour l'ont déposé sur le lit de K. et sont repartis. Je ne puis le déplacer et le soigner seule. J'appelle à l'aide et c'est Dirkos qui vient, quand il voit qu'il s'agit d'un Nomade, il refuse de m'assister.

"Un homme bleu, j'ai plutôt envie de l'étrangler."

Je connais son entêtement, que ferait K. à ma place, car il faut soigner Timour tout de suite ? Il ferait ceci peut-être, il prendrait la main de Dirkos et dirait en souriant : "Adieu, Dirkos."

Il balbutie : "Tu me chasses…

— Non, mais ici on soigne ou on s'en va. C'est un blessé grave."

Il grogne qu'il soignera ce Barbare aussi bien que les autres. Il m'aide à bouger Timour, à le dévêtir, à le panser. Les pierres l'ont blessé en plusieurs points mais la blessure la plus grave vient de sa chute, son cheval en tombant s'est débattu et lui a donné un coup de sabot sur la tête.

Nous le faisons boire, il délire, on voit pourtant qu'il tente de retenir les paroles qui lui échappent et que nous ne comprenons pas. Il se débat, il a beaucoup de fièvre et essaie d'arracher les pansements que nous lui faisons.

"Parle-lui, me dit Dirkos.

— Pourquoi ? Il ne comprendra pas.

— Il comprendra ta voix. C'est elle qui lui fera du bien."

Je pensais que Dirkos n'écoutait que mes paroles, pas ma voix. S'il croit qu'elle peut aider Timour, pourquoi pas ?

Je parle donc à Timour ou plutôt j'émets des sons, ceux de ma souffrance car mes blessures commencent à me faire souffrir. Ceux, aussi, de la délivrance puisque Timour n'a pas été tué comme il aurait pu l'être lors de sa lapidation ou chose plus affreuse encore par Hémon. Oui, ces deux hommes qui m'aiment, que j'admire et que j'aime moi aussi, ont failli se tuer l'un l'autre, sans se connaître et sans savoir qu'ils me connaissaient tous les deux. Je berce de sons cette douleur, cette insondable absurdité et je murmure hors de tout sens, sans aucun but ni aucune volonté. Les sons que je profère ont peut-être un certain pouvoir car je sens sous mes mains le corps de Timour se détendre et finalement s'endormir. Je laisse tomber ma voix qui s'exténue et j'entends la voix de Dirkos et celle d'Hémon, survenu sans que je m'en aperçoive, implorer : "Encore.

— Pourquoi ? Il dort.

— Pour nous, dit Hémon, quand tu chantes on oublie la guerre.

— Mais je ne chante pas."

Ils rient en se regardant, puisqu'ils croient que je chante je continue à murmurer à la manière de K. mes pauvres sons incompréhensibles et je vois qu'ils en sont heureux et le sommeil de Timour plus tranquille.

Dirkos se rend compte que je m'épuise et me fait signe d'arrêter, je me retourne, Hémon me dévore des yeux. Pour me soustraire à ce regard je lui dis :

"Viens voir ton prisonnier, c'est un ami personnel de Polynice, je l'ai rencontré chez lui et il est aussi devenu un ami pour moi."

Il s'approche, il regarde les blessures de Timour et son corps agité par la fièvre.

"Ces hommes bleus nous feront peut-être perdre la guerre. Celui-ci, qui est ton ami, sera sous ma protection et celle d'Etéocle.

— Tu le libéreras.

— Oui, s'il promet de retourner chez lui. Ces cavaliers nomades sont souvent massifs comme leurs chevaux, celui-ci a un corps de pur-sang, comme Etéocle… et comme toi, Antigone."

Cette phrase me touche, ainsi tout exténuée que je suis, j'ai une voix qui pour Hémon a la valeur d'un chant et mon corps, dans ses yeux, est celui d'un pur-sang. Ce n'est pas ainsi que je me vois mais son regard me sort un instant de l'univers de puanteurs, de blessures et de maladies qui est devenu le mien.

"Il vivra, ces Nomades ont une vitalité formidable, il suffit de laisser faire son corps. Je t'ai apporté son arc comme tu le voulais."

Il me tend l'arc noir, incrusté d'un peu d'ivoire, qui tout de suite me fascine, mais je me sens trop fatiguée pour le toucher et il le suspend au mur au-dessus du lit du blessé.

Nous remettons en ordre les pansements et le lit en désordre de Timour qui dort brûlant de fièvre. Au milieu de la nuit je suis éveillée par ses gémissements, la fièvre a encore monté, si cela continue il va mourir.

Dans des cas semblables Diotime donnait à ses malades des bains très froids suivis de bains chauds. Comment faire toute seule ? Je sors pour chercher de l'aide, la porte est bloquée par un corps, c'est Hémon qui n'a pas voulu me laisser seule. Il revient avec deux femmes, nous alternons les ablutions glacées et d'autres aussi chaudes que possible. Timour hurle mais peu à peu il se détend et la fièvre tombe. Hémon, qui a maintenant une grande expérience des blessés, pense qu'il est sauvé.

Nous dormons tout le jour et le soir Ismène, qui a décidé de me remplacer pendant quelques jours, a fait préparer un repas et m'annonce qu'Etéocle et Vasco vont venir le prendre avec nous.

Je me sens mieux, Timour dort paisiblement. Nous sommes heureux de nous retrouver ensemble. Soudain la porte s'ouvre, Timour est là, très pâle et tout sanglant car il a arraché ses pansements. Il ne nous regarde pas, ses yeux sont fermés et pourtant, pétrifiés, nous sentons bien qu'il nous voit. Il tient son arc à la main, je me jette devant Etéocle car je pense que c'est lui qu'il veut frapper. Il tend l'arc avec une rapidité incroyable et c'est moi qu'il atteint de sa flèche qui n'existe pas. Je suis frappée par le fer insupportablement froid, je crie, je tombe. Timour se penche vers moi, il me confie l'arc avant de s'écrouler. Tous sont si stupéfaits qu'il se passe un moment avant qu'Etéocle et Hémon soulèvent Timour et le ramènent à son lit. Ismène m'aide à me relever, je n'ai rien et pourtant la flèche invisible a dû me transpercer car il me semble que je ne suis plus la même.

Ismène très émue me souffle : "Ce Timour vient de te conférer le don de l'arc."

C'est ce qu'Etéocle, à sa manière péremptoire, a cru voir.

Etéocle et Hémon s'en vont, Ismène part veiller aux soins et aux distributions aux malades. Je me retrouve seule avec Timour, je lui remets ses pansements mais son corps est dans un état de tension et de rigidité qui me fait peur.

Je prends ses mains dans les miennes et je laisse ma voix vagabonder au gré des sons comme j'ai fait hier. Cela le détend mais ses yeux pourtant ouverts ne me regardent pas, la tension de ses muscles le fait sourdement gémir. Ses mains se refusent aux miennes et sont prises de mouvements convulsifs. Que regardent ses yeux qui ne me voient pas, je suis son regard, il est fixé sur l'arc qu'Hémon a fixé au-dessus de son lit. Est-ce qu'il veut son arc ? Je le prends, je tente de le glisser dans la main qui refuse obstinément la mienne. Je passe l'arc au-dessus de son corps, il se débat, il doit même hurler en silence et je retire l'arc précipitamment.

Il continue à fixer l'arc de son regard à demi chaviré. Que faire, si je ne trouve pas ce que Timour cherche, dans l'extrême tension qui est la sienne, il va mourir ?

Pourquoi faut-il qu'il ne meure pas, pourquoi dois-je absolument aider à vivre cet homme qui voulait faire périr Hémon ? Pourquoi suis-je condamnée à soigner ce Barbare et tous ces misérables malades qui m'entourent ? Son arc, qui touche ma joue de sa belle matière sombre, au moins ne transpire ni ne hurle. Cette sensation suscite en moi le long sourire doucement moqueur de K. qui me souffle : Ce n'est pas toi qui as voulu être là, ce n'est pas lui qui a voulu faire cette fantastique cabriole quand son cheval est tombé, ni être lapidé avec toi. L'événement est survenu qui a mené chez toi cet homme dont tu ne comprends ni la souffrance ni le désir. Il faut tenir, Antigone, rien que tenir, comme tu faisais sur la route quand Œdipe te chassait par la porte de ses colères ou la pesanteur de son inattention et que tu revenais sur la pointe des pieds par la fenêtre du cœur. Tu es un cœur endurant, Antigone, et personne n'exige de toi autre chose.

Le sourire et la voix de K. s'éteignent, s'éloignent très loin dans la montagne. Je n'ose pas regarder le visage de Timour qui est peut-être celui d'un mort. Le bruit léger que j'ai dans l'oreille n'est plus celui de la voix disparue de K., c'est le rythme régulier du souffle de Timour qui s'est endormi.

Je vais chercher une couverture et je m'endors, moi aussi, au pied du lit de Timour en caressant de la main et de l'épaule le beau dos musclé de l'arc. Je m'éveille plusieurs fois pour faire boire le malade, il continue à dormir et son visage est apaisé. Le matin, je m'aperçois que je tiens toujours l'arc et le presse contre moi comme un enfant. Il est noir, d'un noir plus brillant qu'une couleur avec, à ses deux extrémités, des incrustations d'ivoire. C'est plus qu'un objet, c'est une puissance, qui retient ses forces toujours prêtes à l'action, qui m'attire et me fait peur. Je me souviens qu'Œdipe mettait tout son corps en contact avec le bois ou la pierre qu'il voulait sculpter. Il aurait pris cet arc dans ses mains, l'aurait fait glisser sur son corps, l'aurait éprouvé avec ses joues et son front comme je fais, l'aurait goûté des lèvres et de la langue comme j'hésite encore à le faire. Il aurait marché sur lui pieds nus, l'aurait bercé, aurait longuement dormi, rêvé, pensé en sa redoutable présence comme je devrais le faire. Comme je le fais, en découvrant en moi un objet très sauvage qui met en mouvement et emplit d'émotions toute une partie de mon être que je connais, que je reconnais avec surprise car je ne l'utilise pas d'ordinaire. Il y a là une immensité de joies vives et sanglantes et quand je suis l'objet qui s'enfuit une terreur abondante qui décuple mes forces. Mes mains sont faites pour cet arc, elles seront fertiles en actes. Mais pas maintenant, pas encore. Quand je m'éveille à nouveau il fait grand jour, Timour s'est éveillé avant moi, il me regarde, peut-être depuis longtemps. Je lui souris, il cherche en vain à remuer les lèvres mais ses yeux s'éclairent. Soudain son regard se durcit et commande : Debout, tends l'arc !

Le corps obéit, se redresse plein de vigueur saisit l'arc et échoue. Ne fait rien qu'échouer tout net et sans commentaire.

Le temps s'écoule, je soigne Timour, Ismène vient me panser elle-même, nous mangeons, nous dormons encore. Je me lève et l'ordre est là de nouveau donné par un regard si obstiné que je ne peux qu'obéir : Ferme les yeux, expire, laisse-le faire !

Un grand froid m'entoure, le vent me scie le visage, je suis emportée par la vitesse patiente, obstinée des chevaux nomades. La chose est devant moi, rapide, patiente, inarrêtable elle aussi. Il faut l'atteindre à tout prix, en y consacrant toutes mes forces, tout mon temps car la chose qui fuit, c'est la vie, c'est ma vie. Il faudra à la fin de la poursuite que j'aie son sang chaud sous mes lèvres. Ceux qui ne l'atteignent pas n'ont plus qu'à mourir mais Timour est de ceux qui survivent et je le serai aussi.

Je dois garder les yeux fermés, c'est en moi que je dois découvrir l'objet qui fuit, quand j'ai chassé tout l'air de mes poumons c'est en inspirant qu'il me semble l'entrevoir un instant. Sans voix, sans regard, très présent, l'ordre de Timour jaillit : Tends-le !

Je n'ai pas conscience des gestes que je fais, toute ma vie est suspendue à l'arc que je tends avec une facilité merveilleuse.

J'entends Hémon qui entre, il me voit, l'ordre de Timour est maintenant de me détendre. Je le fais, je dépose l'arc, j'existe. Exister me suffit.

Timour dort à nouveau paisiblement, Hémon me regarde avec étonnement, il a essayé de tendre l'arc et n'y est pas parvenu.

"Comment as-tu fait, c'est l'arc le plus dur que je connaisse ?

— Timour a donné l'ordre.

— Comment, tu ne connais pas sa langue ?"

Je ne sais pas, il le comprend, une fatigue écrasante tombe sur moi et il m'aide à me traîner jusqu'à mon lit où je m'endors immédiatement.

Le lendemain, en m'éveillant, je me sens mieux et Timour, qui dort encore, est manifestement en train de guérir. Ismène survient et nous apporte un repas. Elle est très gaie, elle éveille Timour et nous mangeons tous les trois.

"Timour pense que tu as reçu le don de l'arc et veut t'apprendre à t'en servir. Etéocle et Hémon le croient aussi et espèrent que tu pourras empêcher les Barbares de flécher les nôtres à des distances où nous ne pouvons les atteindre.

— Et toi, Ismène, tu crois à ce don ?"

Elle éclate de rire : "C'est absurde, moi aussi j'y crois. Le don de l'arc c'est tout à fait dans le sens de ton délire, Antigone et déjà tu le sais."

Elle m'aide à refaire les pansements de Timour, il la regarde, on voit qu'il la trouve belle, de plus en plus belle et cela plaît beaucoup à Ismène mais, quand elle fait un geste vers l'arc, un mouvement rapide et un regard d'oiseau de proie le lui interdisent. Cela fait rire Ismène, elle n'a aucun désir d'être appelée par l'arc comme elle croit que je le suis. Captant toujours de ses mouvements onduleux le regard de Timour, elle nous quitte.

Quand elle est partie, Timour, à ma grande surprise, au lieu de m'apprendre des gestes, me montre des objets, les nomme dans sa langue et veut que je répète ces mots après lui.

Les sons, qu'il me force à prononcer à grand-peine, puis à reconnaître, n'ont que de lointains rapports avec ce que nous appelons la langue et la parole. Ils explosent plus qu'ils ne se disent et sont toujours au bord du cri. Ils me font pénétrer dans un univers plus rude et plus sauvage que le nôtre où tout est dominé par le vent, le froid et l'endurance du cheval. Quand Timour s'aperçoit que je me fatigue, il s'arrête et je me sens alors glacée, transpercée par la bise et désirant ardemment me retrouver à Thèbes, où je suis, mais dont son langage m'exile. Il me laisse peu de répit et me contraint alors à des gestes exécutés très vite, hors de tout contrôle de pensée, qui font travailler des muscles et des réflexes auxquels je ne recours pas d'habitude.

Quand Hémon revient le soir, Timour s'arrête et j'ai le sentiment de sortir d'un long voyage dans des paysages étrangers. Cela me fait peur car je sens que par les mots et les gestes qu'il m'impose Timour exerce sur moi un pouvoir dont je ne vois pas les limites. Cela déplaît aussi à Hémon mais il m'assure qu'il est nécessaire que je prenne ce risque pour apprendre la méthode de tir des clans bleus. Y a-t-il une méthode, je n'en suis pas sûre, peut-être faut-il plutôt entrer dans un corps de pensée ou d'abandon de la pensée qui m'est jusqu'ici demeuré inconnu.

Après quelques jours je ne travaille plus avec Timour que pendant une partie de la journée, je recommence à voir les malades, à préparer des remèdes mais pendant ce temps ma pensée, sans être entravée, n'est plus à moi, elle demeure fixée à celle de Timour, à son incroyable ténacité dans la poursuite de la chose qui fuit. Car cette chose exige toute notre attention et ne peut être atteinte que par l'infaillibilité de l'arc et de l'œil.

A travers la dure sonorité de leur langue et les gestes inflexibles qu'elle provoque je commence à entrevoir que pour les hommes bleus le cheval et l'arc sont la vie. Le cheval leur a donné de parcourir et d'occuper l'infinité de la steppe, l'arc leur permet de chasser et de survivre. Si la chasse échoue, si le gibier se dérobe dans ces étendues glacées et souvent couvertes de neige, il n'y a plus d'autre issue que la mort. C'est dans cette vie, ce risque perpétuel où l'arc doit être inéluctable que Timour m'entraîne. Comment cette poursuite mortelle et cette certitude de réussir sont-elles possibles ? On l'ignore mais c'est possible puisque les Nomades survivent et même dangereusement débordent de leurs frontières, et que Timour est là.

Comment ne pas entendre dans les sons de sa voix, ne pas voir dans les gestes décisifs de ses mains, qu'il n'a jamais tiré sur la proie qui s'enfuit sans l'atteindre. Aujourd'hui sa proie c'est moi, je le sens dans les rêves de mes nuits, dans le désir de saisir l'arc dans mes mains.

L'arc, jamais Timour ne le touche et, lorsque prise d'un violent désir, je tente de le toucher moi-même il me l'interdit d'un cri bref.

Cette initiation, si c'en est une, dure dix jours, un matin il me conduit très tôt à un lieu d'entraînement. Il me donne l'arc, j'ai peur, je comprends que je dois me concentrer en silence. Soudain l'ordre est là : Tends-le ! Je n'ai pas le temps de penser ni de vouloir et l'arc est tendu. Cela n'étonne pas Timour et il me fait répéter l'exercice jusqu'au moment où cela me semble à moi aussi naturel. Le lendemain il place une cible, se recueille et plante sa flèche au centre. Je tends l'arc sans peine, je vise soigneusement et ma flèche aboutit loin du but. Pendant plusieurs jours mes échecs se répètent et Timour n'en est pas affecté.

Une nuit, je vois en rêve l'aigle royal qui a chassé Œdipe de Thèbes. Je contemple les signes admirables qu'il trace au-dessus de la ville et d'abord je ne parviens pas à les lire. Puis je perçois qu'ils sont en moi et je comprends en m'éveillant que c'est cette lecture intérieure que Timour m'apprend et que je dois laisser se faire.

Il y a encore pendant des jours une action violente, menée en moi dans les couleurs du noir et d'un blanc irrésistible et glacé. Cette action s'opère à travers Timour dont la pensée ne me quitte pas tout en m'orientant vers la plus absolue liberté. Cette pensée n'est pas la sienne et je sais qu'elle pèse autant sur lui que sur moi. Ce qui agit ainsi, par les redoutables couleurs, ne veut rien me dire, ne m'oblige à rien mais une nuit – la nuit où je m'éveille à bout de forces à l'heure la plus obscure – il est devenu évident qu'il s'agit de descendre et je descends avec Timour le silencieux, vers l'immensité où fuit l'objet qui indéfiniment s'éloigne. Rien d'autre ne compte, car il est la vie et la vie est tout. C'est dans ce tout qu'il faut tirer la flèche qui deviendra sang et chair, feu et chaleur et tout le reste sinon deviendra mort glaciale pour vous et tous ceux qui ont droit à cette faible lumière que vous portez en vous.

Puisque l'ordre ou la liberté est de descendre, je descends avec Timour mais il y a entre nous cette différence qu'à chaque marche je m'éloigne de ce que j'étais alors que lui se rapproche de ce qu'il est.

Par l'immense escalier du rêve, je descends de l'étage du palais où j'avais, avec Ismène, une chambre dans laquelle je ne remonterai jamais plus. Je traverse la route où j'ai erré avec Œdipe et Clios et je recommence à descendre pour parvenir à travers d'insondables souterrains jusqu'au lieu de la chasse. Car il y a une chasse, ce que je ne voulais peut-être pas voir mais ce que savent très bien Créon, Etéocle et Polynice et plus subtilement qu'eux tous Ismène qui ne me quitte pas des yeux. Œdipe aussi savait qu'il y a une chasse mais il l'avait oublié quand est tombée sur lui la formidable occupation du noir. Je l'ai oublié comme lui, lorsque sur la route, Œdipe et Clios ont occupé tout mon espace et pris en moi la place des dieux. Peut-être que le rêve se termine, que je m'éveille. Le cheval nomade que je montais se dissipe peu à peu avec la steppe couverte de neige où je poursuivais l'œuvre qui s'enfuit, celle qu'il fallait absolument atteindre – et qui, peut-être, était moi-même.

Je m'éveille tout à fait, c'est la nuit et je sais que Timour m'attend. Je m'habille en homme, il est là, et nous partons pour le terrain d'entraînement. Etéocle nous attend avec une lampe, il la place près du but. Timour m'amène à la distance considérable d'où il tire lui-même. Etéocle éteint la lampe. Timour me donne une flèche, je ne distingue plus rien que les formes plus sombres des deux hommes. Où et comment tirer dans l'obscurité ? Tout est si absurde que je m'entends rire d'un petit rire auquel répond le rire secret et presque silencieux de Timour. L'arc se met à vivre, je ferme les yeux, je le tends sans effort et je perçois, à la limite du sens, l'existence du point où ce qui a lieu en moi doit tirer. Timour me donne une seconde, une troisième flèche et quelque chose en moi tire et atteint le but dans un état de certitude et de tranquillité totale. Etéocle va allumer la lampe, nous allons avec lui jusqu'à la cible. Les trois flèches sont serrées l'une contre l'autre au point qu'il fallait atteindre. Le regard de Timour me demande : Est-ce que tu le savais ?

Je lui dis des yeux moi aussi : Je le savais.

C'est le soleil levant, Etéocle éteint la lampe, il murmure à voix basse :

"Vous resplendissez !"

Et soudain, contre toute attente, d'une manière qui nous bouleverse, il se prosterne devant nous. Nous nous précipitons tous les deux, nous le relevons, il dit : "Je ne m'inclinais pas devant vous mais devant ce qui a tiré."

Il a déjà repris son aspect impassible, il demande :

"Est-ce qu'elle peut le refaire seule ?

Timour fait signe que oui.

— Elle peut l'apprendre à Hémon et à nos archers ?

La réponse est encore oui.

— Tu es libre, tu peux retourner dans ton pays, à condition de jurer que tu ne reviendras jamais en Grèce."

Timour me regarde, il y a une douleur dans son regard, celle que je ressens moi aussi. Il n'hésite pas, il lève la main, il jure. Persiste un instant sur nous, un peu de cette lumière qu'a vue Etéocle.

XVI

L'ARC

La ville est totalement investie, en face des sept portes sont établis les contingents d'Argos et des mercenaires attirés par l'espoir du butin.

Le danger vient plus encore des Nomades qui patrouillent incessamment entre les points tenus par les hoplites et interdisent tout commerce extérieur et tout ravitaillement nouveau. Certes Etéocle a réuni d'immenses réserves dans les cités souterraines, Thèbes peut tenir longtemps, mais s'il a la patience d'attendre, Polynice finira par l'emporter. Il n'aura pas cette patience, dit Ismène, Timour, l'homme qui l'avait persuadé d'être patient, lui manque. Grâce à toi.

Je voudrais ne rien savoir de la nouvelle guerre qu'Etéocle impose aux Nomades, je ne sors plus de la maison de bois que pour mendier à l'agora, mais une nuit sur trois je suis de garde avec Ismène, je l'entends parler avec les autres veilleurs et je comprends qu'Etéocle essaie d'éviter tout combat avec les phalanges des cités grecques, car nos véritables ennemis sont les Nomades. La force des Nomades vient de leur mobilité et des troupeaux de chevaux qui les suivent. C'est à ces troupeaux qu'Etéocle s'attaque maintenant. Les meilleurs de nos soldats sont entraînés à des actions nocturnes contre eux.

Il y a deux nuits, pendant qu'Etéocle faisait une diversion au sud de la ville, Vasco au nord, protégé par Hémon, a capturé un de leurs troupeaux. Il est parvenu à faire entrer dans la ville un grand nombre de bêtes, pressé par les Nomades qui contre-attaquaient, il a fait couper une patte aux chevaux qu'ils ne pouvaient emmener.

Le matin les Nomades ont fait défiler sur un cheval, le long des remparts, un prisonnier dont ils avaient coupé le pied. L'homme tout sanglant était évanoui. Un cavalier derrière lui portait son pied au bout de sa lance.

Polynice a fait proclamer devant les portes de la ville que si nous ne respections pas leurs chevaux, ses soldats ne respecteraient pas nos hommes.

La réponse d'Etéocle et de Vasco a été immédiate, ils ont fait abattre une partie des chevaux capturés et le soir venu ont offert aux Thébains dans les rues de la ville un grand festin de chevaux rôtis. Le festin a été long, tumultueux, le bruit des cris et des chants, la terrible odeur des chevaux rôtis est venue frapper au-delà des remparts l'odorat subtil des Nomades. Menaçants, ils sont arrivés avec des torches et, protégés par leurs archers, ont tenté de faire brûler des portes. Nos murs étaient bien garnis de défenseurs, ils n'ont pu entamer nos portes mais ils ont pu s'emparer des corps de deux de nos hommes qui, excités par le vin, s'étaient exposés à leurs flèches.

Le lendemain, ils défilent devant nos portes en brandissant au bout de leurs lances les têtes des nôtres.

Pendant le festin auquel toute la ville participait, Ismène et Hémon pour montrer qu'ils désapprouvaient cette course à la cruauté sont restés près de moi. Nous ne sommes que trois, tous les malades et les pauvres sont au banquet.

Ismène demande à Hémon : "Qu'a dit Etéocle quand il a su que tu n'assisterais pas à la fête ?"

Hémon est préoccupé par les cris qui viennent des remparts. Il répond brièvement : "Etéocle est mon ami.

— Et Vasco ?

— Vasco aussi."

Il se tourne vers moi : "Je crois que l'ennemi tente une attaque, il faut que j'y aille."

Je parviens à lui sourire et j'approuve.

Il s'en va en hâte. Je demande à Ismène :

"Et Créon ?

— C'est là que c'est grave. Quand je lui ai dit que tous les trois nous désapprouvions ce festin, il m'a dit : «Encore un coup d'Antigone !», et a brisé là ne me laissant pas protester.

— Toutes ces cruautés ne sont que des moyens politiques ?

— Rien d'autre, Antigone, et bientôt ils vont faire appel à toi ou plutôt à ton arc.

— Pourquoi ?

— Polynice et ses Nomades sont irrités, ils prennent plus de risques, ils s'approchent plus près des remparts, leurs pertes sont légères car nos armes les touchent rarement, les nôtres sont lourdes, tu as pu voir l'afflux des blessés. Les travaux qu'Etéocle fait faire aux remparts pour accumuler les matériaux de défense en prévision d'un assaut général sont compromis. Ils veulent que tu leur montres que tu peux tirer aussi loin, et plus loin qu'eux comme te l'a appris Timour.

— Tu le veux aussi Ismène ?

— Si les Nomades croient Polynice en danger ils auront peur, car sans lui tous leurs espoirs s'écroulent. Tu es sûre de ne pas le toucher ?"

Je suis heureuse qu'elle me dise cela. Pas plus que moi elle ne veut voir Polynice blessé. Je réponds : "Timour me l'a promis."

Elle semble rassurée. Nous restons un moment face à face, prises entre le tumulte du festin qui continue et les cris de guerre, les bruits d'armes qui viennent de la porte.

Le lendemain, comme me l'a annoncé Ismène, Etéocle vient chez moi.

"Nous avons besoin de toi, les Nomades sont enragés, ils harcèlent de leurs flèches les travailleurs des remparts. Ne me regarde pas avec ces grands yeux tristes, il fallait les rendre enragés. Il faut qu'ils attaquent, sinon le siège se terminera par la famine et leur victoire.

— Que veux-tu de moi ?

— Que les Nomades voient que tu peux tirer plus loin qu'eux.

— Et Polynice ?

— Polynice doit être averti.

— Averti ou tué ?"

Il hausse les épaules : "Averti ! Personne parmi nous ne songe à tuer Polynice.

— Si, Vasco. Il est devenu très puissant.

— Vasco est très utile mais c'est moi qui commande. Viens demain sur le rempart et montre à Polynice et aux Nomades ce que tu peux faire. Hémon t'accompagnera."

Il croit que j'hésite :

"Tu me l'as promis Antigone. Devant Timour…

— Que Vasco voulait assassiner malgré ta promesse.

— Il ne l'a pas fait. Il vous a beaucoup aidés, toi et tes malades…

— Je sais. Je viendrai demain.

— Et tu continueras à entraîner Hémon et ses hommes.

— Bientôt ils seront prêts. Ils tireront aussi loin que les Nomades. Encore quelques jours."

Quand Hémon arrive, je le sens très ému, il admire l'arc que j'ai soigneusement poli et les quatre flèches dans mon carquois.

"Quatre seulement ?

— Cela suffira."

Il a l'air étonné mais je vois qu'il a confiance. Il me dit :

"Tu verras sur les remparts une horrible invention de Vasco qui va exciter la colère des Nomades. Il faut qu'ils donnent l'assaut, Antigone, pour que nous remportions la victoire."

Nous arrivons sur les remparts du nord, ce sont les plus anciens et ils doivent être renforcés. En dehors des veilleurs il y a sur le mur de nombreux travailleurs dont beaucoup de jeunes qui me connaissent et me saluent gaiement. Ils apportent des sacs de terre et surtout des matériaux lourds à jeter sur les assiégeants s'ils attaquent. Malgré les précautions prises, beaucoup sont touchés par les flèches des Nomades.

Je m'approche d'un blessé qui vient d'être atteint à l'œil. Hémon dit seulement : "Allons, un borgne de plus !" Mais sous la dureté apparente des paroles je sens tout le poids de son impatience, de sa colère impuissante et de celle des hommes du mur. Lorsqu'ils ont abattu un des nôtres les Nomades, profitant du désarroi qui règne un instant sur cette portion du mur, risquent une charge jusqu'à proximité et de là nous narguent de leurs rires.

"Quand on les entend rire, dit Hémon, on a envie de faire une sortie. C'est la folie qu'ils espèrent et que nous ne ferons pas, mais reculer toujours et recevoir des coups sans pouvoir les rendre, c'est dur à la fin.

— Nous leur portons des coups, nous aussi, dit Etéocle qui nous rejoint, nous leur avons pris ou tué beaucoup de chevaux qu'ils ne peuvent remplacer. Patience, notre tour viendra."

Soudain je vois sur le rempart dont nous approchons le poitrail et la tête d'un cheval nomade, grossièrement empaillé, se dresser la bouche ouverte comme s'il souffrait. Quand ils l'ont découvert, les Nomades ont tiré sur cette terrible et menaçante statue des flèches qui se sont enfoncées partout.

Horrifiée par cette grande figure souffrante qui semble, comme un essaim de guêpes, vouloir s'envoler sur ses ailes de flèches, je demande à Hémon : "Pourquoi ont-ils fait cela ?"

Il me montre le ciel où tournent des vautours et les charognes au bas des remparts où les corbeaux s'affairent.

"Les flèches préservent le cheval des charognards."

Ainsi ces flèches sont un acte d'amour et de fidélité des Nomades à leurs chevaux.

Un peu plus loin c'est pire. Toute l'ossature d'un cheval complètement dépouillé de sa chair s'élève sinistrement sur un échafaudage qui est à hauteur du parapet. Le squelette soutenu par des poutres et des cordes est cabré face au vide. En face de lui, au pied du mur, de nombreux squelettes – les restes du festin d'hier – encore couverts d'un peu de viande et de peau ont été précipités. Des pierres et des poutres sont empilées sur le mur et les Nomades, à leur grande colère, ne peuvent emmener les ossements pour les brûler ou les enterrer comme ils le font toujours avec respect.

Je dis : "C'est indigne."

Etéocle se retourne : "Le peuple veut se venger, il faut le laisser faire. Toute haine pour l'ennemi est bonne à prendre."

On nous a vus d'en bas, il y a des cris menaçants du côté des Nomades. Etéocle crie : "Baisse-toi", et Hémon me faisant un rempart de son corps me précipite sur le sol. Il se redresse, il veut m'entraîner jusqu'au créneau où Etéocle déjà s'est protégé, mais je ne veux pas, je dois me prosterner devant l'affreux, devant l'admirable squelette du cheval qui avec ses deux pattes sur le rempart et sa tête dressée très haut semble demander la paix au ciel impitoyable. Je ne veux pas pleurer, je veux prier cette grande carcasse, avec ses os superbes et tous ces vides où il y a peu battait encore la vie.

Je pose devant moi l'arc, frémissant, qui est comme une gloire dans mes mains et je le présente en offrande au cheval martyrisé.

Hémon, voyant que je prie, se prosterne aussi et pose à côté des miennes ses mains sur le bois sombre et vivant de l'arc.

Etéocle, à mon immense surprise, se joint à nous, je me dis que je ne parviendrai jamais à comprendre mes frères mais ce n'est pas le moment de penser, c'est celui d'écouter, car j'entends des mots, ceux d'Œdipe peut-être, qui composent un poème :

Seigneur des chevaux et des hommes
dieu de l'arc noir
protège le peuple thébain
protège le peuple nomade

de nos crimes, de nos peurs et de notre vaillance
car nous ne sommes qu'un peuple, un seul
sous nos multiples et désirants visages.
Seigneur du bleu, Seigneur du rouge
avec ton arc imprévisible
protège-nous sur la route incertaine
dieu des chevaux, dieu des poissons
et des libres oiseaux du ciel.

Je me retourne, les hommes qui travaillaient ou veillaient se sont prosternés comme nous. Les Nomades ne peuvent pas nous voir mais nous avons communié un instant avec eux dans le respect et l'amour des chevaux.

Je me relève, je demande à Etéocle :

"Ne peux-tu faire enlever ces ossements qui sont une offense pour les Nomades et une honte pour nous ?"

Il n'y a pas d'hésitation, c'est un non sans appel.

Nous repartons et après un moment de marche où, souvent, le sifflement des flèches nous force à nous courber nous arrivons à une série de créneaux élevés où sont percées des embrasures d'où l'on peut voir l'ennemi et tirer sans danger. C'est ce que je crois mais Etéocle me dit :

"Ne t'y fie pas, ils nous ont suivis pendant notre trajet sur le mur, ils vont nous le faire voir."

J'entends trois flèches s'écraser sur les créneaux mais la quatrième force l'embrasure et aurait pu nous blesser si Etéocle ne l'avait pas arrêtée de son bouclier.

"Celle-ci, dit-il, a été tirée de près. C'est de ces coups-là que tu dois nous délivrer, Antigone."

On entend un grand bruit de chevaux, des ordres, du mouvement.

"C'est notre frère soleil qui arrive", dit Etéocle.

C'est bien Polynice qui survient superbement monté sur Nuit, vêtu de sa cuirasse dorée et entouré de cavaliers nomades portant au bout de leurs lances son fanion de soleil.

Polynice lance son cheval dans notre direction, Hémon me fait vivement reculer. Polynice tire et sa flèche à travers l'embrasure arrive sur nous avec tant de force qu'elle perce le bouclier d'Hémon et n'est arrêtée que par celui, plus puissant, d'Etéocle.

"Merci frère, crie Etéocle, ta flèche nous sera utile."

Polynice qui repartait fait faire à son cheval une volte et l'arrête à mi-distance entre l'endroit où il se tenait avec son cortège de Barbares et le mur où nous sommes. Là, pendant que les Nomades continuent à tirer des flèches sur tout ce qui leur apparaît sur le rempart, il nous fait face et nous nargue de son visage riant.

"A toi Hémon", dit Etéocle.

Protégé par le bouclier d'Etéocle, Hémon vise soigneusement, sa flèche vole droit vers Polynice mais quand elle arrive à lui elle a perdu la plus grande partie de sa force et Polynice, d'un mouvement de son bouclier, l'intercepte et la rabat sur le sol. Des huées et des rires s'élèvent des rangs des Nomades et le visage d'Hémon est ravagé par la colère.

Je sens l'arc qui s'échauffe et bouillonne à travers mon corps. Il me semble qu'il veut la mort, toute bouleversée, je crie à Etéocle :

"Que veux-tu ?

— Pour Polynice, un avertissement."

Il s'en va. Hémon reste, il me montre les vautours qui encombrent notre ciel : l'un d'eux d'une taille exceptionnelle plane au-dessus de nous. L'arc le repère, guide mon regard, me force à imprimer dans mon corps son mouvement. Polynice est maintenant revenu en arrière, là d'où partent ses archers pour de brefs galops qui précèdent leurs tirs. Le vautour de son lent mouvement va bientôt passer au-dessus de lui. Hémon veut me protéger pour que je puisse tirer par l'embrasure mais ce n'est pas ce que veut l'arc ni ce que je sens. Le vautour est là, est-il en moi ou moi en lui, je ne sais, cela n'a plus d'importance. J'attends le moment où l'oiseau va passer au-dessus de Polynice. Mes mains sentent ce moment et tout mon corps participe à la vision qui précipite la flèche dans l'objet qui fuit. Je n'ai pas besoin de regarder, je sais que le vautour est en train de s'abattre comme une masse juste devant Polynice. Son cheval, horrifié par la bête qui s'écrase, fait un formidable écart, mais Polynice a vu la flèche et la chute de l'oiseau, il ne se laisse pas surprendre et maîtrise immédiatement son cheval. Hémon dit : "Quel cavalier !", ce qui me fait plaisir.

Polynice saisit son porte-voix et je l'entends crier de joie : "Superbe coup, frère, je ne te savais pas si bon archer. Allons, encore plus loin." Et il recule de quelques pas pendant que les Nomades avec peine retirent la flèche du corps du vautour. Hémon me regarde avec toute sa naïve admiration et lui aussi dit : "Encore !" Ce mot résonne dans ma tête, je sens l'arc qui s'émeut dans mes mains, et que son chant veut m'entraîner très au-delà de moi-même.

Les Nomades pensent que là où se tient Polynice personne ne peut l'atteindre mais ils redoutent l'archer exceptionnel qui vient de tirer car leurs flèches ne cessent de frapper tout autour de nous. Certaines passent à nouveau par l'embrasure, l'une me manque de si peu que

Vasco brutalement l'obstrue avec son bouclier de métal.

Car Vasco est là et je suis sûre qu'il a tout vu. Il dit :

"L'embrasure est dangereuse et avec cet arc tu n'en as pas besoin pour tirer."

Puis à Hémon :

"L'embuscade a réussi. Etéocle te demande. Rejoins-le avec vingt hommes. C'est urgent."

Vasco me fixe de son regard impérieux. Il demande à son tour : "Encore !"

Il y a, près de Polynice, un Nomade qui sur un petit alezan s'apprête à charger, sa flèche déjà engagée dans l'arc. C'est à lui que doit être adressé d'abord l'avertissement que m'a demandé Etéocle.

Je regarde le petit alezan et son innocente aspiration au galop, c'est lui qui occupe mon être, c'est en lui que la flèche va pénétrer, qu'elle pénètre et non dans son cavalier qui voulait me tuer.

L'alezan, atteint de plein fouet, a roulé sur le sol, je vois son sang, hélas, et son corps traversé de spasmes. L'homme a été projeté en avant sur le sol, un de ses camarades le soulève, un autre le hisse sur son cheval. Ils ont peur de ma troisième flèche et s'enfuient.

Hémon et Vasco me pressent : Encore, encore ! Puis Hémon se souvient de l'ordre d'Etéocle et part, à regret.

Je suis seule avec Vasco et l'arc qui parle à mon corps un langage qui l'enivre.

Vasco s'approche de moi et soudain il s'agenouille, saisit mes genoux et me supplie : "Fais-le, fais-le !"

Je suis éperdue, je dis machinalement et très bas : "Quoi ?" Il serre passionnément mes genoux.

Et lui aussi à voix basse me dit comme une prière d'amour :

"Il le faut, l'arc le veut, tes frères aussi peut-être. On ne peut pas les sauver tous les deux, tu le sais, tu le sais ! On ne peut plus en sauver qu'un et libérer tous ces hommes de la guerre. Tu le peux ! L'arc le veut. Tire ! Tire !"

J'entends résonner le chant profond de l'arc, celui dont m'a parlé Timour, celui que j'ai entendu une fois quand dans la nuit noire j'ai atteint la cible que je ne voyais qu'en moi-même.

Je me défends, je murmure :

"Non, non ! Etéocle ne veut pas cela. Il m'a dit : Avertis-le. Rien d'autre.

— Etéocle est fou. On ne peut pas avertir Polynice et tu le sais. C'est la dernière chance, tu peux encore sauver Etéocle. Pourquoi préfères-tu Polynice ? Comme Jocaste ? Antigone je t'en supplie, sauve le seul qui peut être sauvé."

Toutes ses paroles entrent en moi comme des cris, je ne puis y résister. L'arc aussi crie dans mes mains, comme Vasco il veut la vie de Polynice. Je tremble de tout mon corps, Vasco enserre toujours mes genoux, il ne parle plus mais je sens que de tout son être, de toute la souffrance de Thèbes et de celle de nos ennemis il me pousse à l'acte criminel qui terminerait la guerre.

Je me souviens du beau rêve où Œdipe enfant m'appelait : ma sœur, ma sœur pour que je l'aide à fixer dans la pierre de la falaise l'immense vague de sa folie. Polynice aussi est mon frère, il faut arrêter les cris de haine et de sagesse de l'arc. Je le jette.

Vasco se redresse, il enserre tout mon corps, il dit :

"Fais-le, fais-le, sauve-nous !"

Je sens, avec une surprise affreuse, que son corps est devenu un corps de femme qui suscite en moi un corps d'homme, le corps meurtrier qui pourrait sauver Etéocle. Ce corps m'enserre avec amour, nous formons ensemble un grand corps androgyne et la voix amoureuse de Vasco me persuade : Sauve Etéocle. Sauve Etéocle et Thèbes.

Je refuse, je refuse, je cherche à m'écarter de Vasco, de son corps qui me pousse à la folie. Il résiste, il m'enveloppe d'une étreinte très tendre. Nous luttons, je suis la plus forte, je le repousse, il s'accroche à moi, il me semble que je subis un viol affreusement doux. Je le frappe, il tombe, il a perdu la partie, je saisis l'arc. Je me concentre sur le mot d'Etéocle : Avertis-le ! Le mot vain, le mot faux, hélas, car Vasco a raison, rien ne peut avertir Polynice. Ce mot faux est cependant le mot vrai d'Antigone et je le prononce avec tout mon corps, toute ma vie. L'arc frémit, se tend, je vois en moi le lieu où la flèche va donner à mon frère l'avertissement solennel qu'il ne comprendra pas.

L'arc chante trois mots effrayants, la flèche passe en sifflant au-dessus de Polynice et va se planter en terre plus de trente pas derrière lui. Polynice n'a pas bronché, il n'a pas laissé Nuit faire le moindre écart. Il ne rit pas non plus, il n'envoie pas de sa voix d'or un nouveau défi à Etéocle. Il ne hurle pas non plus sa dérision, il sait que celui qui a tiré aurait pu l'atteindre et il reste sur place pour le défier ou, peut-être, accepter le destin.

Chez les Nomades qui l'entourent il n'y a pas eu de clameurs ni de rires mais un long silence stupéfait, aucun de leurs archers n'aurait pu réussir un tel tir. Seul Timour, mais ils savent que Timour est reparti dans son pays.

Ils retirent à grand-peine la flèche du sol, ils entourent Polynice pour le protéger puis le décident à faire reculer Nuit. Il le fait en riant à sa terrible manière et en grinçant des dents, il ébauche même quand il est à hauteur du point d'impact de ma flèche le geste de tendre son arc. Mais il sait bien – car il connaît parfaitement les limites de son énorme force – qu'il ne peut tirer aussi loin. Il faut pour cela le don de l'arc et il a appris de Timour qu'il ne le possède pas. Il se demande sûrement sur qui ce don est tombé, ce n'est pas Etéocle ni Hémon, il connaît trop leur style. Comment pourrait-il penser qu'il m'a été accordé alors que j'étais si mauvaise archère à douze et treize ans quand il m'entraînait aux armes.

Vasco se relève lentement, on peut voir sur son visage des traces de larmes qu'il ne cherche pas à cacher. Cela me touche, pourtant je sors de mon carquois la quatrième flèche et je la brise sur mon genou.

Vasco ne proteste pas, il soupire : "Ta folie du bien les condamne à mort."

A ce moment apparaît Ismène qui s'était arrêtée dans le redan de la muraille. Elle dit :

"Tu te trompes Vasco, si nos frères sont voués à la mort c'est qu'ils se seront condamnés eux-mêmes. Polynice est le frère d'Antigone elle ne pouvait pas le tuer, même pour sauver Etéocle et Thèbes. C'est son frère et cela suffit."

Elle dit cela avec une incomparable simplicité sans élever la voix, sans chercher à persuader, comme une évidence.

Vasco le comprend et nous restons un moment en silence à regarder les Nomades patrouiller à distance respectueuse des remparts.

"Antigone vous a donné du répit", dit Ismène.

Je suis obligée de m'asseoir, une sueur froide me couvre le visage et le corps et je crains de m'évanouir devant Vasco.

"J'en étais sûre, dit Ismène, tu es partie sans manger ni boire. J'ai apporté ce qu'il faut."

Elle me fait boire, me force à manger, me dorlote un peu. Les forces me reviennent avec une grande envie de retourner chez moi. Vasco propose à Ismène de m'accompagner. Elle accepte sans me demander mon avis comme si aujourd'hui elle prenait ma vie en charge. Je suis plus fatiguée que je ne croyais, je marche très lentement, je suis obligée de m'arrêter souvent. Vasco a pris mon bras et m'accompagne, lui toujours si rapide, avec une incroyable patience. Je devine que comme d'habitude tout un corps de gamins et de gamines nous escortent. Parfois une des filles m'apporte un peu d'eau ou un fruit. Je sens qu'ils m'aiment et cela me réconforte. La route est longue, le soir tombe et je m'arrête parfois pour regarder les premières étoiles.

L'arc de Timour m'écrase l'épaule, ce n'est pas son poids je le sais, mais celui de la responsabilité que j'ai portée et de la lutte avec Vasco. Cette lutte est terminée, je lui donne l'arc en disant : "A ton tour de le porter." Il le reçoit avec respect, et me dit : "Ce sera bientôt la pleine lune" comme si cette plénitude était la réponse du ciel au geste qui rétablit la paix entre nous.

Nous approchons de la maison de bois, en arrivant à la porte il me quitte d'habitude et s'en va avec ses jeunes compagnons. Aujourd'hui c'est lui qui pousse la grille et il fait signe à son escorte de s'en aller. Il me dit : "Je voudrais te parler." Je ne puis lui répondre car, en avançant dans le jardin, je suis saisie par une immense présence.

La lune éclaire de ses rayons obliques le grand cerisier qu'Hémon et Main d'or ont si soigneusement taillé et soigné. Ce matin, préoccupée comme je l'étais, je l'ai à peine vu, il était presque en fleur déjà, mais la tonalité dominante était encore celle des feuilles nouvelles et l'arbre ressemblait à un de ces grands bouquets de feuilles, d'un vert très jeune, dont Jocaste aimait au printemps éclairer le palais. La chaleur soudaine de la journée a fait s'ouvrir les fleurs, dans la lumière sous-marine de la lune on entrevoit le tronc vaste et la noble structure des branches mais ce qui frappe le regard, ce qui transperce le cœur c'est l'immense statue blanche née en quelques heures et dont les fleurs tout en espoir, tout en réalité d'amour, rayonnent sans bruit et parfument légèrement l'air. La longue, l'âpre journée d'effort, de doute et de détresse se métamorphose et suscite l'apparition terrestre d'une allégresse native qui revient à son heure. Je ne peux plus penser ni ressentir ni exprimer mon bonheur, je ne puis plus que me prosterner et répéter tout bas les mots qui viennent sur mes lèvres et ne disent que : Seigneur blanc, Seigneur blanc.

Je me prosterne plus profond et j'embrasse la terre, celle de Thèbes, celle de la Grèce, celle de tout l'énorme monde que j'ignore. Cette terre si simple, si pauvre en apparence qui, avec l'aide du soleil et des pluies, a produit pour quelques journées rapides cette créature divine qui en sait plus qu'aucun de nous sur la beauté, ses cycles immenses et la brièveté de ses floraisons. En cet instant j'aime la terre, je la révère comme je ne l'avais encore jamais aimée jusqu'ici. Je me redis à mi-voix : Seigneur blanc, et je pense à Œdipe qui était devenu un seigneur de bien moindre taille mais de la lignée céleste du grand cerisier.

Je reprends en pensant à lui mes invocations et j'entends une autre voix qui me répond et répète avec moi : Seigneur, Seigneur blanc. C'est Vasco prosterné lui aussi devant la grande apparition que la lune argente et fait rayonner.

Quand je me relève il fait de même. Son visage n'est plus secret, impassible comme il l'est d'ordinaire, il est bouleversé par ce qu'il vient de voir. Il s'approche de moi, il me dit :

"Je me cache, de toi comme des autres.

— Tu peux, Vasco.

— Avec toi je n'aurais pas dû, un jour je te dirai. Aujourd'hui je ne peux pas, à cause de tout ce qui va arriver."

Son regard, pour la première fois sans énigme, répond au mien, il semble soulagé, il recule en me regardant, quand il est sorti du grand cercle lumineux où je suis encore, il disparaît.

Je contemple encore le grand arbre nocturne dont les milliers de fleurs vont se changer en cerises éclatantes que sans doute je ne verrai plus. Je ne suis pas triste, c'est la nuit de l'adieu, j'abandonne tout entière au grand cycle de la nuit la passante, la trébuchante Antigone. Bientôt je ne serai plus celle qui doit maintenant se dire : "Il est tard, demain matin les malades arriveront tôt. Il faut te coucher, il faut dormir sinon tu seras fatiguée et tu ne les soigneras pas bien."

XVII

L'ASSAUT

Ismène, qui est de garde presque chaque nuit avec moi, m'apprend que Polynice a reçu des renforts et qu'Etéocle et Hémon s'attendent à l'assaut décisif. Quand nous nous retrouvons au milieu de la nuit, de grands feux sont allumés sur les murs et les troupes de réserve sont rassemblées à proximité des portes. De notre poste nous voyons qu'il y a autour de la ville d'importants mouvements de soldats ennemis. Polynice a bien choisi sa nuit, nuageuse, opaque et dérobant à nos regards tout ce qui se passe à quelque distance.

J'ai appris à Hémon et à ses meilleurs archers la technique de l'arc nomade, je lui ai donné l'arc de Timour que je ne toucherai plus. Je suis armée d'une pique et d'un glaive, Ismène aussi.

Sur les remparts circule une rumeur annonçant l'attaque. Nous sommes près de la porte du Nord, c'était la plus faible mais Etéocle y a fait d'immenses travaux. Personne ne sait en quoi ils consistent car Vasco, qui les dirige, les fait exécuter par des travailleurs des cités perdues et ce sont des soldats de même origine qui maintenant en assurent la garde.

Plusieurs énormes flambeaux s'allument au sommet de la porte, c'est sans doute qu'il y a un danger. Enfiévrée par l'événement, j'aide Ismène à revêtir sa cuirasse. Elle me dit :

"Regarde, on dirait qu'ils font des signes à l'ennemi."

Je me retourne, en effet un des flambeaux géants s'incline de part et d'autre comme pour un signal. Est-ce qu'il y aurait des traîtres sur la tour ? La question me trouble, et sans plus réfléchir je cours vers la porte. Au pied de l'escalier Zed est de garde.

"Qu'est-ce qu'ils font là-haut ?"

Il est étonné : "C'est Vasco." Il me laisse passer, sur la tour, près des flambeaux je trouve Vasco et deux hommes.

"C'est vous qui faites des signaux ?

— C'est un ordre d'Etéocle, ils vont croire à une connivence, se risquer plus près, attaquer plus tôt.

— Ils vont attaquer ?

— Sûrement ! Regarde, ils répondent."

Il y a un feu qui s'allume et qui oscille aussi du côté de l'ennemi.

"Le piège d'Etéocle est en train de prendre", dit Vasco.

L'attaque est donc proche, j'éprouve une grande angoisse, il va y avoir beaucoup de morts. Moi, peut-être, et Ismène.

Je regarde Vasco comme s'il pouvait me délivrer de la peur, il ne me voit pas, il est tout occupé à scruter les ténèbres. Je lui demande :

"Où est Etéocle ?

— A la porte de Dirké, c'est la principale.

— C'est là qu'attaquera Polynice ?

— Sûrement.

— Et Hémon ?

— Il est à la porte d'Athéna et Créon à la porte de Borée."

Submergée par le sentiment de l'invincible absurdité de tout, je n'ai plus qu'un désir, retrouver Ismène et mon poste sur le mur. Ce n'est pas facile car au moment où je m'enfuis vers eux une irrésistible débâcle intestinale s'annonce en moi. J'arrive tout essoufflée auprès d'Ismène ne pouvant plus que dire : Je dois… je dois. Elle m'indique calmement l'escalier : "Ils ont monté des latrines en bas. J'en viens, c'est possible."

Je descends l'escalier en courant, je file devant les soldats qui me crient en riant : "Vite… plus vite !" Aux latrines, immense soulagement, le corps peu à peu se rassure et vient au secours de l'esprit défaillant. Comment se fait-il qu'après tant d'années sur la route je sois encore si sensible à la peur ? Je sors, je me sens mieux et cette détente doit apparaître sur mon visage car les soldats rient de nouveau en me voyant passer.

Je reviens sur le mur, l'obscurité commence à se dissiper, on entend des mouvements de troupe chez l'ennemi mais ils ont lieu à distance. Le soleil devrait se lever, des nuages bas et des brouillards le retiennent encore. Une pâleur grise nous entoure et je commence à revoir la route du nord par où jadis je suis partie vers n'importe où, avec Œdipe.

Ismène a mis sa cuirasse et son casque et m'aide à revêtir les miens. Elle essaie un masque de métal pour protéger son visage, elle m'en donne un autre :

"Mets-le, que ces Barbares nous tuent, mais qu'ils ne nous défigurent pas."

Cela me fait rire, je prends le masque, il me va. Je pense : Moi non plus je ne veux pas être défigurée, surtout pour mes enfants. C'est bien le jour de penser à cela.

Le ciel s'éclaircit, nous partageons un morceau de pain et l'angoisse se dissipe. Sous le casque et le masque, apparaît une autre Ismène. Dans ce visage de bronze on ne distingue plus que ses yeux qui semblent soudain très durs.

Elle demande : "Est-ce que je saurai me servir de ma pique, tu m'as appris, mais si un Nomade surgit devant moi, j'oublierai tout."

Quelque chose dans ses yeux me rappelle Œdipe, et je certifie :

"Si un Nomade t'attaque tant pis pour lui."

Elle est réconfortée, elle m'enserre de ses bras et nous nous donnons à grand bruit un baiser de fer. Thèbes avec ses murs, ses tours, ses défenseurs, Thèbes est invincible.

Un grand tumulte vient de la plaine et un vaste nuage de poussière. On entend le roulement des sabots sur le sol et le tintement meurtrier des armes. Je souffle à Ismène : "Les clans bleus." Ce sont bien eux qui avancent en masses profondes, au trot et dans un silence effrayant. Ils sortent de la brume qui traîne encore à ras de terre, on ne voit que les têtes et les ornements d'argent de leurs chevaux et, sur les innombrables casques de cuir, un panache rouge parmi les panaches bleus. Le sol tremble sous leur avance, ils sont fous, que peuvent-ils faire avec leurs chevaux contre nos murs et la formidable porte du Nord ? Près de nous les servants d'une catapulte s'apprêtent à tirer. Les assaillants tirent des flèches vers les remparts, nous nous abritons derrière les poutres que nous jetterons sur eux s'ils sont obligés, comme c'est presque sûr, de longer les remparts après une attaque vaine.

La poussière soulevée par la charge arrive sur nous et nous aveugle. La catapulte tire, la pierre vole dans la bonne direction, elle écrase deux cavaliers que nous voyons s'effondrer. Ismène crie de joie et je dois faire de même.

J'entends le cri rauque d'un Nomade qui veut dire : Au galop. Au moment où ils auraient dû s'écraser contre la porte, celle-ci s'ouvre et les assaillants s'élancent sous le porche. Trahison, tout est perdu ! Je saisis la main d'Ismène et nous nous précipitons de l'autre côté du mur pour voir ce qui se passe. Nous entendons le bruit de la porte qui se referme. Les Nomades débouchent au galop, ils vont pénétrer dans la ville quand, chose insensée, le sol se dérobe sous eux. La rue si soigneusement refaite par Vasco, s'effondre à grand bruit précipitant chevaux et cavaliers dans le gouffre de la ville souterraine.

Les cavaliers de tête, entraînés par leurs chevaux, ont pu aller plus loin mais là aussi le sol s'est effondré les faisant s'écrouler dans une profonde tranchée où hommes et chevaux s'entassent et s'écrasent. Du gouffre des cités perdues s'élèvent les hennissements des chevaux aux corps brisés et les gémissements des mourants. Mes yeux cherchent en vain à discerner quelque chose que j'ignore, soudain je me souviens : le panache rouge, le seul de cette couleur, parmi le flot des panaches bleus des Nomades.

Les hommes qui étaient en réserve au pied de la porte crient : Victoire ! et jettent des pierres sur ceux des assaillants qui survivent.

Je suis étreinte par une affreuse angoisse, je dis à Ismène :

"Le panache rouge ?

— Quel panache rouge ?

— Celui qui était là, si c'était Polynice ?

— Polynice, impossible, il attaque Etéocle à la porte de Dirké."

Un peu d'espoir revient en moi, car Polynice est sûrement à la porte que défend Etéocle. Pourtant l'angoisse persiste, je ne puis penser qu'à Polynice et à son panache rouge. Je descends l'escalier en courant, tout tourbillonne dans ma tête, il faut que je parle à Vasco.

Il est au bord du trou, du piège qu'il a construit et dans lequel les Nomades sont tombés. Il commande :

"Cela suffit. Occupez-vous de ceux devant."

Il sait bien que les habitants des cités perdues sont en train d'égorger ceux qui ont survécu à la chute.

Je m'approche de lui : "Des remparts j'ai cru voir parmi les Nomades un panache rouge.

— Celui de Polynice ? Impossible, il attaque Etéocle à la porte de Dirké. Ils n'attaqueront plus ici, je viens d'envoyer la moitié de mes hommes en renfort à Etéocle.

— Arrête tes hommes, Vasco, fais rechercher l'homme au panache rouge."

Il hausse les épaules : "J'y vais."

Ismène nous a rejoints, elle a entendu :

"Ce n'est pas Polynice, tu aurais vu sa cuirasse dorée."

J'essaie de la croire, mais je n'y parviens pas. Elle voit mon visage crispé par l'angoisse et je sens la crainte entrer en elle.

Soudain un bruit d'acclamation vient de la ville, et je distingue le bruit du trot rapide et lumineux de Jour. Etéocle est là, Vasco est stupéfait mais quand il le voit déboucher il le salue en criant : "Victoire !" Tous les soldats reprennent triomphalement ce cri.

Etéocle saute de cheval et vient vers nous avec son casque au panache noir et son grand manteau rouge. Il fait signe aux soldats de cesser leurs acclamations.

Il voit la rue effondrée, les Nomades et les chevaux morts. Il dit à Vasco :

"Plein succès, mais où est Polynice ? Il n'est pas venu à la porte de Dirké ni chez Hémon. Est-ce qu'il ne nous prépare pas un tour à sa façon ? Informe-toi, envoie des messages à toutes les portes."

Je crie : "Etéocle, j'ai vu dans la charge un panache rouge. Si c'était lui ?"

Je vois qu'il a déjà pensé à cela, et qu'il a peur. Il se reprend :

"Et sa cuirasse ?

— Il n'y avait que des cuirasses de cuir.

— Alors ce n'est pas lui !"

Il déclare cela avec force mais s'approche vivement de la tranchée. A ce moment un cheval, à demi enterré sous les cadavres, parvient en hennissant à se soulever sur ses antérieurs, sa tête noire ensanglantée apparaît. Pas de doute, c'est Nuit.

La réaction d'Etéocle est immédiate, il enlève sa cuirasse, je fais de même et nous sautons dans la tranchée. Il crie à Vasco :

"Arrange un escalier, viens nous aider... fais apporter de l'eau."

J'atterris sur le ventre d'un cheval qui remue encore, je tombe, je suis couverte de sang, Etéocle aussi. Nous nous efforçons de déplacer le corps de Nuit mais il se débat. Etéocle crie :

"Une masse, vite !"

Un homme saute près de moi et la lui donne, c'est Vasco. Je supplie Etéocle :

"Ne fais pas cela, ce cheval..."

Il me repousse :

"Il le faut, pour savoir si Polynice est en dessous.

— Et s'il est bien mort !" dit sauvagement Vasco.

Un coup sourd, une sorte de hennissement déchirant et Nuit s'écroule. Des soldats aident Etéocle à déplacer son corps. Sous lui il y a ce que je craignais : le panache rouge, et dans l'enchevêtrement des victimes un corps plus vaste que les autres étendu sur le ventre et dont on ne voit pas le visage. Vasco est le plus rapide, il arrache le casque de cuir avec le panache rouge et on voit apparaître, reconnaissable entre toutes, la chevelure blonde de Polynice. Vasco s'apprête à retourner le corps sans précaution. Je dis : "Doucement, doucement", et je repousse Vasco que j'entends murmurer : "Il est mort, il faut qu'il soit mort !"

Etéocle, épouvanté de voir Polynice, ne sait plus ce qu'il fait et demeure là, frappé de stupeur, sa masse sanglante à la main. Vasco dit : "Donne", et il la lui remet sans comprendre. Alors je crie, Ismène aussi et elle se laisse glisser dans le trou pour se précipiter vers nous. J'empêche Vasco de passer, il me repousse violemment et lève la masse. A ce moment Etéocle comprend ce qui se passe, il bondit en avant et d'un coup de tête renverse Vasco, lui arrache la masse et la jette au loin.

Avec Ismène je soulève la tête de Polynice. Il respire, Etéocle s'en assure aussi et dit : "Vite, dégageons-le !"

Il appelle Vasco, celui-ci, complètement désemparé, se relève avec peine. Mais quand Etéocle lui dit : "Je ne pouvais pas faire autrement", et lui donne des ordres précis, Vasco cesse de se poser des questions et retrouve son étonnante efficacité. Grâce à lui des hommes viennent nous aider à libérer Polynice, à glisser sous son corps un brancard et à l'aide d'un escalier rudimentaire à le sortir de la tranchée.

Il faut de l'eau, beaucoup d'eau et on nous en apporte. Nous étendons Polynice sur le manteau rouge d'Etéocle, nous enlevons sa cuirasse, nous le dévêtons pour voir s'il est blessé. Nous le lavons d'abord, que son corps est beau, nu, inanimé, avec heureusement sa poitrine qui se soulève légèrement.

Il est blessé au bras gauche mais rien n'est cassé, en tombant il a reçu un grand choc sur la tête, c'est ce qui a provoqué l'évanouissement dont il commence à sortir. Je le fais boire, Ismène lui donne un peu d'alcool, nous lui pansons le bras et j'étends un baume sur sa blessure à la tête.

Pendant ce temps Etéocle et Vasco reçoivent des messages des diverses portes et y expédient des ordres. J'entends que le combat tourne à notre avantage partout sauf à la porte d'Athéna où Hémon est en difficulté. Etéocle envoie Vasco à son secours avec toutes les troupes encore en réserve.

Polynice respire mieux, j'ai préparé le breuvage que Diotime donne aux blessés graves et Ismène le lui fait boire. Etéocle la regarde faire et quand il voit que Polynice commence à se ranimer, son visage s'empreint d'une douceur que je ne lui ai jamais vue.

Ismène dit : "Il revient."

Il ouvre les yeux, il dit : "Mes sœurs", comme s'il ne voyait que nous et n'entendait pas les cris des mourants, les hennissements des chevaux qui montent de la tranchée et de l'abîme des cités perdues. Son regard se fixe sur Ismène, il lui sourit, puis il me voit, encore à demi couverte de sang. Il murmure : "Toi, ma petite sœur… Toujours là où il ne faut pas !…"

Son regard nous dit : Aidez-moi à me relever.

Nous le soutenons, nous l'asseyons. Il voit Etéocle, encore couvert du sang de Nuit qui donne des ordres. Il est stupéfait, il dit :

"Je suis prisonnier ?"

Ismène court à Etéocle qui nous rejoint et proteste :

"Toi, prisonnier, jamais ! Tu es libre !"

Polynice ne répond pas, son regard se détourne, il voit la tranchée pleine de chevaux morts et de cadavres de Nomades. Il voit la grande forme noire de Nuit et son front fracassé :

"Lui aussi, celui que tu m'avais donné. Qui était toi, qui était nous. En bien meilleur… Tu l'as tué pour… pour ta couronne volée."

Etéocle porte sur son casque une mince couronne, il la saisit, il la brise sur le sol :

"J'étais sûr que tu viendrais à la porte de Dirké, là nous aurions pu nous battre à armes égales… Tu n'es pas venu."

Polynice tourne à nouveau les yeux vers le cadavre béant de Nuit, il ne peut croire au désastre, il se détourne et fixe Etéocle en silence. Etéocle recule, il a honte, au plus profond de cet irrésistible pacte qui le lie à son frère, comme s'il avait trahi ce qui les a unis dans le ventre de Jocaste. Et moi qu'ils ont fait abusivement entrer dans leur union, je ressens aussi cette honte, je la vis avec eux mais je ne puis rien pour libérer Etéocle du mépris de son frère.

Polynice, avec notre aide, se redresse, quand il est assuré sur ses jambes, il demande son armure. C'est Etéocle qui la lui apporte et l'en revêt.

D'Ismène il exige son casque, du vin, de moi le breuvage de Diotime qu'il avale d'un trait. Nous lui obéissons et bien que la ville retentisse des suites de son attaque et de la joie de sa défaite, il est toujours le roi. Il a retrouvé des forces mais encore hésitantes, et nous voyons tous les trois ce qu'il veut. C'est moi qui me risque, je lui dis :

"Polynice, attends d'être guéri."

Il ne répond pas et quelque chose, qui rappelle en très douloureux le rire éclatant d'autrefois, anime un instant son visage.

Il fixe Etéocle et le contraint des yeux à remettre lui aussi sa cuirasse. Des messagers affluent venant des remparts et des portes, Etéocle leur répond brièvement et les renvoie mais Polynice apprend ainsi l'étendue de son échec et celle de la victoire de son frère. Très pâle sous son bandage, le visage calme et impassible, il n'a jamais été aussi beau. Les soldats, qui ont fini leur travail meurtrier le long du gouffre et de la tranchée où sa cavalerie s'est engloutie, forment un large cercle stupéfait et silencieux autour de nous.

Je saisis le bras d'Ismène, je lui souffle :

"Il faut les arrêter, ils sont fous."

Elle serre ma main dans la sienne :

"Impossible ! C'est leur affaire à eux, rien qu'à eux."

Je sais qu'elle a raison mais je cours vers Etéocle :

"N'accepte pas, ce serait un assassinat."

Et lui, les yeux toujours captés par ceux de Polynice :

"C'est lui qui commande, Antigone, tu le sais."

Polynice fait un pas vers son frère :

"Pourquoi cette abominable traîtrise ?" Etéocle recule sans répondre, Polynice exige : "Pourquoi, dis-le !" Il continue à avancer et à chacun de ses pas, Etéocle recule. Soudain il se reprend, fait face :

"Vous étiez les plus forts, il fallait sauver Thèbes."

Polynice s'indigne :

"Mais je suis Thèbes autant que toi. Thèbes est notre mère à tous deux."

Le visage d'Etéocle se ferme :

"Tes Barbares l'auraient détruite.

— C'est pour cela que j'ai chargé à leur tête. Moi… laisser détruire Thèbes !"

Il fait un nouveau pas vers Etéocle et celui-ci ne recule plus. Ils sont face à face et Polynice dit :

"Mets-moi mon casque ! Allons !"

Etéocle lui met le casque au panache rouge. On ne voit plus son pansement et nous retrouvons étrangement pâle notre frère, le guerrier solaire. Etéocle a mis lui aussi son casque au panache noir et son armure argentée brille tandis qu'une formidable clameur où retentit son nom vient à nous de la cité délivrée.

Etéocle tend ses armes à Polynice et prend les siennes, il profère d'une voix blanche : "Où ?"

Polynice montre de la main la terrasse qui surplombe la porte : "Là !"

Ils vont vers l'escalier, écartant sans un mot les soldats qui les entourent, dont l'explosion de joie de la ville souligne le silence effrayé.

Ismène cherche à me retenir, mais je m'arrache à elle pour suivre leur marche de géants. Quand ils approchent de l'escalier, je les devance, je me poste sur la troisième marche et je les supplie d'arrêter.

Ils ne s'arrêtent pas et comme je leur barre le chemin, ils me saisissent chacun par une main et sans un mot m'envoient rouler sur le sol. En tombant j'entends le son métallique de leur pas sur les marches. Je me retrouve en piteux état, les mains écorchées, entre les bras d'Ismène et de deux autres femmes. J'entends, j'entendrai toujours le pas de mes frères dans l'escalier. Je veux crier, je veux agir mais Ismène me met très fermement la main sur la bouche et me force à me calmer. Nous montons l'escalier derrière eux et Ismène me répète :

"C'est entre eux, rien qu'entre eux. Ils te tueront si tu interviens encore."

Je sais qu'elle a raison et qu'il faut, comme Œdipe, que je cesse de vouloir en continuant à espérer. Je sais cela mais, maintenant, je ne suis plus la fille d'Œdipe, je suis sur un autre chemin, où un irrécusable refus en moi s'élève, et hurle et me fait violence.

Etéocle et Polynice se font face pour l'inégal et intolérable combat. Nous voyons renaître les superbes geste qu'Œdipe leur avait appris et dont ils se saluaient autrefois avant d'entamer les joutes de leur adolescence et de leur jeunesse. Dès que le combat commence on voit que malgré nos soins et le breuvage de Diotime, Polynice affaibli par ses blessures a perdu l'étonnante vitesse d'exécution qui assurait sa supériorité. Etéocle ne cherche pas à le blesser, encore moins à le tuer mais Polynice ne supporterait pas que son frère ait l'air de l'épargner. Il tente donc, par des coups formidables, de briser les forces de Polynice et de l'obliger à arrêter le combat. Par malheur un de ses coups, que Polynice jadis aurait paré sans peine, atteint le bras blessé de notre frère. Celui-ci ne peut s'empêcher de crier de douleur, il doit laisser tomber son bouclier et se trouve à demi désarmé devant Etéocle qui ne poursuit pas son attaque. Comment le croire, Polynice se retourne, il court vers l'escalier. La chose impensable a lieu : Polynice s'enfuit.

Nous nous précipitons vers lui pour lui ouvrir nos bras et pleurer avec lui sur la vaine gloire des héros. Etéocle, pétrifié en voyant sa fuite, a baissé les armes, il les jette sur le sol, comme a fait son frère. Arrivé à l'escalier devant lequel nous sommes, Polynice se retourne, il a l'espace qu'il faut pour son élan. Il crie, il court de toutes ses forces vers Etéocle qu'il saisit à bras-le-corps et précipite avec lui au-dessus du parapet, dans le vide. Il y a un instant d'affreuse surprise puis un double et interminable cri de détresse suivi du choc des deux corps sur le sol.

Il n'y a pas d'après car Ismène se ressaisit immédiatement et me fait dévaler l'escalier avec elle. Nous arrivons à la porte. L'officier de garde est là, tous ses hommes en alerte. Nous arrivons à bout de souffle mais Ismène parvient à dire avec une remarquable autorité :

"Faites ouvrir les portes, comme prévu."

L'officier la reconnaît, il a pourtant un instant d'hésitation :

"C'est pour le second simulacre ?

— C'est pour cela."

Il donne l'ordre, les hommes s'affairent. Il dit à Ismène :

"Faites vite, un groupe important de Nomades s'est échappé et va tenter de revenir."

Les portes s'entrouvrent : "Cela suffit, dit Ismène, nous ferons vite !"

Nous passons, nous courons, je voudrais aller très vite mais Ismène ne peut me suivre, elle freine mon désir d'être déjà près du tas noir et brillant qui occupe mon regard. Soudain je l'entends qui pleure :

"Je ne peux pas aller si vite, je vais tomber. Va toute seule."

Je ne peux pas la laisser seule, je m'arrête pour qu'elle reprenne son souffle, je la soutiens, elle est devenue très lourde, nous repartons. Est-ce que je la porte, je ne sais plus car mon regard est capté par ce qui est arrivé et ce qui survient à mes frères.

Etéocle est tombé par-dessous, il a eu le dos brisé, sans doute est-il mort. Polynice est cassé lui aussi, il va mourir, il le sait.

Pourquoi faut-il qu'il rampe vers Etéocle, qu'il le touche, l'embrasse sur l'épaule et levant d'un ultime effort son bras, écrase son poing sur son visage. Pourquoi dois-je voir ce sang ? Apercevoir Etéocle, que la douleur et l'aveuglement réveillent, saisir ce qu'il trouve sous sa main et frapper Polynice du pommeau de son glaive ?

Ismène n'a rien vu, pourquoi m'avez-vous rendue voyante ? Ismène tombe, il me semble que je n'ai plus de force, pourtant nous avançons je ne sais comment, vers les deux corps. Je vois, je vois de nouveau les deux frères qui font d'horribles efforts pour se rapprocher l'un de l'autre. Ismène les voit, est-ce qu'elle verra aussi l'horreur recommencer ? Ils ne voient plus ni l'un ni l'autre, ils se touchent, elle voit comme moi qu'ils s'ouvrent les bras. Elle entend, comme moi, Etéocle qui dit : "Pourtant frère je t'aimais."

Et Polynice : "Moi aussi je t'aimais."

Il y a un râle, Polynice crache du sang, il meurt. Nous fermons ses yeux. Etéocle, le visage sanglant, nous voit, fait un effort immense pour nous parler, sa phrase se perd, nous entendons seulement : "Le bruit !"

Quel bruit, qu'avons-nous à faire de cet énorme bruit qui semble venir vers nous et des cris qui viennent des remparts. Nous fermons les yeux d'Etéocle. Nous voulons pleurer, seulement pleurer, agenouillées devant les deux corps réconciliés.

Soudain Hémon est là, il s'agenouille, il embrasse le front d'Etéocle. Il nous relève, il nous emmène de force, pourquoi, pourquoi ? Ismène gémit : "La porte est trop loin, je n'ai plus la force."

Et lui : "La porte est fermée, nous allons au mur, il y a deux cordes, vite les Nomades vont charger."

Enfin je comprends, le bruit ce sont les Nomades qui arrivent sur nous. Ismène le comprend aussi et parvient à marcher. Je la tire d'un côté, Hémon de l'autre, nous courons. Elle tombe de nouveau, Hémon avec sa force merveilleuse la soulève et parvient à la porter jusqu'au mur.

Il y a deux cordes, je dis :

"Monte avec Ismène, seule elle n'arrivera pas."

Je les attache, ils montent vite, la corde a une poulie, celle à laquelle je m'attache n'en a pas, on me hisse mais cela va lentement.

Un homme bleu m'a vue, il fonce vers moi, il ne m'atteint pas mais sa lance déchire ma robe. Son cheval se cabre en face du mur, il va m'atteindre d'un second coup, à ce moment une flèche le frappe, il tombe. Et j'entends la voix d'Hémon qui crie :

"Tirez, tirez plus fort."

Mon corps, en frottant contre le mur, freine l'effort de ceux qui me hissent. De tous côtés des flèches, des pierres, des poutres s'abattent sur les Nomades qui doivent longer nos remparts avant de pouvoir fuir. Mon corps se blesse au mur, en dessous de moi je vois un tourbillon de corps et de chevaux qui tentent de s'échapper. Je ne pense plus à me protéger, à me sauver, je suis submergée par un immense mal au cœur, par le malheur et la souffrance. L'ascension s'accélère, des bras vigoureux me font franchir l'obstacle du parapet. Je vois devant moi Hémon, hirsute, le visage enflammé, la cuirasse toute rabotée et griffée par les pierres du rempart, qui veut me prendre dans ses bras, me saisir, me porter. Je ne puis que crier non et me pencher au-dessus du parapet car je crois que je vais vomir. Des spasmes me font gémir, mais je ne peux pas, même pas, vomir. Je ne peux que supplier : De l'eau... de l'eau ! Partout des cris de joie, les signes du bonheur tandis que plane sur moi un malheur immense. J'avais tellement mal au cœur, que je l'avais oublié. Le malheur plonge sur moi comme un aigle et me déchire de ses serres. Hémon revient, encore tout bouillonnant de l'action, de la victoire, de la joie de m'avoir sauvée, il m'apporte de l'eau dans son casque :

"Tu peux la boire, elle est bonne. On va venir te soigner."

Il voit mon visage, il comprend, la douleur remonte en lui, il dit :

"Etéocle est mort." Il ne veut pas pleurer dans la joie générale mais je vois qu'il s'afflige et pleure en lui-même avec moi.

Des soldats, des hommes et des femmes du rempart, maintenant que le danger est passé et que les ennemis font retraite, nous entourent. Ils acclament Hémon, ils crient : Thèbes ! Et : Victoire ! Je vois qu'il faut nous séparer, je ne peux m'empêcher de murmurer :

"Mes pauvres frères, Etéocle et Polynice."

Hémon se raidit, s'éloigne de moi : "Pleure toute seule Polynice, qui a tué son frère, qui nous a attaqués avec des étrangers. Seul Etéocle mérite nos larmes !"

Il bondit sur le parapet, il élève très haut l'arc de Timour, je le vois tout autre, superbe et sau-vage comme il doit être dans le combat, il crie :

"Victoire ! Victoire à Thèbes, à Etéocle le héros. Honneur à Vasco qui nous a vengés des Nomades."

Et tous ceux qui l'entourent qui me pressent de toutes parts de leur terrible joie crient victoire. Moi seule, je ne crie pas comme je voudrais tant pouvoir le faire. Je ne crierai pas victoire pour Etéocle qui, en lui prenant la couronne, est entré dans l'orgueilleuse folie de Polynice. Je les aime, je les aimerai toujours tous les deux. Tous ceux qui acclament Etéocle et pensent que Polynice était l'ennemi de Thèbes ne peuvent pas me comprendre. Hémon non plus qui m'aime tant. Une seule peut me comprendre, partager mon malheur et la joie de la libération de Thèbes, c'est Ismène, pourquoi ne sommes-nous pas ensemble ? J'écarte ceux qui m'entourent, je ne pleure plus et c'est impérieusement que je dis à Hémon : "Où est Ismène ?

— On l'a emmenée au palais pour la soigner.

— Pourquoi pas chez elle ?"

Il ne répond pas, et j'entends que son silence veut dire : Créon.

Un messager arrive, Hémon lui parle puis vient vers moi, je pleurais sans doute car il essuie mes larmes.

"On m'appelle au palais, viens avec moi."

Aller au palais me fait horreur, je supplie : "Reste avec moi !"

Il dit : "Créon..."

Je comprends et dis : "Je t'attendrai..."

Il part à regret, je m'assieds sur le parapet, je regarde vers la plaine où s'éloignent les derniers groupes de cavaliers nomades, je me bouche les oreilles pour ne plus entendre les voix qui célèbrent Etéocle et maudissent Polynice. Toute la ville est en tumulte, le vin coule dans les maisons en fête et dans les rues, les enfants courent en agitant les couleurs de Thèbes et en faisant résonner des cymbales.

Je cherche du regard l'emplacement où étaient les corps de mes frères. Ils ont été emportés et je ressens un grand soulagement en pensant qu'ils sont déjà protégés dans nos murs et qu'on va leur rendre les honneurs funèbres. Je vois s'ouvrir la porte… Vasco en sort seul, c'est lui sûrement qui s'est occupé des deux corps. Il va jusqu'au lieu de leur chute, je sais qu'il pleure et je pleure avec lui, je ne suis plus seule, il se prosterne devant les traces de leur agonie et je me prosterne comme lui. Il retourne vers la porte, il est perdu dans son chagrin, il ne lève pas les yeux sur les remparts où je suis pourtant, aussi ébranlée, aussi désorientée que lui par l'irréfutable événement.

Il est entré dans la ville, la porte s'est refermée, le soleil est au zénith, il me brûle, mes blessures et mes éraflures me font souffrir. A l'aube Ismène et moi étions ici en armes, enflammées, angoissées par la proximité de l'assaut.

Maintenant les assaillants sont morts ou en fuite, des milliers de Thébains ont été tués ou blessés, nos deux frères sont morts et il n'est que midi. Comment est-ce possible, comment puis-je vivre qu'en si peu de temps tout ait été ainsi bouleversé ? C'est ce qui est pourtant et Ismène avec son esprit clair doit être en train de soupeser ce fait impénétrable : Sans rien faire, Créon est sorti vainqueur du conflit. Il est le maître. Là, un cri de tout mon être : Pas le mien ! Il n'est pas le mien mais celui d'Hémon qui ne revient pas. Près de moi, en désordre sur le sol, les deux cordes qui nous ont sauvées des Nomades. Sans elles, sans Hémon, de notre famille il ne resterait personne.

Deux jeunes filles s'approchent :

"Le prince Hémon nous envoie, vous êtes blessée, nous allons vous soigner, vous transporter ensuite."

"Chez moi ?"

Elles ne répondent pas. Qu'elles sont bonnes et attentives, que leurs mains sont légères. Elles me font boire, m'étendent sur une couverture très douce, examinent mes blessures et mes éraflures qu'elles soigneront bientôt. Elles m'installent un peu à l'ombre, elles reviendront très vite.

Je sais que je devrais partir avant qu'elles ne reviennent. Je n'en ai pas la force, je vais m'endormir, c'est sûr.

Quand je m'éveille, elles sont quatre, en train de me descendre d'un chariot. Elles me portent sur une civière avec des mouvements mesurés. Je suis brisée, je n'ai pas mal pourtant, pas encore. Je ne suis pas à la maison, je ne vois pas le jardin ni le grand cerisier, il n'y a ici que des pierres, les grandes pierres du palais d'où Œdipe a été chassé jadis. Avec des gardes devant les portes.

Je proteste : "Je ne veux pas aller au palais, c'est chez moi qu'Hémon va venir."

Elles sourient : "Le prince Hémon vous verra au palais. Le roi l'a dit."

Ainsi Etéocle et Polynice ne sont pas seulement morts, ils nous ont livrées au pouvoir de Créon. Heureusement qu'Ismène, comme toujours, saura comment faire. Je ne puis résister au doux mouvement que les jeunes filles impriment à la civière. Je suis sans force, je voudrais mourir comme mes frères et chose absurde j'ai peur. Peur de Créon ? Peur de quoi ? Que puis-je perdre encore ?

Elles me conduisent dans une grande chambre. Il faut que je boive, j'en ai besoin, je bois pour leur faire plaisir. Je dors à demi, elles me soignent, me pansent avec des doigts habiles. Je voudrais voir Ismène, c'est impossible, elle repose. Hémon, pourquoi ne vient-il pas ? Il viendra, il négocie avec les chefs de l'armée ennemie en retraite.

Toutes les heures elles m'éveillent pour me faire boire : "Vous êtes blessée, vous avez la fièvre, il faut beaucoup boire." Elles alternent à mon chevet, elles sont bonnes, elles sont belles, elles sont inexorablement douces.

Je m'endors, je suis incapable de me lever seule, venant de la ville un grand tumulte emplit la chambre, qu'est-ce que c'est ? Celle qui veille à mon chevet dit : "Dans la ville, c'est la fête."

La fête, comment est-ce possible le jour où mes frères sont morts ? Elle ajoute : "La fête de la victoire."

Les deux autres sont à la fenêtre, elles grillent d'envie de sortir toutes les trois. Je dis : "Allez-y, vite, je n'ai pas besoin de vous, je vais mieux."

Elles ne bougent pas, elles se taisent, comme Créon qui a tout raflé sans rien faire.

J'insiste : "Partez, dépêchez-vous."

Une finit par dire : "Nous devons rester près de vous."

Je pense à Jocaste, je me redresse comme elle aurait fait :

"Je suis donc prisonnière. Ne protestez pas, inutile ! Allez dire au prince Hémon que j'ai besoin de le voir, très vite."

Elles se concertent, l'une des trois sort. Je tente de rester éveillée mais je m'endors. Je rêve de mes frères enfants qui veulent que je les tienne dans mes bras. Je pleure, quelqu'un pleure avec moi : c'est Hémon, je sens sa forte épaule secouée de sanglots. Il n'a pas besoin de parler je sais qu'il pleure Etéocle, l'ami, l'initiateur, le compagnon des bons et des mauvais jours, celui qui lui a donné le courage d'oser dire qu'il m'aimait.

Nous pleurons ensemble mais moi j'unis les deux noms dans ce qui n'est plus un espoir mais, ténébreusement, une prière.

Hémon qui était à genoux près de moi se relève :

"Demain nous célébrerons les funérailles d'Etéocle en présence du peuple. Ismène t'assistera pour les rites qui reviennent aux femmes. Repose-toi, mange pour être vaillante.

— Et les funérailles de Polynice ?

— Ceux d'Argos s'en chargeront. Ils l'aimaient beaucoup. Après la cérémonie d'Etéocle je partirai un ou deux jours pour surveiller la retraite des gens d'Argos et des Nomades.

— Ne nous laisse pas seules trop longtemps."

Il dit : "Je ferai vite." Il va vers les jeunes filles et leur dit sèchement :

"Ne donnez plus aucun remède à Antigone, vous lui avez fait mal."

Elles sont impressionnées mais pourquoi ne leur dit-il pas de me laisser libre ? Il ne peut pas, ce sont les ordres de Créon. Il revient vers moi, ses yeux sont encore rouges mais ils brillent d'un espoir nouveau :

"Quand la paix sera assurée, Antigone, toi et moi nous quitterons Thèbes."

Je sens ses paroles résonner dans tout mon corps. Est-ce qu'un espoir pourrait encore être possible ? Comme il le faut, Hémon s'en va, en franchissant la porte il se retourne et tout son grand corps affligé me sourit. Je voudrais lui répondre mais mon visage, qui se sent abandonné, s'y refuse.

Une des jeunes filles se couche sans mot dire au pied de mon lit, les deux autres s'étendent devant la porte, c'est l'ordre de Créon. Je me retourne vers le mur, je veux m'endormir et je m'endors.

XVIII

LE BÛCHER

Quand je m'éveille les trois jeunes filles sont là, affreusement présentes pour cette journée de malheur. J'ai faim, j'ai soif mais je refuse ce qu'elles veulent me faire prendre, elles me pressent de boire au moins un peu, je ne réponds pas et je renverse le verre. A ce moment entre Ismène qui apporte un plateau, elle dit aux trois filles :

"Laissez-nous, nous mangerons ensemble, ensuite vous pourrez l'habiller pour la cérémonie."

Elles sont contrariées, elles font semblant de partir mais nous entendons qu'elles demeurent de l'autre côté de la porte.

Ismène est très pâle, elle dit : "C'est intolérable", puis elle hausse les épaules, impuissante.

Il n'y a plus que nous deux, Thésée et Clios sont trop loin, Hémon peut encore nous protéger mais pour lui Polynice est un traître. Nous sommes seules, à ne pas choisir entre nos frères et à les aimer ensemble, malgré leurs crimes.

Ismène se lève : "Il faut nous préparer, il faut être belles pour honorer Etéocle."

Elle soupire et s'en va. Les jeunes filles entrent immédiatement, elles me soignent, elles me coiffent, elles m'habillent avec leur douceur inflexible. Elles m'entourent de leurs mains agiles, nous sommes quatre jeunes filles, c'est moi la

275

plus âgée, celle qui devrait depuis longtemps être une femme et une mère. Je suis la plus grande, la plus forte, celle qui a connu la route, mais elles sont plus jolies, plus fines et savent toujours, comme Ismène, où se trouve le pouvoir.

J'aime, c'est vrai, sentir leurs mains qui me soignent et en même temps je les déteste car je suis leur prisonnière.

"Pourquoi ce garde armé devant ma porte ?"

Elles sourient, elles l'ignorent, c'est le roi qui le veut. Le roi, le roi Créon, celui qui depuis longtemps souhaite ma mort à cause de son fils, mais qui avait peur d'Etéocle. Ismène me l'a dit : "A cause de lui Créon filait doux, maintenant il filera serré, très serré."

Peut-être, mais il ne me prendra pas dans ses serres. Je partirai bientôt avec Hémon. Une maison loin de Thèbes, des champs, des enfants. Comment le croire ?

J'ai l'esprit encore embrumé par les drogues que les trois souriantes m'ont fait avaler hier. Elles entourent ma taille d'une large ceinture du rouge indomptable de Thèbes, me mettent un collier et des bracelets, elles disent avec respect : les bijoux de la couronne. Je les arrache, je les jette sur le sol, ils me font horreur. Est-ce qu'elles me prennent pour une vraie princesse ? Est-ce qu'elles n'ont pas vu mes mains, est-ce que seules entre toutes les Thébaines elles n'ont pas entendu mes cris de mendiante ?

Nous sortons, je suis encore un peu vacillante, avec quelle gentillesse, quelles attentions elles me guident, me soutiennent, car il ne faut pas que je m'échappe. Je ne veux pas m'échapper, je veux rendre les honneurs funèbres à Etéocle et partir ensuite à Argos avec Ismène pour honorer la mémoire de Polynice.

L'air frais, la marche me rendent les forces qu'elles ont tenté d'endormir. Ismène est là, pâle, un peu fardée, éblouissante de beauté sous son voile, portant comme moi les couleurs sanglantes de notre cité. Je veux la rejoindre, prendre son bras. Les trois souriantes ont peur, se figurent que je veux fuir, se cramponnent à moi. Elles croient, ces mauviettes, que j'ai marché dix ans à travers la Grèce brûlante ou glacée, sans développer mes forces. Elles ignorent que j'ai sculpté dans sa falaise l'Aveugle de la mer, et que mes mains ont forcé Polynice à crier grâce. Nous entrons dans un couloir plus étroit, je repousse les deux souriantes, je les plaque de chaque côté contre les murs et j'appuie un peu. Elles ne rient plus, elles ont mal, si je voulais je les ferais crier mais, comme Jocaste, je dédaigne de le faire et pour elles c'est pire. Je les lâche, je me retourne et mon regard suffit à faire reculer de plusieurs pas celle qui me suivait. Je dis :

"Assez, ne me touchez plus, plus jamais !"

Elles ont peur, elles ont compris et Ismène qui a tout vu est heureuse. Du fond de sa détresse elle me fait une sorte de sourire auquel je réponds comme je peux. Je prends son bras, nous sommes deux, encore deux de la lignée d'Œdipe et de Jocaste. Prends garde, malheur, nous nous battrons !

Nous avançons nous soutenant l'une l'autre et je sens la démarche un peu dansante d'Ismène s'imposer doucement à la mienne. Nous arrivons sur la place, la foule est là qui s'ouvre devant nous avec un murmure puis une houle de compassion.

Au-dessus des marches qui mènent à l'assemblée, Créon est assis sur un trône, les conseillers debout à ses côtés. Beau, calme, majestueux, il se lève à notre arrivée et nous salue de son sceptre avec sa dangereuse courtoisie qui nous force, bien à contrecœur, à lui répondre.

De l'autre côté de la place, debout, adossé à une haute pierre, le corps d'Etéocle est entouré de bandelettes rouges et noires aux couleurs de Thèbes, le visage recouvert d'un masque d'argent d'où s'échappe sa toison fauve.

Surélevé par le bûcher qui bientôt va le consumer, le corps d'Etéocle est énorme, dominateur. Ismène le ressent aussi et nous nous arrêtons ensemble, étreintes par cette présence royale de la mort qui fait sentir la vanité de la puissance terrestre de Créon. Le corps d'Etéocle adossé à la pierre, au pied d'un vaste mur, nous surplombe comme la vague que j'ai sculptée jadis dans la falaise avec Œdipe et Clios. Ce souvenir me submerge, m'envahit tout entière avec le tumulte d'une tempête.

J'ai dû prononcer le mot naufrage car Ismène se tourne vers moi et me souffle :

"Ce n'est pas vrai, Etéocle, comme Œdipe, est toujours sur la route."

Je pense : Sur la route des passions. Elles sont là, toujours là, dans la puissante torsion du grand corps, sous la sérénité du masque d'argent où apparaît encore avec une sorte d'énergie, de survie farouche, l'ombre du sourire disparu.

Quand nous parvenons à la place qu'Hémon, qui se tient au pied du bûcher, nous assigne, les trompettes sonnent. Créon se lève et dit :

"Que les femmes et les prêtres accomplissent les rites qui conviennent au roi mort et au héros de Thèbes."

Les femmes, c'est nous : les deux sœurs. Je dis tout bas à Ismène :

"Accomplissons les rites pour nos deux frères et au nom de toutes les femmes."

Elle m'approuve d'un signe.

Quand ils sont terminés, que nous avons déposé du sel sur les lèvres d'argent d'Etéocle et fait brûler de l'encens autour de son corps nous reprenons nos places près d'Hémon. Il est très ému et semble attendre quelque chose qui n'a pas été prévu par le cérémonial. L'événement se produit et Vasco pénètre sur la place, tenant Jour, l'étalon blanc d'Etéocle. Magnifiquement nu sous le soleil, Jour semble danser en traversant la foule et son rayonnement d'aurore sauvage rappelle irrésistiblement celui de Polynice. Un murmure d'admiration s'élève de la foule, Créon, impassible, ne laisse pas voir qu'il est surpris.

Hémon présente le cheval au peuple comme si c'était un dernier hommage à son roi mort. Nous sommes transpercées, Ismène et moi, par la splendeur de l'étalon, par la présence en lui de nos deux frères et par le contraste de son corps blanc avec le corps noir et rouge et le masque d'argent d'Etéocle.

Vasco se trouve un instant près de moi, il murmure :

"Je t'ai menti, je voulais... je voulais... Trop tard..."

Je lui réponds : "Tu avais le droit. Tu peux."

Qu'ai-je dit, je l'ignore. Je l'ai dit, impossible maintenant de reprendre cette parole. Le visage désespéré de Vasco s'éclaire un instant. Il s'éloigne, il saisit près du mors la rêne gauche de Jour, Hémon la droite. Le cheval effrayé tente de se cabrer. Hémon et Vasco ont soudain des couteaux dans les mains, ils sacrifient Jour qui, avec des hennissements, vacille et s'abat sur le bûcher.

Ismène crie, je crie aussi et mes oreilles s'emplissent et débordent du gémissement oppressé de la foule. En face de nous la pesante immobilité de Créon m'écrase et m'aveugle. Je ne veux plus la voir, un autre regard m'appelle. Au moment où ils ont poignardé l'étalon, où ils ont poignardé le jour, Hémon s'est écarté d'un bond pour éviter le sang. Vasco n'a pas fait de même, c'est avec un visage couvert de sang qu'il me regarde et tente de capter mon regard. Je ne lui refuse pas le mien, je vois qu'il est décidé à prendre le droit que, sans savoir ce que je faisais, je lui ai accordé. Son regard, dans un échange très intense, me dit l'amour qu'il avait pour Etéocle et l'impossibilité de vivre sans lui. Je crie, je crie son nom qui est tout ce que je sais de lui.

Hémon, aidé par les gardes, a étendu le corps de Jour sur le bûcher d'Etéocle. Vasco lève son bras, le couteau brille un instant, et le coup est mortel. Il tombe sur le corps ensanglanté de Jour avec lequel il semble se confondre.

Ismène a tout vu, je sens ses jambes fléchir et nous tombons un instant à genoux devant ces deux formes glorieuses de la mort.

Hémon nous relève avec une grande douceur puis bondit vers Créon. Dans le silence, coupé de sanglots sourds, qui s'est étendu sur la foule nous l'entendons demander à son père le droit de ne pas séparer dans la mort le corps du roi de ceux qu'il aimait et qui l'ont si bien servi. Créon est saisi par la grandeur de l'événement, il se lève et approuve en abaissant son sceptre.

Avec l'aide des prêtres, Hémon pose des bûches sur les corps de Vasco et de Jour, puis il étend au-dessus d'eux la dépouille d'Etéocle. Il prend une torche, allume le bûcher à l'orient, puis à l'occident. Ses gestes conviennent à notre douleur. Je pense qu'hier à cette heure-ci

Polynice, Etéocle, Vasco et Jour étaient encore vivants.

Hémon, avec ses gestes de feu, prophétise des morts prochaines. Ismène le sent aussi, elle est sur le point de défaillir à côté de moi. Elle est la fille de Jocaste la reine, elle se redresse, elle fait face, elle regarde sans faiblir le feu du destin et jamais son visage ardent et tendre ne m'a paru plus beau.

Avec un fracas terrifiant, le feu grandit, bientôt il atteindra le corps de Jour, puis il réduira en cendres ceux de Vasco et d'Etéocle.

Hémon se tourne vers nous, il voit que nous sommes à bout de forces et nous fait de la tête un signe grave qui veut dire : Vous, ses sœurs, vous ne devez pas voir ce qui va suivre.

J'acquiesce, Ismène aussi, il appelle les femmes qui nous attendent. Nous voulons rester ensemble mais Ismène s'évanouit, épuisée, je ne puis la secourir et, en la transportant, elles nous séparent. Au moment où nous sortons de la place des funérailles une odeur de chair brûlée assaille mes narines. Une odeur qui évoque les viandes, les repas et suscite en moi un affreux désir de nourriture. Il me rappelle le festin des chevaux capturés qui a décidé les Nomades à donner l'assaut à la ville et nous a fait remporter sur eux une abominable victoire.

On a amené une civière pour Ismène et les trois souriantes l'ont emportée. D'autres femmes, plus maternelles, plus dangereuses sans doute m'entraînent loin d'elle. Je voudrais résister, la rejoindre mais je suis si ébranlée par la douleur et par l'émotion que je n'y parviens pas. J'élève une protestation larmoyante qu'elles apaisent avec une inaccessible douceur. Au terme de leurs paroles, de leurs exhortations j'entends toujours ces mots : "le roi". Quel roi ? Celui dont elles ont peur, et tandis qu'elles me poussent, me traînent, me soulèvent le long d'un interminable couloir je commence à le craindre, moi aussi.

Elles disent enfin avec soulagement : "Nous y sommes !" J'ouvre les yeux et je vois une grande chambre blanche, sévère, avec un lit, deux bancs et pas de fenêtre. Je n'ai plus qu'un désir : me coucher, le lit m'attire, je parviens pourtant à dire :

"Où sommes-nous ?"

Elles répondent mes douces, mes solides, mes irrésistibles mamans :

"Vous êtes chez vous."

Je ne suis pas chez moi, cette chambre est une prison mais il faut d'abord que je dorme, que je reprenne des forces. Elles me déshabillent et je me laisse faire, elles emportent mes vêtements, elles veulent me faire boire, je refuse. Alors elles me forcent très doucement et très doucement aussi je crache. Elles semblent déconcertées, elles ont peur, elles voudraient me forcer, mais elles ont peur. De qui ? Elles ont peur d'Hémon. Hémon existe encore, il me défendra, je m'endors avec le sentiment de tomber très lentement du rempart de Thèbes, enlacée à Étéocle et Polynice et attendant avec horreur le cri qui va signifier notre mort. J'entends ce cri, mon cri, à demi étouffé, à demi submergé par l'angoisse. La plus grande, la plus vigoureuse des Parques, s'approche de mon lit avec une lampe très faible et une coupe. Elle dit :

"Vous avez de la fièvre, beaucoup de fièvre, il faut boire."

S'engage alors une lutte ténébreuse avec elles et la soif ardente qui me tenaille. C'est la lutte la plus longue et la plus malheureuse de ma vie, elles parviennent à me faire boire car elles sont trois, pleines de force et de bonté mais, comme je l'ai promis à Ismène je crache tout ou presque tout. Pendant ce combat je vois l'étalon blanc, cabré face au corps d'Etéocle, qui perd goutte à goutte le sang superbe qui finira par me tuer. Je crie : "Hémon, mets sur mon visage le masque d'argent de mon frère pour qu'elles ne puissent plus me faire boire." Et tandis que je chute lentement dans l'abîme, Hémon me crie : "Il faut que tu vives et nous aurons des petits enfants." Pourquoi est-ce que je ne parviens pas à le croire ? Il faut que je vive, il le faut absolument, mais ce ne sera pas pour le bonheur. Les Parques qui veillent sur moi ont déjà tranché trois fils : Polynice, Etéocle, Vasco. Le prochain sera le mien, mais d'abord… D'abord quoi ?

Je cherche à m'échapper, à m'élancer loin du sommeil, à être encore Antigone sur la route, celle qui marchait toujours, pas sans peine, pas sans amour, ni sans des instants de bonheur. Celle qui ne mendiait que pour la vie, la vie d'Œdipe et ma chère vie que j'aimais tant. Qu'il faut que j'aime encore bien que je ne sache plus pourquoi.

Ils m'ont séparée d'Ismène, il ne me reste qu'Hémon, qui est là, miraculeusement, qui m'arrache à mes terreurs, m'aide à m'asseoir, me montre une urne :

"Ce sont les cendres d'Etéocle, dans deux jours je reviendrai et nous irons les jeter dans la mer comme il le voulait.

— Avec celles de Polynice ?

— Ceux d'Argos ont emmené son corps.

— Nous irons à Argos avec Ismène pour la cérémonie ?

— Oui, mais tu es malade, Antigone, tu as la fièvre, il faut dormir.

— Dormir ? Ce sont elles qui me forcent, il y a une drogue dans l'eau mais je crache."

Les Parques s'avancent ensemble, blanches, fortes, souriantes :

"Elle a beaucoup de fièvre, elle délire."

Hémon les croit, alors je me lève, je marche vers elles, je les chasse, elles reculent. Je dis à Hémon très vite :

"Ce sont les femmes du palais qui m'ont rendue malade."

Il doute, je me colle à lui, je lui dis dans l'oreille :

"Dis-leur d'avaler ce qu'elles veulent me faire boire, tu verras !"

Il le leur demande, elles hésitent, la colère d'Hémon jaillit et c'est de sa voix de commandement qu'il ordonne :

"Buvez, toutes les trois, tout de suite !"

Elles boivent sous son regard, elles ont peur et déjà elles sont obligées de s'asseoir.

Hémon va lui-même me chercher de l'eau, il m'aide à me recoucher, il doit partir surveiller la retraite des troupes d'Argos, il reviendra très vite et nous quitterons Thèbes. Il part, je suis triste, le sommeil me prend. Je fais des rêves douloureux, je dois partir, mais mon corps est enlisé et je ne parviens pas à me lever.

Des heures passent et l'urgence grandit. Enfin je m'éveille, à la lumière de la lampe les trois Parques sont endormies, l'une près de l'autre, sur le banc. Elles ont emporté mes affaires, je n'ai qu'un vêtement de nuit.

Au cou de la plus grande, je trouve la clé de la porte. Je la prends, je lui enlève sa robe et ses sandales sans qu'elle s'éveille. Elles me vont, j'ouvre la porte, personne dans le couloir. Je referme soigneusement la porte, je garde la clé, les trois Parques blanches devront attendre avant d'être délivrées et la pire se réveillera nue. Je trouve l'accès du jardin, le soleil va se lever bientôt. Je parviens à marcher sans courir jusqu'au mur d'enceinte que je franchis, comme dans mon enfance, à l'aide d'un arbre dont je retrouve avec joie le parfum et l'écorce rugueuse.

Il n'y a encore personne dans les rues et l'air vif chasse les maux de tête et la nausée qui m'accablaient. Le ciel commence à bleuir, la ville fauve est déserte et respire calmement, ses odeurs, ses bruits, le vent qui se lève, tout me parle comme quand j'y habitais jadis mais cette fois avec un accent de mort.

Je marche, je marche ainsi qu'au temps d'Œdipe, sans savoir où je vais, comme si son vaste dos me précédait toujours et que son pas rythmait encore le cours vacillant de mes pensées.

Je m'aperçois soudain que ma fuite sans but m'a ramenée tout près de la maison de bois. La chère maison que l'affection de K. et celle, si souvent masquée, d'Etéocle ont choisie avec tant de justesse pour moi et pour les pauvres. Je suis étonnée, la grille est fermée, elle ne l'est jamais à cette heure pour que les premiers malades puissent entrer. J'appelle et Dirkos survient, peut-être craint-il que je ne sois poursuivie car il se livre à toute sa mimique de faux aveugle. Il gronde et grogne comme d'habitude mais je sens dans sa voix une angoisse. Il m'ouvre, il n'y a personne, le jardin est vide, où sont celles qui devraient être en train de préparer la soupe et le pain pour les pauvres et de ranger les médicaments pour les malades ?

Dirkos gronde : "Partis, vidés tous par les soldats, ta maison fermée, les provisions et les médicaments emportés. Ordre du roi. Il n'y a que moi qui reste, comme gardien, mais bientôt je serai chassé moi aussi."

Je suis atterrée, il faut que je trouve un lieu où me cacher et que je sache si on s'est aperçu de ma fuite au palais.

Dirkos alors s'affaire, il me fait monter par une échelle dans le grenier de la seconde maison, que les soldats n'ont pas vue. Il se hâte ensuite vers le marché pour tenter d'apprendre les nouvelles qui circulent.

XIX

LA COLÈRE

Après mes actes d'énergie pour me délivrer de mes gardiennes et m'enfuir du palais, la tristesse me submerge dans ce grenier étouffant. J'en ai assez d'attendre sans rien voir, je soulève des tuiles, je crée un espace où je puis glisser ma tête et mes épaules. Je suis éblouie par la lumière, je vois sur le chemin Zed et Dirkos qui revient en boitant. Je fais un geste, Zed me voit, il bondit en avant et, malgré ma tristesse, je crie de joie.

Ils arrivent, je soulève la trappe et je saute. Ils ont l'air grave tous les deux. Je demande :

"Alors, on sait que je me suis enfuie du palais ?

— Personne n'en parlait, dit Dirkos, mais Zed a appris une mauvaise nouvelle.

— Ce ne sont pas les gens d'Argos, dit Zed, qui ont emporté le corps de Polynice. C'est Créon et Hémon l'ignore.

— Alors c'est Créon qui va faire procéder à ses funérailles. C'est un geste qui l'honore."

Ils ne répondent pas et je vois à leur attitude que ce n'est pas ce que Créon va faire.

L'angoisse me saisit : "Quoi, que veut-il faire ?"

Dirkos répond :

"Laisser pourrir le corps de Polynice, hors de la ville, sans sépulture.

— Il n'a pas le droit !

— Il y a un édit. Zed l'a entendu.

287

— Un édit ! Qu'est-ce qu'il dit ?

— Polynice est un traître, il n'a pas droit aux funérailles. Si quelqu'un tente de l'enterrer, il sera condamné à mort. Il y a une garde autour du corps.

— Son corps… Pourrir ! Jamais je ne permettrai ça… ! Ismène non plus.

— Calme-toi, Antigone, supplie Dirkos.

— Non, je ne me calmerai pas. Je ne veux plus me calmer. Plus jamais !"

Je me rue sur la porte, Dirkos tente de me retenir :

"Tu ne pourras rien. Ismène non plus. Créon est le plus fort. Il est le roi.

— Pas le mien. Jamais ! Laisse-moi partir Dirkos."

Il s'accroche à mes vêtements. Je lui échappe et déjà je cours, Zed court à côté de moi : "Où est-ce qu'on crie l'édit ?

— Aux carrefours, il y a des gardes et qui frappent."

Je suis hors de moi. Quelque chose dit même : Enfin, hors de moi ! Il ne faut plus courir, marcher pour ne pas être hors d'haleine. Marcher vite, je ne pourrais pas faire autrement mais ne plus courir, ne pas m'affoler. Je ne suis pas folle, à Thèbes ce sont les hommes qui sont fous et le sage Créon, Créon le temporisateur plus que tous les autres. Nous, les femmes, accepter de laisser pourrir le corps de notre frère abandonné aux bêtes et gardé par des soldats ! Jamais !

Je marche, je marche très vite, je parle toute seule, nous approchons du carrefour des Quatre-Métiers, la rue par laquelle nous arrivons est barrée par un garde qui avec sa pique veut m'arrêter. Je l'évite et d'un coup sec du plat de la main que m'a appris Clios, je fais tomber sa pique et fonce avec Zed vers le carrefour.

Plusieurs gamins nous suivent, ah les gamins de Vasco sont là ! Trois gardes entourent un crieur qui lit l'édit dans un affreux silence. Quand il annonce que le corps de Polynice doit pourrir sans sépulture je ne puis plus contenir mon cri. L'indignation, la colère s'échappent de mon corps et vont frapper de front le mufle de la ville avec l'énorme fardeau de douleur, de bêtise et d'iniquité qu'elle fait peser sur moi et sur toutes les femmes. Oui, moi Antigone, la mendiante du roi aveugle, je me découvre rebelle à ma patrie, définitivement rebelle à Thèbes, à sa loi virile, à ses guerres imbéciles et à son culte orgueilleux de la mort.

Par un soudain dessillement des yeux je vois que c'est le sens profond de toute ma vie. Si j'ai suivi Œdipe c'était pour lui apprendre – ce que j'ignorais, ce que je n'aurais jamais osé penser sans ce dernier crime de Créon – pour lui apprendre, oui moi, sa pauvre Antigone, à devenir ce qu'il était.

Je ne puis plus supporter ce que lit le crieur, je ramasse de la boue, je la lance en criant :

"Personne… personne de vivant n'est le roi des morts. Personne n'a le droit de faire injure à leurs corps."

Beaucoup de femmes et de gamins lancent de la boue avec moi. Je me rue vers l'horrible papyrus qui veut déshonorer Polynice, il me brûle les yeux. La foule me porte en avant, bouscule les gardes et le crieur public qui s'enfuient. Zed s'empare de l'édit, je le déchire, on m'apporte du feu et le honteux décret de Créon brûle au milieu des cris et de l'approbation énorme de la foule.

Dans mon malheur, je suis heureuse, je piétine sauvagement les cendres de l'édit.

Zed me saisit les mains :

"Mets-toi à notre tête, remplace Vasco, attaquons les soldats du roi, en attendant le retour d'Hémon."

Comme une eau glacée en plein visage, ses paroles me dégrisent.

"Non", je dis seulement non. Je veux enterrer Polynice, puis quitter à jamais cette ville de mort.

Zed entend ce non, il pâlit, ses derniers espoirs sont renversés. D'une petite voix d'enfant malheureux, toute tremblante il dit :

"Ne nous abandonne pas. Il ne reste que toi."

Mais tout mon corps dit non, je le repousse, je traverse la foule en courant et je prends la rue qui mène chez Ismène.

J'entends Dirkos qui m'appelle d'une voix essoufflée mais je ne réponds pas. Zed court à côté de moi et en haletant je crie pour lui ou pour le monde :

"Non, Thèbes, fini, fini ! Plus jamais !"

Je cours comme une folle, je le sais. Je veux voir Ismène, rien qu'elle. Zed me suit en pleurant avec la petite meute de Vasco, les gamins aux cœurs fidèles qui combattront pour moi jusqu'à la mort, si je veux.

Je ne le veux pas, je veux lutter seule avec Ismène pour le repos et l'honneur de notre frère. De loin j'entends Dirkos qui crie :

"Défends-toi, Antigone !"

Je ne veux pas me défendre, je veux enterrer Polynice, c'est tout. A cause de mon ventre, de mon cœur, de mon sexe de femme et je dis non une fois pour toutes à Thèbes et à ses abominables lois. C'est ça que je veux, ce que j'ai décidé toute seule, ce que je désire de toutes les forces que la colère fait en moi bouillonner.

J'arrive chez Ismène, avant que je frappe à la porte, elle ouvre. Elle m'attendait, quel bonheur ! Elle a entendu le tumulte au carrefour. Je ne puis parler, je suis haletante à cause de la course et de l'émotion, c'est elle qui crie :

"C'était toi ?"

Je fais signe que oui et je vois la joie apparaître sur son visage, une immense joie comme celle que je ressens aussi. Elle crie :

"Tu as osé !

— J'ai déchiré l'édit, je l'ai brûlé !"

Elle crie de joie, elle me saisit dans ses bras pleins de force :

"Tu l'as fait, tu l'as fait !

— Nous l'avons fait car tout le temps je pensais à toi, je ne voulais qu'une chose, te voir, te parler, enterrer à nous deux Polynice."

Elle a fait entrer avec moi Zed et les gamins dans le jardin. Elle referme la porte et dit :

"Vous les gamins, courez dans toute la ville dire à ceux que vous verrez qu'Antigone s'est enfuie et qu'elle est partie pour Argos. Vite, courez ! Toi, Zed, veille à ce qu'ils aillent partout, et reviens vite."

Sa colère s'enflamme à la mienne :

"Créon nous a trompées, pire il a trompé son fils. Livrer le corps de Polynice aux vautours. Quelle infamie. Si Etéocle savait !"

Elle se met soudain à crier, à serrer les poings, à trépigner et le seul mot qui sort de sa bouche crispée est : "Vengeance !"

Je la serre dans mes bras, j'essuie l'écume de ses lèvres, les larmes de ses yeux, comme je faisais lorsqu'elle était une petite fille que l'injustice révoltait. Je la calme, je la console, je l'apaise.

Je ne veux pas la vengeance, je ne veux pas renverser Créon, que les hommes qui l'ont choisi se débrouillent comme ils pourront avec lui. Nous les femmes, les sœurs, nous devons seulement enterrer Polynice et dire non, totalement non à Créon. Il est le roi des Thébains vivants, il n'est pas celui des morts. Nous pensons cela ensemble mais Ismène distingue mieux que moi l'avenir qui s'annonce car elle dit :

"Créon ne supportera pas… il ne pensera qu'à la vengeance. Il te tuera !"

Que j'aime son air farouche quand elle crie : "Alors il devra me tuer aussi !"

Elle réfléchit : "Hémon sera avec nous. Il va revenir, il faut tenir jusque-là… Tenir deux jours…"

Je reconnais sa parole politique, celle que je n'ai jamais eue, celle que maintenant je refuse d'avoir.

"Il ne s'agit pas de tenir, Ismène, demain le corps de Polynice, exposé au soleil, pourrira. C'est commencé déjà… Les vautours et les bêtes le dévoreront.

— Horreur, horreur ! Je ne peux pas penser à cela.

— Nous ne pouvons pas attendre, il faut tout préparer cette nuit et agir à l'aube.

— Comment ? Le corps est gardé et les portes seront fermées.

— Zed connaît tous les souterrains qui passent sous les remparts, il nous conduira. Les soldats seront à distance du corps à cause de l'odeur. En agissant très vite nous pourrons le recouvrir de terre. Cela suffit."

Zed revient, il sait où est le corps, il y a un souterrain pas loin. Il va aller reconnaître les lieux et déposer des outils à proximité. L'action des gamins a été efficace, Créon a déjà envoyé des cavaliers à ma poursuite sur la route d'Argos.

Ismène choisit les vêtements gris qui doivent, à l'aube, nous aider à nous cacher des gardes.

En attendant le retour de Zed nous pratiquons les rites de funérailles comme si le corps de Polynice était présent. Après cette cérémonie il faut un bain de purification que nous prenons ensemble. Ismène fait sur mon corps les gestes et les signes, quand c'est mon tour je vois, en étendant l'huile sur le beau ventre un peu arrondi d'Ismène, une légère crispation apparaître sur ses lèvres.

Prestement je touche encore son ventre et je crois sentir sous ma main un léger mouvement. Je me souviens de sa difficulté à courir vers les corps de nos frères, de ses évanouissements ensuite. J'interroge :

"Tu attends un enfant ?"

Elle ne répond pas mais ses yeux, un peu effrayés, disent oui.

"Tu l'aimes, tu le veux ?" Je n'ai pas besoin qu'elle me réponde car tout son corps dit oui. Il y a entre nous, mêlée à notre tristesse, à notre colère, un moment de joie profonde. La décision est immédiate :

"J'irai seule, il faut que ton enfant vive."

Ismène tente de refuser, elle pleure, mais nous savons toutes les deux que j'ai raison et j'embrasse avec respect le ventre harmonieux, le dernier espoir de notre famille menacée.

Aucune parole n'est plus nécessaire, Ismène me fait revêtir la robe grise qui doit me rendre presque invisible à l'aube prochaine.

La nuit s'approche, Zed revient, l'entreprise est possible, il a examiné les lieux et tout préparé.

Nous prenons tous les trois en silence un repas qui sera peut-être le dernier. Ismène insiste pour que je mange afin de disposer demain de toutes mes forces. Je lui obéis mais j'éprouve en même temps un désir que je connais depuis longtemps, celui de sortir du monde de la nourriture absorbée et rejetée, de n'être plus qu'eau claire, lumière et transparence de l'air. Diotime m'a dit de résister à ce qu'elle appelait une attrayante erreur. Je l'ai fait mais ce désir de mort habite toujours en moi et seul un enfant, un petit enfant comme celui qu'aura Ismène, pourrait me le faire oublier.

C'est l'heure du départ, je promets à Ismène de revenir près d'elle, dans une cachette très sûre qu'elle connaît, mais je sais que je serai arrêtée avant cela par les gens de Créon. Elle me donne un masque d'argent pour couvrir et protéger le visage de Polynice. Il est tout à fait semblable à celui qu'elle avait fait faire pour Etéocle, elle avait donc prévu, de longue date, leur double mort.

Zed me fait traverser la ville par les jardins, nous franchissons les murs qui les séparent en suivant un chemin d'arbres, tracé par Vasco. Nous descendons dans la ville souterraine par un lacis de chemins et d'escaliers, à chaque tournant nous trouvons un gamin posté qui souvent nous a guidés par ses sifflements.

Zed me prévient que nous allons traverser un ancien cimetière. Il y a des dalles couvertes d'inscriptions mais surtout posés sur les pierres ou écrasés par elles, des membres épars et des têtes qui rient. Ces têtes me troublent, n'est-ce pas de nous qu'elles rient et de notre téméraire entreprise ? Dans peu de temps le corps sacré de Polynice ne sera plus, lui aussi, qu'un squelette et de ce qui fut son visage de gloire il ne restera que ce rire.

C'est peut-être pour cela qu'Œdipe riait parfois interminablement, sans que je comprenne pourquoi, cela ne me faisait pas peur et je parvenais presque toujours à l'accompagner, pour la seule joie du rire.

Zed s'arrête avant de pénétrer dans le souterrain, je l'interroge :

"Ma nourrice m'appelait la rieuse Antigone, est-ce qu'avec vous je suis encore un peu comme ça ?"

Sa réponse jaillit : "Avec nous Antigone, tu souris ou tu ris toujours."

Sa réponse me réconforte pendant que nous peinons dans le tunnel sous le rempart où la pente est forte et l'air très lourd. Nous aboutissons dans un petit bois qu'Etéocle a respecté quand il a fait dégager les abords de la cité car il y venait autrefois jouer ou chasser avec Polynice.

Quand nous arrivons à l'orée, la nuit est noire, il fait trop sombre pour que nous puissions recouvrir de terre le corps de Polynice et nous allons nous abriter derrière un faible mouvement de terrain. Zed a déposé là deux bêches et un sac. C'est de là que nous devrons partir aux premières lueurs de l'aube. Couchée sur le sol, l'attente me semble longue, je me retourne et je vois apparaître l'énorme et menaçante falaise des murailles de Thèbes. Zed me fait sortir de mes sombres nuées, il me donne une cagoule grise, et revêt l'autre.

"Quand on sera près du corps, on s'attachera l'un l'autre un linge mouillé sur le visage.

— Pourquoi ?

— A cause de l'odeur."

J'oubliais l'odeur du corps en décomposition de Polynice, et déjà je crois la sentir.

Zed m'indique la direction du corps, il me montre, abrité du vent, le feu et le campement des gardes, un seul veille.

"Dans un moment il faudra y aller, suis-moi, pas trop vite, garde ton souffle. Tu poses le masque sur le visage et tu fais les rites rapidement, puis tu viens m'aider avec ta bêche."

Il se lève, il me souffle :

"En courant, courbe-toi !"

Je cours, trop vite d'abord, puis mon souffle redevient plus calme. Zed s'arrête, je pressens que nous sommes près de l'épouvantable chose, je ne la distingue pas encore. Zed me serre le bandeau sur le visage, je fais de même pour lui, je n'ai senti qu'un instant la cruelle pestilence. Dans l'obscurité encore presque totale je devine, plus que je ne vois, le corps nu de Polynice, abandonné sur le sol, sans le moindre linge. Ainsi ils l'ont jeté là, sans respect, afin que même les insectes puissent venir le dévorer. Avec vénération, au nom d'Ismène, d'Etéocle et de nos parents je pose le masque d'argent sur sa figure autrefois si fière dont les traits semblent déjà s'estomper. Si ses yeux n'ont pas été attaqués par les oiseaux, ils seront protégés ainsi que son visage.

Zed recouvre ses pieds et ses jambes de terre. Je prends l'autre bêche et jette les premières pelletées de terre sur les épaules et le cœur de Polynice. Quelque chose gronde près de moi, c'est un chien que Zed chasse en le frappant de sa bêche. Il fuit, emportant quelque chose dans sa gueule, c'est la main de mon frère qu'il a arrachée. Je pousse une plainte en pensant à la chair de Polynice dans cette gueule immonde. Mais Zed me souffle à travers son bandeau :

"Vite, vite, ne t'arrête pas."

Il a raison, je jette plusieurs pelletées sur le ventre du mort, soudain je vois le reste de la main sanglante. C'est trop, je déchire un morceau de ma robe et j'entoure le moignon. Zed me dit :

"Continue."

Je reprends la bêche, je couvre le sexe, le ventre. Tout le corps est bientôt couvert d'une mince couche de terre. Reste la tête, je ne peux pas, et c'est Zed, très pieusement, qui couvre le masque et toute la tête, pendant que j'accomplis les derniers gestes rituels.

On voit que le soleil va bientôt apparaître et percer la brume, Zed me montre d'un signe que les gardiens sont en train de ranimer leur feu :

"C'est l'heure de la ronde, il faut filer. Prends ta bêche, je te suis en effaçant nos traces."

Le ciel commence à s'éclaircir, là où était le corps nu de Polynice il n'y a plus qu'une grande forme grise, de cette couleur entre le sable et la terre qui est celle du sol ici. Une forme qui me semble apaisée, recueillie et qui va permettre à Polynice d'entrer dans sa nouvelle existence.

Il faut partir, pourquoi ? A cause de Zed, de sa bravoure, de sa fidélité. Je cours, puis je rampe pour franchir la butte comme il me l'a indiqué. Il me semble que quelqu'un me poursuit, mais il n'y a personne, ce qui me poursuit c'est l'odeur. Arrivée de l'autre côté de la butte, j'arrache ma cagoule et mon bandeau, mais l'odeur semble toujours m'entourer, est-ce que toute la vie sera dorénavant marquée par la décomposition du corps de mon frère ? Zed me suit en rampant, il a arraché lui aussi sa cagoule et son bandeau, il est très pâle comme je dois l'être, nous avons envie de vomir tous les deux et nous tentons côte à côte de reprendre notre souffle.

Il se glisse jusqu'à une sorte de créneau naturel que le vent a formé dans la faible dune qui
nous protège. Il me dit :

"Ils se réveillent, ne viens pas, je vais te dire."

Je ferais mieux de ne pas bouger mais j'ai
besoin de voir et je me glisse à ses côtés. Le jour
se lève, c'est bien l'heure de la ronde au campement des gardes, un homme fixe un bandeau sur le visage de celui qui va partir.

"Quand il verra le corps recouvert, il appellera
les autres, dit Zed, il faut partir maintenant. En
rampant."

L'homme de ronde se met en marche sans
se presser, il fait un large détour pour éviter
l'odeur. Soudain nous le voyons courir, il a vu
quelque chose, il s'arrête et crie pour alerter
les autres.

Ils se lèvent en désordre, il se mettent l'un à
l'autre des bandeaux, ils sont terrifiants et ridi-
cules ainsi mais l'odeur, la peur du corps décomposé de Polynice les dominent comme nous.

"Viens vite", supplie Zed.

Je voudrais partir, quitter ce lieu d'abomina-
tion mais je suis fascinée par la forme, sombre,
on dirait affaissée déjà, du corps de Polynice si
mal recouvert, sur le sol. Dans le ciel un grand
oiseau plane au-dessus de nous. Je souffle à
Zed :

"Pars le premier, prends les bêches, je te rat-
traperai."

Le ton angoissé de ma voix l'inquiète :

"Je ne pars pas sans toi. Vite, ils vont nous
voir."

Je ne peux pas partir, pas maintenant, je dois
voir ce qui va arriver. Devant mon silence Zed
affirme :

"Alors, je reste avec toi !"

La colère me prend, je lui crie tout bas :

"Pars immédiatement, sans cela je me lève et je leur dis que je suis la coupable."

Zed comprend que s'il n'obéit pas je vais me lever, comme j'ai un violent désir de le faire pour défier au grand jour Créon et ses gardes. Une grimace d'amour et de douleur crispe ses lèvres, d'une voix pleine de larmes il dit :

"Je t'attends au souterrain."

Je l'entends partir en rampant, j'en suis soulagée mais je ne me retourne pas pour lui faire le petit signe qu'il attend. Nous avons accompli les rites, je devrais partir, aller rejoindre Ismène, une sourde inquiétude me tenaille et m'oblige à rester. J'éprouve une soif ardente, je vide la petite outre que Zed a laissée à côté de moi. Je lève machinalement les yeux, je vois dans le ciel le grand oiseau que j'ai vu tout à l'heure, c'est un vautour, c'est Créon le charognard qui surveille de là-haut l'infâme exécution de son édit. Soudain il plonge sur le corps de Polynice que le battement de ses ailes dénude partiellement. Il se pose sur lui, son affreux cou se détend et du bec il s'efforce d'arracher quelque chose au corps.

Aucune pensée, tant je suis saisie d'horreur par ce que, sans doute, j'attendais. Un très long cri s'échappe de moi et vient trouer ce moment silencieux de l'aube. Le vautour reste posé sur le corps mais, inquiet, arrête de le travailler de son bec.

Il y a dans le ciel d'autres oiseaux qui s'approchent, je me lève, une impulsion aveugle me force à m'élancer, un dernier rayon de conscience ordonne, mets ton bandeau, ta cagoule. Je les mets, je libère ma bouche pour le temps de la course, je me rue en avant.

Les soldats ont entendu mon cri, ils me voient, ils vont me prendre mais d'abord j'aurai chassé le vautour. Je cours, je ramasse une pierre, je la lance au charognard, je le manque et il s'envole avec un grand bruit d'ailes.

Chasser les bêtes, je ne pense à rien d'autre et je cours, en essayant de contrôler mon souffle, vers le lieu du malheur.

Les gardes crient et courent eux aussi mais j'arriverai avant eux, je ramasse encore une pierre pour les chiens et le pire d'entre eux : Créon.

Je suis près du corps, je n'ose pas le regarder car, sous la terre dont nous l'avons couvert, il me semble que sous l'effet de la décomposition il bouge. Un chien rôde autour de lui, je lui jette ma pierre et avec un cri ignoble il s'enfuit.

Le masque couvre encore le visage de mon frère. Je jette un peu de terre sur la blessure que le vautour a faite puis je m'enfuis, je remonte le vent pour échapper à l'odeur. A quelque distance, un garde, le visage très rouge sous son bandeau et qui semble sur le point d'éclater, court vers moi. Dans sa main un fer brille. Son souffle haletant, sous le bandeau, fait un bruit énorme. Il va me tuer, fin d'Antigone, si fatiguée, si honteuse de vivre. Quelque chose pourtant se baisse, ramasse de la terre et des cailloux et les jette au visage de l'homme. Il trébuche et manque tomber sur moi de toute sa masse. Il a du sable dans les yeux, il ne voit plus, je voudrais l'aider mais je ne puis que frapper de mes poings sa ridicule cuirasse de cuir en criant :

"Les vautours, les vautours, on n'a pas le droit !"

Il ne comprend pas ce qui lui arrive, il se frotte piteusement les yeux en bredouillant : "Ce sont les ordres !"

Le chef arrive avec les autres gardes, ils sont rouges et suants, ils ressemblent, avec les bandeaux qu'ils n'ont pas encore enlevés, à d'énormes animaux maladroits.

Je continue à remonter le vent pour échapper à l'odeur, comme ils voient que je ne veux pas m'enfuir ils me suivent stupéfaits et furieux. Je leur crie : "Je suis Antigone, Polynice est mon frère. On n'a pas le droit... Créon n'est pas le roi des morts ! Il n'a pas le droit."

Le chef, qui est plus âgé et plus gros que les autres, hausse les épaules : "Le droit... ?"

Je crie : "Tuez-moi, qu'est-ce que vous attendez ?"

Il répond : "On ne va pas te tuer, tu es folle !"

Je vois qu'avec ma robe déchirée, mes cheveux en désordre, la cagoule que je tords entre mes mains, ma voix hurlante, je dois leur paraître démente et que je le suis peut-être.

Je passe la main sur mon visage, la cagoule m'a fait transpirer et de ma bouche coule une bave venue des profondeurs de moi-même que je suis forcée de cracher devant ces hommes qui me regardent.

En recouvrant son corps de terre, nous avons rendu à Polynice les honneurs funèbres mais il manque encore à son cadavre une cérémonie essentielle : l'adieu, les chants et les cris de douleur des pleureuses. J'implore : "Tuez-moi, arrêtez-moi, mais d'abord laissez-moi pousser les lamentations des pleureuses auxquelles tous les hommes ont droit."

Ils sont devant moi, perplexes, rouges, suants, éberlués par ce qui leur arrive, et comme l'odeur du mort ne parvient plus jusqu'ici ils enlèvent comme moi leurs bandeaux.

Je reconnais l'un d'entre eux, qui a d'énormes épaules, c'est le fils d'Ylissa. Il a eu si chaud qu'il crache avec un air de satisfaction qui me fait rire nerveusement. Il est un peu confus mais ne peut s'empêcher de sourire en se frottant la bouche de la main.

Ils m'entourent tous les dix, épouvantés par ma violation des ordres de Créon et effrayés par les conséquences pour eux de sa colère. Ma soudaine apparition les stupéfie, les soulage aussi car ils tiennent la coupable.

Là-haut, les vautours tournent toujours dans le ciel mais notre présence leur fait peur et les empêche de se livrer à leur festin pourri. Le roi Créon est aussi présent parmi nous, dans les hautes murailles blanches de Thèbes qui nous regardent, inexorables.

Complètement perdue, hors de moi, avec ma robe déchirée et mon visage couvert de larmes et de sueur, je suis le centre des pensées, des regards de ces hommes pleins de viande, pleins de sang qui me contemplent sans savoir que faire.

L'absurdité lugubre de cette scène me submerge et déclenche à nouveau le rire hystérique que je ne puis retenir. Ce rire effraie le chef des gardes qui crie : "Mais… mais…", sans parvenir à rien proférer d'autre.

La pensée me revient qu'aux pauvres funérailles de Polynice manquent les cris des pleureuses. Est-ce que je ne puis être la pleureuse de mon frère, est-ce que ces hommes simples, ces hommes de guerre, habitués à affronter la mort ne pourraient pas comprendre mon désir de l'être ?

Je me jette sur le sol, j'étreins de mes bras les genoux du dizenier, j'implore : "Homme, mon frère Polynice a droit aux lamentations des pleureuses. Laisse-moi faire !"

Le dizenier cherche à se dégager mais je tiens ses genoux bien serrés et je crie : "Je suis la seule femme ici, accorde-moi de faire la cérémonie des larmes."

Il me saisit par les épaules, me force à me relever, je vois en face de moi son gros visage grisonnant et congestionné. Eperdu, il consulte du regard les autres, il voit peut-être dans leurs yeux une muette approbation. Ses lèvres tremblent, il souffle : "Fais vite, après je t'envoie au roi."

Il me lâche et je me mets à tourner, comme je l'ai fait tant de fois sur la route quand des femmes me demandaient de participer au chœur des pleureuses. Je tourne lentement d'abord, voyant défiler autour de moi les visages énormes des soldats. Je les vois, je les vois encore, surtout le visage rouge et apitoyé du dizenier. Puis je ne vois plus rien et je suis seule au milieu de la troupe innombrable des femmes qui pleurent sur les corps mortels qu'elles ont aimés.

Adieu cher frère, cher corps, pour qui je puis si peu.
Adieu esprit solaire, cavalier dévorant de l'erreur et
*   du meurtre,*
Adieu grande bête sauvage, va retrouver ton jumeau
*   des ténèbres.*

Je cesse de tourner, je ne sais plus où je suis, je ne peux plus que piétiner sur place et pleurer et gémir toute seule, pour l'immense assemblée des femmes. Je lance vers elles mes cris de plus en plus aigus et peut-être qu'il y a des hommes qui soutiennent cette fragile clameur de refus en frappant en cadence leurs boucliers avec leurs armes. Ce bruit de fer m'exalte et je tourne à nouveau, je crie plus fort jusqu'au moment où je tombe, battant frénétiquement la terre de mes pieds. Je me roule sur le sol, je me déploie dans tous les sens en hurlant – malgré Créon, malgré tout – ma fantastique certitude de la joie d'exister, du bonheur d'avoir existé que mes frères ont connu et qu'avec eux je partage encore.

Quand je m'arrête il y a un grand silence, je ne rêve pas, je ne l'ai pas rêvé, il y a bien autour de moi, les pieds, les jambes, les armes de dix hommes qui me regardent et qui ont, un instant, partagé mon malheur.

J'essaie de me relever, mais je ne puis que ramper et ne veux recevoir aucune aide car je dois absolument être seule. Je dois cracher, vomir et cesser de contenir les tumultueux événements de mon corps.

J'entends très loin, dans un autre monde, la voix rugueuse du dizenier qui dit : "Eloignons-nous, retournez-vous. Elle ne peut pas s'enfuir."

Il n'y a plus le poids de leurs regards sur moi et je puis, au plus profond de ma misérable aventure, laisser mon corps gémir et se vider de toutes les façons. Quand je retrouve un peu de force, je pleure et suis contente qu'Ismène et Zed ne soient pas avec moi, que j'aie pu vivre cela toute seule, toute sale, et partageant presque la putréfaction de Polynice. Je parviens à me relever et, comme un animal, je jette de la terre sur mes déjections.

Je suis puante et je n'ose pas apparaître ainsi aux gardes, aux hommes qui m'ont entendue. Je supplie : "De l'eau, un peu d'eau…"

Le vieux dizenier m'apporte de l'eau dans son casque, il ne rit pas, il ne parle pas, son regard est légèrement détourné. Je bois, je me lave comme je peux, heureusement je n'ai pas trop sali ma robe.

Les gardes sont regroupés, ils ont eu un mouvement de compassion et maintenant ils ont peur et ne savent que faire. Je m'approche d'eux : "Puisque vous ne voulez pas me tuer, il faut me faire prisonnière et prévenir tout de suite le roi."

Le dizenier hésite, il se demande s'il a le droit de parler à une criminelle :

"Le prévenir comment ?

— Envoie un messager, le plus rapide d'entre vous. Qu'il dise au roi qu'une femme a tenté d'enterrer Polynice, que vous l'avez prise avant qu'elle puisse rien faire et que vous lui envoyez votre captive.

— Et toi ?

— Tu me fais lier les mains, tu m'attaches à un de tes hommes qui m'amène à Thèbes, où le roi me condamnera à mort."

Je lui tends mes mains : "Fais vite !" Puis je ne puis retenir ma pensée profonde : "Les chiens… les vautours, fais-les chasser. Tu promets ?"

Il promet, il me fait lier les mains par le fils d'Ylissa et m'attache à lui. Déjà, un de ses hommes, sans arme ni cuirasse, part en courant vers Thèbes.

Yssos m'emmène. J'ai très chaud, je transpire, le corps souffre de mon déchaînement de pleureuse. Je marche en trébuchant, Yssos est derrière moi. Avec ma robe déchirée, je suis à moitié nue, il voit sur ma nuque et mon corps couler la sueur, il la sent. Cela me devient intolérable, je m'arrête, il bute contre moi, je lui demande :

"Va devant."

Il refuse, j'insiste :

"Si ta femme était à ma place elle te demanderait cela aussi.

— Elle ne sera jamais à ta place."

Je crois qu'il refuse, mais non il passe devant. Je suis à l'abri de son large dos et je ne vois plus les remparts aveuglants de la ville.

Le soleil s'est élevé dans le ciel, il enflamme mon visage, et le sol me brûle les pieds car, pendant que je célébrais l'office des pleureuses, j'ai perdu mes sandales. La chaleur, la douleur m'accablent, je trébuche et, lourdement, je tombe. Yssos est effrayé, il a peur que je ne crève ici, loin de tout. Alors, plus de coupable. Et s'il va chercher du secours, je pourrais m'échapper car, peut-être, je simule. Il se penche sur moi, il me secoue, je vois toutes ses inquiètes pensées apparaître dans son regard. Je voudrais l'aider mais je suis incapable de me relever ni de proférer une parole. Il comprend que d'abord j'ai soif, c'est pour cela que le dizenier lui a confié une outre d'eau. Il s'agenouille et me verse de l'eau très doucement dans la bouche. Je me ranime et parviens à m'asseoir. Avec des gestes doux, qui étonnent dans ce grand corps, il me verse un peu d'eau sur la tête et sur le visage et me fait boire encore. Il s'aperçoit que je suis pieds nus sur la terre brûlante, j'arrache encore deux morceaux à ma robe et il les noue habilement autour de mes pieds.

Nous approchons de la porte du Nord et de la tour où Polynice, plutôt que d'être vaincu, a précipité son frère avec lui dans la mort. Je tremble, Yssos me redonne à boire et me dit en achevant l'outre :

"Tes frères, Antigone, sont maintenant plus en paix que nous, ils n'ont plus à défendre leur vie."

Est-ce que je veux encore défendre ma vie ? De tout mon corps, de tout ce qui me reste de force vient la réponse : Oui, je défendrai ma vie sans rien céder de ma liberté à Créon.

Nous arrivons à la porte et je me trouve à nouveau devant des soldats qui regardent avec surprise mes mains liées, ma robe sale et déchirée et mes pieds enveloppés de bouts d'étoffe. Zed est là qui m'attend, il me souffle : "Pas blessée ?" Je fais signe que non et lui dis :

"Cours chez Ismène et rapporte-moi une robe et des sandales. Surtout qu'elle ne vienne pas."

L'officier de garde est pétrifié en me voyant, c'est un ami d'Hémon, il est pris entre son amitié pour lui et la peur que lui inspire Créon. Depuis que je suis revenue à Thèbes je ne cesse ainsi de déranger tout le monde. Pour éviter de me parler, il me fait entrer dans le corps de garde où on m'apporte un banc. Je peux m'y coucher, Yssos s'assied sur le sol. J'allonge mes jambes avec délice en me demandant ce que Créon va me dire. Je me sens dériver, dériver très vite...

Je m'éveille car une femme me passe sur le visage un linge humide et légèrement parfumé, je reconnais ce parfum, c'est celui d'Ismène.

La femme est Nalia, elle continue à délicieusement rafraîchir tout mon corps. Soudain j'ai peur :

"Et Yssos ?

— Je l'ai fait coucher sous le banc, il ne peut te voir, il dort."

Elle m'enlève ma robe déchirée :

"Une belle fille comme toi et faite pour avoir des enfants, dans quel état ils t'ont mise. Et tes pauvres pieds, eux aussi. Je vais les huiler, te mettre de bonnes sandales. Il ne faut pas te laisser mourir, ce vieux Créon, ne le prends pas de face, il faut filer doux.

— Filer doux ! Entre Créon et moi, il y a le vautour.

— Le vautour, quel vautour ?

— Celui qui dévorait le corps de Polynice et que j'ai dû chasser."

Elle masse mes pieds et pleure en répétant : "Un vautour… un vautour…"

Elle me passe une robe et me met sur la tête et les épaules une superbe écharpe blanche qu'Ismène m'envoie. Elle me rappelle celle que Jocaste aimait tant. Avec laquelle elle s'est pendue. Ismène… est-ce qu'Ismène a voulu me donner ainsi le moyen de rester libre coûte que coûte ?

L'officier de garde entre, le roi vient d'envoyer l'ordre de me faire comparaître devant son tribunal. Yssos se relève, surpris de me voir avec une robe propre et l'écharpe blanche d'Ismène. L'officier le presse de partir, il désire se débarrasser au plus vite de mon encombrante personne.

Quinze soldats bardés d'armes vont nous précéder, autant d'autres nous suivront. L'officier dit à Yssos :

"Si la prisonnière s'échappe, ta vie ne vaudra pas cher."

J'interviens : "Je ne veux pas m'échapper, je veux être jugée."

Nous partons dans un grand bruit de fer, il n'y a personne dans les rues, les volets sont clos mais très vite le hurlement aigu des femmes s'élève des maisons, soutenu par les huées des hommes.

Parfois des volées de cailloux lancées du haut des toits font résonner les cuirasses et les casques des soldats. Mes amis fidèles, les gamins des bandes de Vasco, me manifestent ainsi qu'ils sont avec moi.

Le carrefour des Quatre-Métiers où j'ai brûlé l'édit de Créon est gardé par un détachement de soldats, personne ne bouge mais les cris qui accompagnent mon passage continuent.

Le carrefour suivant est barré par une foule de gens silencieux. Je les reconnais, ce sont les malades et les pauvres qui sont venus manger ou se faire soigner à la maison de bois. Dirkos et Patrocle sont en tête. Ils crient : "Libérez Antigone !" Une immense clameur reprend leur cri.

Un ordre du centenier immédiatement lui répond. Les soldats forment le carré, les piques s'élèvent menaçantes. Ils vont forcer le passage. J'appelle le centenier : "Pas de sang, laisse-moi leur parler." Il me saisit rudement par l'épaule, et avec Yssos me pousse au premier rang. Je dis :

"Dirkos, pas de sang, pas de combat. Je n'attaque pas les lois de Thèbes, le roi a le droit de me juger, j'ai le droit de me défendre. Retirez-vous en paix."

Dirkos proteste :

"On ne va pas te juger, Antigone. On t'a déjà condamnée. Condamnée à mort. Tout le reste est simagrées."

Je demande encore :

"Laisse-nous passer, Dirkos, pas de sang, pas de sang pour Antigone."

Il comprend que pour moi le combat serait pire que la mort, il s'efface et la foule s'ouvre et nous laisse passer. Elle nous suit, les femmes chantent une mélopée que j'ai chantée, moi aussi, dans mon enfance. Je l'ai oubliée, j'ai fait tant d'effort pour retenir et noter les chants d'Œdipe que j'ai perdu tous les autres. Œdipe était un véritable aède. Par ses chants, mais surtout par sa marche obstinée, celle que je dois continuer, malgré le nouvel obstacle qui me fait trébucher, me scie les genoux, et me ferait tomber si Yssos et un soldat ne me soutenaient. Dans une rue que nous traversons on refait les égouts, cela me rappelle le corps de Polynice et l'odeur que je ne pourrai plus jamais oublier…

Est-ce que nous avons encore marché longtemps, à l'heure la plus chaude, dans la ville où se mêlent le parfum des jardins en fleurs et l'haleine fétide des égouts ? Je perds conscience un moment, maintenue debout par la seule vigueur de mes gardiens.

En passant devant un volet fermé, j'entends une voix d'homme dire : "Elle n'en peut plus, elle va tomber." Et une voix de femme qui répond : "Elle ne tombera pas, et si elle tombe, elle se relèvera. Elle est comme ça." La pensée de cette femme inconnue me donne un reste de force qui me permet, poussée, tirée par Yssos de continuer jusqu'au tribunal.

Là on me pousse dans une cave peu éclairée où se tiennent des soldats. Yssos doit témoigner devant le tribunal, il défait la corde qui m'attache à lui, me lie à un autre soldat et s'en va. On m'apporte un banc, je puis m'asseoir, pas m'étendre car l'homme auquel je suis attachée s'assied à côté de moi.

Je suis épuisée mais la souffrance de mon corps m'aide peut-être à supporter ce que mes narines ont senti, ce que mes yeux ont vu. Le corps de Polynice n'est pas entré glorieusement dans la mort comme ceux d'Etéocle et de Vasco. Il a été furtivement, pauvrement recouvert d'un peu de terre. Je verrai toujours le chien et le vautour s'enfuir avec des débris de sa chair, et son odeur qui me poursuit, est-ce que je vais la sentir jusqu'à mon dernier jour ? Toute notre lignée me semble irréparablement salie, déshonorée, je voudrais me tordre les mains de désespoir mais elles sont prisonnières, je voudrais crier, mais pour qui, pour les soldats de Créon ?

Si Hémon revient à temps pourrais-je encore après avoir vu ce vautour devenir sa femme ? Créon a livré le corps de mon frère aux bêtes, il en a fait une charogne et je pourrais faire l'amour avec son fils, attendre des enfants de lui ? Hémon est si bon, il m'aime plus que tout, je le sais, pourquoi par obéissance à son père, m'a-t-il laissée seule à l'heure affreuse ?

Est-ce qu'un jour je pourrais embrasser mon nouveau-né en me souvenant – car je m'en souviendrai – du bandeau dont j'ai dû protéger mon visage pour enterrer le corps de mon frère abandonné aux vautours ?

A ce moment, par une fissure du mur de la cave, j'entends une voix d'enfant : "Antigone, je te vois, est-ce que tu m'entends ?"

C'est un des gamins de Vasco. Je me penche vers la fissure et je souffle :

"Je t'entends."

Le soldat près de moi n'a rien remarqué, la voix reprend :

"Zed a fait prévenir Hémon qui va revenir te sauver."

Le soldat a entendu, il veut m'empêcher de répondre mais je résiste. Le gamin dit : "Zed te fait dire : Gagne du temps, tu le feras ?"

Le soldat me plaque la main sur la bouche, il m'étrangle à demi mais je parviens à saisir quelque chose entre mes dents et il hurle.

J'entends la voix angoissée de l'enfant qui demande : "Antigone, tu le feras ?"

Le soldat a retiré sa main, elle saigne, je crache avec dégoût et je crie à l'enfant : "Non ! Non !" de toutes mes forces.

XX

LE TRIBUNAL

Quelqu'un vient me chercher, quelqu'un de la cour sans doute à en juger par ses manières et le respect qu'il inspire aux soldats. Il semble peiné de me voir liée à un garde et il ordonne de me détacher et de rouler la corde autour de ma taille, ainsi je semble libre et mes mains demeurent prisonnières. Nous gravissons un escalier obscur, suivi d'un long corridor et soudain je me trouve, éblouie, sur le seuil d'une salle immense. En face de moi, mes yeux blessés par le soleil découvrent trois grandes statues de pierre.

Ces trois juges me dévisagent avec rigueur, tandis qu'affolée par l'excès de lumière je les distingue à peine. Dans le fond de la salle il y a des hommes vieillissants qui sont là pour me condamner. Je préférerais les rejoindre, n'être plus seule et faire encore partie avec eux du peuple de Thèbes. Ce n'est pas l'ordre qu'a reçu le personnage qui me conduit entre les trois juges immobiles et le groupe effrayé qui va devenir leur complice.

Après une nuit sans sommeil et une journée harassante, ma tête bourdonne de douleur et mes yeux aveuglés se ferment. Ce qui est devant moi, cette lourde chaîne de statues ou de falaises abruptes, est-ce Créon et ses juges ou seulement une imagination funeste de mon corps et de

mon esprit épuisés ? Ceux qui sont derrière moi
sont encore des présences humaines, des hommes qui pourraient comprendre ce que j'ai fait,
mais ils ont peur, sournoisement peur comme
je le sens à l'odeur triste qui parvient jusqu'à moi.

Les statues de pierre sont fauves, torrides
comme les rues de Thèbes, couleur de mort et de
squelettes comme ses remparts. Elles édictent les
mots maîtres de la cité qui sont : orgueil, argent
et lois. Ces lois arides signifient meurtre, elles
sont prêtes à prononcer la sentence qui va me
tuer mais il faut d'abord qu'Ismène soit là. Elle
entre, conduite par un homme jeune, un lien
bienheureux les unit, mais sa place n'est pas
fixée dans la salle et il se retire à regret.

Ismène semble à peine effleurer le sol et son
entrée provoque chez ceux qui sont derrière
nous un léger murmure de plaisir et d'admiration. Sans hésitation elle vient vers moi et, arrivée devant le roi, fait la révérence de Thèbes,
avec une grâce preste qui semble s'adresser plus
à l'oncle dont elle se croit encore aimée qu'au
souverain offensé. Avec une incroyable audace,
elle glisse jusqu'à moi et défait les liens qui
enserrent mes poignets.

Créon sans doute a haussé les sourcils ou posé
une question que l'épuisement m'empêche d'entendre car, sur le ton de la plus entière confiance, elle lui lance :

"Ce que je fais ? Je délie ses pauvres mains,
comment pourrait-elle répondre ainsi ?"

Avec un grand soulagement je laisse retomber mes mains, elle me souffle : "J'en étais sûre,
tu meurs de soif et tu as beaucoup de fièvre.
Bois vite cette eau, j'y ai ajouté un remède."

Tout en surveillant Créon de l'œil elle me fait
boire en me glissant à l'oreille : "Laisse-le dire,

fais celle qui est trop malade pour répondre… Hémon va revenir."

Quand elle dénoue la corde enroulée à ma taille, je vois l'indignation monter dans ses yeux en découvrant son poids et l'énorme tache qu'elle a faite sur ma robe. Je lui souffle à mon tour :

"Ne te fâche pas, n'expose pas ton enfant."

Créon s'impatiente et ordonne à Ismène de prendre place de l'autre côté de la salle. Il y a de nouveau en face de nous la falaise ou le rempart livide derrière lesquels se dissimulent le roi vautour et ses mangeurs de cadavres. Il énumère un à un les crimes de Polynice et déclare que la loi, condamnant les corps des traîtres à pourrir sans sépulture hors des murs de la cité, est la plus antique, la plus vénérable des lois de la Grèce.

Repliée sur moi-même je me tais, comme le veut Ismène, je me tais de toutes mes forces.

C'est en finissant que le Grand Proférateur énonce la véritable accusation :

"Tout le monde à Thèbes m'obéit, sauf toi, une femme !"

Ismène, d'un cillement des yeux, m'avertit : Nous y voilà !

Nous y sommes, c'est vrai et je voudrais me taire encore mais cette fois je ne puis plus déguiser ma pensée. Mes yeux, que le soleil fait larmoyer, ne peuvent plus discerner dans les formes de pierre le véritable Créon, et c'est à voix basse, peut-être pour lui seul, que je trouve la force de dire :

"Je ne refuse pas les lois de la cité, ce sont des lois pour les vivants, elles ne peuvent s'imposer aux morts. Pour ceux-ci il existe une autre loi qui est inscrite dans le corps des femmes. Tous nos corps, ceux des vivants et ceux des morts, sont nés un jour d'une femme, ils ont été portés, soignés et chéris par elle. Une intime certitude assure aux femmes que ces corps, lorsque la vie les quitte, ont droit aux honneurs funèbres et à entrer à la fois dans l'oubli et l'infini respect. Nous savons cela, nous le savons sans que nul ne l'enseigne ou l'ordonne."

La grande falaise royale s'élève et occupe tout l'horizon tandis qu'en face de moi le personnage crispé de Créon proclame :

"A Thèbes il n'y a qu'une seule loi et jamais une femme n'y fera prévaloir la sienne."

Il se tourne vers ses assesseurs :

"Vous l'avez entendue, que dit la loi ?"

Ils s'inclinent et leurs voix répondent en écho : "La mort."

Créon se tourne vers le groupe incertain des vieillards :

"Vous connaissez Antigone, nous avons reconnu et soutenu son dévouement aux malades et aux blessés de la cité. Son frère, le roi Etéocle, et moi-même avons toujours cherché à la maintenir dans une voie juste, mais l'orgueil l'a emporté chez elle. Elle a déchiré et brûlé publiquement un édit royal. Profitant de la nuit, elle a violé l'interdiction d'enterrer le corps du traître Polynice. De telles atteintes à nos lois ne sont pas tolérables, vous avez entendu la sentence des grands juges à laquelle, avec tristesse, je joins la mienne. A votre tour maintenant de délibérer."

Un murmure de pitié, un long bêlement de douleur s'élève du troupeau vieillissant. Ils pleurent sur ma jeunesse et ma vie trop tôt coupée. Ils bêlent, ils me plaignent, ils regrettent les jours que je ne verrai plus, l'hyménée que je n'ai pas connu, les enfants que je n'aurai pas mais sous ce chant factice on entend sourdement résonner une note unique, et très froide, qui approuve et dit mort.

Créon se tourne alors vers Ismène et renonçant à son attitude menaçante, il plaide :

"Tu as connu, Ismène, les malheurs de la guerre dont la victoire d'Etéocle nous a délivrés. Maintenant il faut reconstruire. Ta sœur a violé nos lois et l'autorité royale, elle mérite la peine de mort qui va lui être appliquée aujourd'hui même, à moins que je ne puisse la commuer en exil perpétuel comme la loi le permet à certaines conditions.

Je connais le caractère intraitable de ta sœur, elle les refusera, toi seule es capable de la décider à reconnaître devant nous que son acte était criminel et à livrer à la justice le nom du complice dont nous avons retrouvé les traces."

Pendant que Créon parle je vois apparaître sur le visage d'Ismène un sursaut de mépris et de fierté qui me remplit de joie et d'angoisse. Oui, mon Ismène, malgré son habitude de la cour et sa tête politique, va sortir de sa mesure et de sa grâce habituelles. En la supposant capable d'approuver le traitement indigne du corps de Polynice et de m'inciter à dénoncer quelqu'un, Créon, comme il l'a voulu, l'a blessée profondément. Ses yeux déjà lancent des éclairs et c'est avec toute la fierté de Jocaste qu'elle va répondre à celui qui l'insulte.

En un instant fulgurant je vois la perversité du piège où Ismène, qui se croit encore aimée par Créon, va tomber. Créon sait qu'Ismène, même si elle n'y a pas participé, approuve ce que j'ai fait. Il n'aime plus Ismène qu'il admirait tant, il sait qu'après ma mort elle sera son irréductible ennemie et qu'il vaut donc mieux la faire mourir avec moi. Ismène ne voit pas à quel point Créon a changé, elle s'attend à son indulgence, elle pense encore qu'à cause d'Hémon, il sera obligé de nous ménager. Je sais qu'emporté par la démence Créon n'est plus capable de ménager ni d'aimer personne. Il a voulu l'humiliation de Polynice, il veut ma mort à tout prix et dans ce prix figure la mort d'Ismène. Toute à son indignation, à sa rébellion devant l'outrage, Ismène n'aperçoit pas le danger et je vois déjà se former sur ses lèvres le refus méprisant qui va entraîner sa perte.

Il ne faut pas que sa réponse soit possible, et mon corps, bien avant moi, sait ce qu'il faut faire. Il se jette à genoux et, le front sur le sol, extrait de la terre elle-même un non formidable. C'est un cri d'avertissement et de douleur qui brise la parole sur les lèvres d'Ismène. C'est le non de toutes les femmes que je prononce, que je hurle, que je vomis avec celui d'Ismène et le mien. Ce non vient de bien plus loin que moi, c'est la plainte, ou l'appel qui vient des ténèbres et des plus audacieuses lumières de l'histoire des femmes. Ce non frappe de face le beau visage et le mufle d'orgueil de Créon. Il ébranle la salle, il déchire les habits de pierre des grands juges et disloque le troupeau des sages.

Il fait pleurer Ismène, il faut qu'elle pleure, qu'elle sanglote pour être contrainte au silence et échapper à la mort qui la menace.

Je crie non, rien que non, rien d'autre n'est utile. Non, seul suffit. Mon cri masque le refus qui s'ébauchait sur les lèvres d'Ismène, qui ne pourra pas naître car les larmes l'étouffent et l'homme qui l'accompagnait tout à l'heure surgit en courant de l'escalier. Je me réjouis de voir qu'il est hors de lui et qu'il entraîne Ismène sans que Créon s'en aperçoive.

Créon ne voit plus, n'entend plus que moi, je suis devenue l'unique objet de sa fureur. Il veut parler, donner des ordres mais mon cri le submerge, pénètre de force dans ses oreilles, le fait rugir sans que sa voix parvienne à couvrir celle qui n'est plus la mienne et vient de temps bien plus profonds que ceux de l'existence de Thèbes et de son éphémère tyrannie.

La violence du non arrache de leurs gonds les portes de la salle, chasse les juges, épouvante les conseillers et les force à fuir, abandonnant sur le sol les médiocres débris de leurs insignes et de leurs dignités. Il ne reste plus, face à face, que Créon et moi, je pourrais amplifier encore le cri, ébranler les murs du tribunal et faire s'écrouler sur lui ce monument d'iniquité.

J'ai dû résister à Créon mais je n'ai pas de haine pour lui. Ce n'est pas pour haïr que je suis née, c'est pour aimer que je me suis autrefois enfuie sur la route et que j'ai suivi Œdipe jusqu'au lieu de sa clairvoyance.

Je ne suis plus, tout entière, le cri, je puis l'apaiser, le contenir et peu à peu il s'éteint. Créon, bouleversé, cesse de se boucher les oreilles et s'effraie d'entendre à nouveau hurler sa voix. Quand je me relève, il se tait et se rassure en voyant que je ne fais plus qu'attendre en silence. Il n'ose pas me regarder, il a peur en me parlant de faire resurgir le non qui a été mon unique défense. Entre lui et moi il ne reste plus que la mort et les soldats. Il les appelle.

XXI

LA GROTTE

Le cri m'a emportée avec tant de force que je me retrouve en plein vertige et ne sais plus où je suis. Je vois confusément un grand soldat au visage tanné qui s'approche. Il ramasse la corde dont Ismène m'a délivrée et instinctivement je lui tends mes poignets. Il les saisit, je crie, il voit qu'ils sont blessés et attache la corde à ma taille sans trop serrer. Il sent peut-être le vin mais pas la peur comme les autres. Il me regarde, son regard est dur, pas méchant :

"Tu me reconnais ?"

Je le reconnais, c'est le soldat qui m'a arrêtée à la porte lors de mon retour à Thèbes.

"Le dizenier Stentos... tu m'as menacé avec ma propre lance. Tu te rappelles ?

— Les femmes doivent parfois se défendre...

— Je ne dis pas... Il paraît qu'au combat je crie comme cinquante hommes mais toi c'est bien pire, le roi lui-même n'a pu t'arrêter. Si tu ne cries pas, je ne te ferai pas de mal, comme ta sœur me l'a demandé."

J'acquiesce, je me laisse entraîner par lui sans résistance, il me dit :

"Quand tu criais non, comme une cinglée, ça ne me déplaisait pas, ça me faisait même plaisir. Moi aussi, souvent j'aurais voulu crier non, mais quand on est soldat, même dizenier, il faut se taire. Alors on boit."

Nous sortons du tribunal, il n'y a plus personne, on dirait que Créon, ses juges et ses conseillers ont été vomis par ce lieu de malheur.

Stentos ouvre une porte derrière laquelle je ne vois qu'une étendue noire. Je m'arrête, il veut me faire entrer, je me raidis :

"Pas dans le noir, j'ai peur…

— Peur ? Toi qui cries devant le roi ?

— J'ai toujours eu peur d'eux… Peur des rats.

— Il n'y a pas de rats ici. Entre !"

Je supplie :

"Donne-moi un peu de lumière."

Il dit : "Bon…" et me laisse dans le noir.

Je n'y crois pas, ce géant vêtu de cuir et de fer ne comprendra jamais mon absurde terreur.

Stentos revient pourtant avec une petite lampe qu'il pose sur une pierre au centre du cachot.

"La lampe ne va pas durer longtemps, mais nous partons bientôt. Si ça ne va pas, appelle, je suis de l'autre côté de la porte."

Il s'en va, la lueur de la lampe est douce et mes yeux se reposent après l'écrasante lumière de la salle d'audience. Je me laisse tomber sur la pierre, je sens que mon corps se détend et, avant toute pensée, je m'endors.

Je suis endormie sur la pierre et je suis en même temps, étendue au-dessus d'elle, celle qui me regarde. Ensevelie dans le sommeil, qu'elle est malheureuse et combien j'ai pitié d'elle. Toujours dans la division – entre son incessant et difficile amour des autres – et ce profond désir de vivre recueillie, silencieuse, occupée seulement de cet unique qui, sans doute, n'est qu'un songe.

Quelle vie impossible, quelle vie ratée, dans cette dispersion perpétuelle, sans homme, sans foyer, sans enfants. Je voudrais te consoler mais tu es inconsolable. Tu t'éveilles et nous nous retrouvons ensemble, pensant que ce rêve si dur va nous plonger dans la tristesse.

Je m'étire, je perçoit les points douloureux de mon corps, l'humidité froide de la pierre, je m'attends à être malheureuse. Mais je ne suis pas malheureuse, pas encore. La petite lampe s'éteint et je n'ai pas peur, je ne suis pas triste, je suis heureuse d'être plongée dans le merveilleux noir. Comment puis-je être aussi heureuse ? Pourquoi interroger le bonheur qui est là, qui me vit, qui déjà déborde de mes limites ? C'est le corps qui, à sa manière silencieuse, manifeste dans l'obscurité son bonheur à mes yeux brûlés de soleil. C'est lui qui me souffle sans paroles : Vis, vis avec moi, je te sers, je t'aime, la vie nous aime, nous aime encore. Respire ce bonheur et puisque tu en as besoin, que nous le pouvons en cet instant, endors-toi, dormons.

Je m'éveille à nouveau, celle qui m'a vue rêver et m'a parlé avec mon corps a disparu mais le courageux bonheur est toujours là, il élève au-dessus de moi son grand édifice d'air qui a la forme d'un sein. Dans l'ombre, un autre bonheur s'approche, le bonheur d'Ismène qui, aujourd'hui, n'est que tendresse. Elle me glisse dans la main une petite fiole : "C'est l'élixir de Diotime que tu m'avais donné, c'est toi qui vas en avoir besoin."

Nous nous serrons très fort, comme nous faisions petites pendant les nuits d'orage. Elle murmure : "Tout à l'heure j'ai crié non, moi aussi, mais ton cri était si beau qu'on n'a entendu que toi.

— Moi, je t'ai entendue, Ismène, mais nous n'avons que quelques instants et il faut que je te dise, absolument, ce que jamais tu ne m'as laissé te dire. Depuis mon retour à Thèbes, c'est toi qui as été la grande sœur, c'est toi qui sans cesse m'as protégée de ton affection et de ta clairvoyance. Le peu que j'ai pu faire, c'est grâce à toi. Sans ta patience – et tes colères contre mes illusions – tout aurait tourné plus mal encore et plus vite. Au lieu de pouvoir dire non à Créon comme tu m'en as donné le temps et la force, je serais morte depuis longtemps. N'oublie pas, le non à Créon était un oui à ton enfant et à ta vie.

— Je dis oui à mon enfant, Antigone, c'est un bonheur mais à cause de lui je ne suis plus libre. Créon a le pouvoir de te tuer et moi je vais devoir me taire, comme font les femmes depuis toujours, les femmes qui ont des enfants."

Cette parole me bouleverse mais il n'est plus temps de répondre ni de pleurer car Stentos entrouvre la porte et appelle Ismène :

"Le capitaine arrive, il ne faut pas qu'il te trouve avec la condamnée."

D'un sursaut, Ismène sèche ses larmes, nous nous embrassons et elle s'enfuit après avoir tracé sur ma joue la caresse brève que nous faisait Jocaste.

Je suis encore dans sa présence, ravie par la légère musique de son pas, quand une porte s'ouvre brusquement. Un officier, vêtu d'un manteau rouge, apparaît. Derrière lui une forte troupe d'hommes armés pour la guerre.

Il dit à Stentos :

"Départ immédiat. Lie-la à toi, qu'elle ne s'échappe pas. Il y a des postes dans la ville. Ensuite, il y aura peut-être des rebelles.

— Sûrement, dit Stentos.

— Il faut aller vite.

— Elle ne pourra pas suivre, regardez ses pieds.

— C'est ton affaire, fais-la porter s'il le faut."

Il part tout de suite avec un premier groupe, nous suivons avec le second. Stentos m'a attachée à lui mais s'arrange pour porter lui-même le poids de la corde et quand je trébuche, il me soutient.

La ville est déserte, il y a des hommes en faction à chaque carrefour, la foule, qui m'a suivie jusqu'au tribunal, a été dispersée de force, mais une rumeur de compassion s'élève à notre passage.

Soudain, très droite, très belle, seule au milieu de la ville terrorisée, Ismène nous regarde venir. Le capitaine, stupéfait qu'elle ait osé enfreindre les ordres de Créon, n'ose ni l'interpeller ni la faire chasser. Il se résout à la saluer mais elle ne daigne pas lui répondre. Quand je suis à sa hauteur son regard intrépide me dit : "Je suis avec toi", et je tente de lui répondre de mes pauvres yeux brûlés. Ismène, comme d'habitude, a tout observé, tout vu, car au passage elle dit à Stentos : "Merci", et Stentos est content. Lorsque nous l'avons dépassée, il m'aide à me retourner pour la regarder encore, au milieu de la rue déserte.

La marche est trop rapide pour moi et le premier groupe distance le nôtre. Je peine à suivre la cadence plus modérée que lui imprime Stentos et bientôt je ne pourrai plus. Quelle importance, tu peux tomber, Antigone !

En traversant la ville, une sourde tristesse me révèle que je n'aime plus Thèbes, ma patrie et celle de tous les miens. Surgit en moi une phrase d'Hémon : "Sans toi, sans tes flèches qui ont forcé les Nomades à rester à distance, jamais nous n'aurions pu terminer les travaux et défendre la ville." Dans ces travaux, il y avait, ce que nous ignorions, l'énorme piège, qui a entraîné Polynice, Etéocle et Vasco dans la mort et mené Créon au pouvoir. C'est cela qui, sans moi, n'aurait pas été possible. Affreuse pensée à laquelle il ne faut pas m'arrêter, ce n'est pas cela qui m'est demandé maintenant, mais seulement de marcher, de marcher encore comme au temps d'Œdipe.

Nous longeons l'immense marché, créé par Etéocle, il est vide et des soldats gardent ses portes. Je suis en nage, je respire avec peine et vacille à chaque pas. Stentos appelle Lenos, un de ses hommes dont la femme venait se faire soigner chez nous, qui me soutient de l'autre côté.

Un message du capitaine : "Une barricade. Courez à cause des flèches !"

Stentos donne un ordre, nous courons, je suis trop faible pour le faire, mais les deux géants me soulèvent à demi et, tant bien que mal, je cours. Nous rejoignons le groupe de tête à l'abri d'un mur. Des fentes permettent de voir :

"Malheur, dit Stentos, leur barricade ce n'est rien, ils vont être pris à revers, et il y a là des tas de femmes et d'enfants. Regarde !"

Entre le coin du marché et un hangar le chemin est barré par une levée de terre surmontée de meubles et de chariots renversés. Derrière elle une foule, plus ou moins armée, qui hue les soldats. Je reconnais beaucoup de gamins et de gamines des bandes de Vasco, venus de la ville souterraine. Il y a Dirkos et Patrocle, il y a Zed et de nombreuses femmes que j'ai soignées à la maison de bois ou qui m'ont secourue quand je mendiais à l'agora. Parmi elles, la petite boulangère, celle qui m'a donné un premier pain. Est-ce qu'elle n'est plus épouvantée par son mari ? Leur courage est insensé, car derrière eux on voit déjà approcher le détachement de renfort dont les armes et les casques brillent au soleil.

"Ces gamins, je les connais, dit Stentos, ils vont se battre à mort. Et les femmes encore pire. Ce sera un massacre."

Plusieurs hommes regardent aussi par les fissures, Lenos devient très pâle et murmure : "Mon fils est là… ma femme aussi !"

Stentos regarde les hommes et dit :

"Tu n'es pas le seul."

Le capitaine a l'air troublé, il dit à Lenos :

"Appelle ta femme et ton fils. Tous ceux qui viendront ici sans armes seront libres."

Lenos appelle les deux noms, puis d'une voix désespérée :

"Ceux qui viendront sans armes seront libres !"

Une formidable huée lui répond et un cri : "Libérez Antigone !"

Comme de notre côté c'est le silence, une grêle de pierres s'abat sur nous, suivie de flèches, tirées très haut à la manière des Nomades, qui retombent presque verticalement.

Un ordre du capitaine, le carré thébain se forme, un toit de boucliers s'élève sous lequel Stentos veut m'entraîner. Je lui échappe, je me débats, je supplie : "Laissez-moi leur parler."

Le capitaine fait signe qu'il est d'accord et Stentos me conduit au coin du mur :

"Dis-leur qu'ils sont perdus. Les autres, derrière eux, sont prêts à charger, comme nous."

Je tente de crier très haut mais c'est un misérable filet de voix qui s'échappe de moi et qui dit :

"Partez, pas de sang à cause de moi !"

Une terrible huée me répond, puis j'entends la voix de Zed qui crie :

"Ils te forcent, nous le savons. Ils ne passeront pas !"

Le capitaine crie à Stentos de me faire revenir au centre du carré. Je prévois les ordres qui vont suivre : celui qui va hérisser de piques le mur de fer, puis celui de charger. Je tente de résister à Stentos et je me laisse tomber sur le sol. L'odeur profonde de la terre pénètre dans mes narines et sa pesanteur envahit tout mon corps. Plus Stentos tente de me relever, plus cette pesanteur lui résiste.

Le capitaine s'impatiente, il crie des ordres à Stentos, qui commence à perdre la tête, je l'entends qui gronde sourdement :

"C'est la guerre, c'est la guerre !"

Soudain, touché par une pierre lancée de la barricade, il crie :

"Tu l'as voulu !"

Et me saisissant de toute sa force par les cheveux, il me contraint à me relever, hurlant de douleur.

Ils voient cela de la barricade, ils croient qu'on me torture, ils n'osent plus lancer de flèches ni de pierres de peur de me blesser mais ils hurlent, eux aussi, avec fureur.

Je fais signe que je voudrais parler, un grand silence se fait du côté de la barricade. Je devrais m'élancer dans la parole, profiter de ce répit pour dire des paroles de paix. Les mots ne surgissent pas, des forces, des rythmes, des pensées effrénés s'élèvent, bouillonnent et se déchirent en moi. Ils barrent mon orifice, brisent mon souffle, écrasent ma voix. Tout devient horriblement confus, la puissance inconnue occupe toute la place avec l'odeur sauvage de la terre qui travaille mes narines.

J'essaie de me cramponner à ce qui subsiste de moi-même pour ne pas crier et déjà je crie. Je crie je ne sais quoi, avec une force insupportable. C'est mon corps, c'est ma vie tout entière qui crient et souvent me font tomber. Alors je sens la terre, je la mords, je deviens la terre et c'est son cri que je pousse tandis que quelque chose de très patient me relève avec douceur.

J'ai entendu, du plus profond de ma confusion avec le dangereux sol de Thèbes, le capitaine donner les ordres que je redoutais : Baissez les piques… Préparez-vous à charger… mais l'ordre ultime n'est pas proféré. Le mur de fer ne se met pas en marche, il ne s'avance pas, des deux côtés de la barricade, pour massacrer mes irréductibles amies, les courageux enfants de Vasco et briser le chant d'Œdipe dans la voix de Patrocle et de Dirkos.

A travers un espace ténébreux, s'avance une force immense, elle est comme un amour et transforme le cri de la terre et du grand animal intérieur qui jusqu'ici me subjuguait. Je commence à comprendre ce que je fais. Je mendie, je mendie une fois de plus, de toutes mes forces.

Je l'accepte, je suis totalement cette mendiante hurleuse, hurlante qui ne peut, au-delà de toute honte, de toute fierté, rien faire d'autre que prier, supplier : "Pas de sang… pas de sang à cause de moi."

Des deux côtés les cris et le bruit des armes se sont arrêtés. Est-ce qu'ils n'ont pas pu supporter mon cri de mendiante ? Ils m'ont écoutée, je le sais, mais m'ont-ils entendue vraiment ? La paix est plus difficile, plus vraie que leur silence. Je n'y arriverai pas sans doute, nous sommes lourds, si lourds, jamais nous ne pourrons changer. C'est ce qu'ils disent tous, je n'ai

plus la force de m'opposer à cette pensée malheureuse, je ne puis, une fois encore, que me
jeter de tout mon poids sur la terre et frapper
contre elle mon visage sans lumière.

Je saigne, des mains me soulèvent, essuient
le sang qui m'aveugle, des bras me portent et
soudain mon esprit délivré se libère de son
exigence. Je ne peux plus rien, je ne veux plus
rien et d'ailleurs, je n'ai plus rien à vouloir. Je
puis entendre le chant aérien qui, peut-être,
s'élève, aussi simple que le souffle du vent dans
l'herbe et les branches des arbres. Ce chant ne
mendie pas, il ne demande pas et en l'écoutant
je ne suis plus cette Antigone qui voulait si déses-
pérément obtenir quelque chose. Le chant suffit,
il se suffit, peut-être suis-je en lui, peu importe,
car ce chant qui n'est chanté par personne, c'est
par tous qu'il est entendu.

Ceux de la barricade se taisent, ils n'envoient
plus de pierres ni de flèches. Les soldats sont
encore en carré, hérissés de piques mais ils ne
bougent pas. Ils attendent, ils attendent quoi ?

Stentos est en face de moi, il me regarde avec
anxiété, et une si étrange douceur que l'idée
absurde me vient qu'il a des larmes dans les
yeux. Le capitaine, qui observait la barricade,
se retourne. Il commande : "Repos", les piques
et les boucliers s'abaissent, il vient à moi, sa
figure semble changée. Il me dit quelque chose
de très important, que je ne puis comprendre,
car mon corps cède et la fatigue fond sur moi,
comme un vautour. Je sens que je perds connaissance, que je vais tomber, me blesser, et
qu'alors je ne serai plus bonne à rien.

Je tombe mais ce n'est pas sur le sol brutal
de Thèbes, je tombe dans un lieu inattendu et
que pourtant déjà, je connais. Au-dessus de

moi, je vois le ciel basculer dans la lumière déchirante, le ciel est sans vouloir, sans espoir et la chose presque douce qui me porte, ce sont les bras de Stentos. Il me verse de l'eau sur le front, il me berce entre ses énormes muscles, je reviens peu à peu à moi. Le capitaine veut à nouveau me parler, je me sens incapable de comprendre. Je souffle à Stentos :

"Toi, dis-moi ce qu'il veut.

— Tes amis, là bas, veulent la paix. Nous aussi, mais comment ?"

Je murmure dans l'oreille de Stentos :

"Deux de chez eux... Le capitaine et toi... A mi-chemin, sans armes.

— Pour convenir de quoi, Antigone ?

— Eux... plus de barrage... Vous, vous les laissez partir dans la ville souterraine... Pas de prisonniers.

— On peut dire que c'est ce que tu veux ?"

Je suis épuisée, je soupire : "C'est ça..."

Le capitaine accepte. Stentos crie l'offre d'une rencontre et Dirkos répond par un chant bref qui veut dire : D'accord.

Ils règlent tout très vite, ils échangent des serments. Le capitaine, à son retour, autorise les hommes à manger, tandis que sur la barricade tous s'affairent à libérer le passage.

On soulève des pierres, un des souterrains vers les citées perdues s'ouvre, les femmes s'y engouffrent d'abord, les indomptables gamins de Vasco les suivent en sautant et se bousculant comme toujours. Dirkos et Zed s'en vont les derniers, ils me crient quelque chose que je ne parviens pas à comprendre. Quand ils font retomber sur eux les pierres de fermeture, je prends conscience de ma détresse, le chemin de ma mort est ouvert.

Stentos me fait boire, il voudrait que je mange, je n'y parviens pas. Le capitaine donne des ordres, nous nous remettons en marche, Stentos et Lenos me soutiennent. Là où était la barricade il n'y a plus que quelques débris, et le crime qui semblait fatal n'a pas eu lieu.

Les soldats, autour de moi, ne sont plus les mêmes, plus ces hommes bardés de fer dont le travail, ce jour-là, était de mener une condamnée au supplice. On dirait maintenant qu'ils me connaissent comme il me semble les connaître et je suis allégée du morne poids de leur indifférence.

Je sens confusément que nous sommes arrivés dans un lieu ombragé, le soleil ne me brûle plus le visage, l'air est doux. Je voudrais garder les yeux ouverts, mais l'effort est trop grand. On me dépose sous un arbre.

J'entends la voix du capitaine :

"Un moment de repos, Stentos, puis ouvrez la grotte.

— Personne, capitaine, n'est pressé d'ouvrir la grotte. Gagnons du temps, il y a le roi… et il y a Hémon."

J'entends le pas du capitaine qui s'éloigne, je dois m'éveiller absolument, comprendre ce qui se passe. Je parviens à rouvrir les yeux, le capitaine est loin, les soldats inactifs. Stentos et Lenos sont penchés sur moi et me regardent avec inquiétude.

Je dis : "De l'eau…" Ils sont contents, Stentos me dit :

"On a trouvé une source, l'eau est très bonne." Ils me font boire, mais ce que je veux surtout c'est rafraîchir mes yeux, laver mon visage couvert de sueur. Je me sens mieux ensuite, je m'assieds, je commence à comprendre.

Ce qu'ils attendent tous, celui auquel ils pensent, c'est Hémon. C'est son nom que me lançaient en s'en allant Dirkos et Zed, dans ce cri que je n'ai pu comprendre. Hémon, qui va venir me délivrer. Ils pensent que Créon ne pourra refuser ma vie à son fils, s'il arrive. S'il arrive à temps.

La barricade, c'était dans ce but, les gamins de Vasco ni les femmes n'espéraient la victoire. Ils voulaient seulement gagner du temps pour Hémon. Et les soldats, Stentos et Lenos qui n'ouvrent pas la grotte, c'est pour cela qu'ils ne font rien et que le capitaine se promène là-bas, prudemment, pour ne pas donner un ordre qui ferait d'Hémon son ennemi.

Tous croient que Créon aime trop son fils pour ne pas lui accorder ma grâce. Seules, Ismène et moi, savons que Créon a été si profondément offensé par ma résistance qu'il ne peut plus supporter ma vie. Si Hémon demande ma grâce, il refusera, s'il me délivre, ce sera entre eux la guerre. Après l'affreuse guerre entre les frères ennemis, ce sera une guerre civile, entre le père et le fils.

Horreur, la guerre de nouveau à Thèbes, et cette fois à cause de moi.

C'est seulement lorsque je sens mon émotion calmée que je dis à Stentos et à Lenos :

"Si Hémon me délivre il y aura la guerre, Créon veut ma mort, il ne cédera jamais. Hémon non plus. Ce sera une guerre entre père et fils qui déchirera Thèbes bien plus cruellement que la guerre avec Polynice. Il ne faut pas qu'Hémon me délivre…"

Je vois que cette idée les bouleverse et pénètre dans leurs esprits aussi lentement qu'elle est entrée dans le mien.

"Alors… et toi, dit Stentos.

— J'ai été condamnée à mort, il faut que la sentence soit exécutée. Hémon ne doit pas me délivrer. Pas de guerre, pas de guerre à cause de moi… Je ne veux pas… !"

Ils me regardent, atterrés, ils comprennent, peu à peu, que je dis le vrai, l'inéluctable.

"Va, Stentos. Va le dire au capitaine et puis, ensemble, dites-le aux hommes, qu'ils ouvrent la grotte et qu'on m'y enferme. Vite, avant qu'Hémon n'arrive."

Il souffre, il souffre beaucoup et Lenos avec lui. Ils savent que j'ai raison, ils ne veulent pas ma mort mais… ils ne peuvent pas me résister. Ils s'éloignent ensemble, j'entends Stentos qui jure très fort, très longtemps, mais ils ne s'arrêtent pas. Je me laisse tomber, épuisée, sur le sol.

Quand Stentos revient, je demande : "Ils ont compris ?" Il ne répond pas, il est très rouge, il m'en veut, soudain il se décide, prend une masse, une barre à mine et crie à ceux qui le suivent : "Prenez-en aussi, vous autres !"

Arrivé à la grotte, il place la première barre à mine et l'enfonce d'un furieux coup de masse. J'entends les coups se succéder, ils trouvent leur rythme et la pierre, peu à peu, commence à tourner. Tous les soldats la regardent, et je m'assieds pour regarder, moi aussi, l'ouverture noire qui grandit.

Stentos fait porter dans la grotte des torches, de l'eau, du pain. Le capitaine s'approche, il objecte : "Le roi a ordonné pas de lumière."

Il y a un silence, tous les hommes regardent Stentos dont le visage durcit, il va refuser l'ordre.

Le capitaine ne comprend pas, je crie de loin :
"Les rats… ils savent que j'ai peur des rats…"

Le capitaine se détourne, il s'en va pour ne pas voir. Lenos et Stentos m'aident à me lever, je peux marcher mais je boite très fort. Je dis :
"Dire que j'ai tellement marché à travers toute la Grèce et que je vais finir en boitant. C'est que je n'ai pas tellement envie de mourir sans doute."

Cette constatation me rassure, elle me fait rire, nous entrons en riant dans la grotte et ceux qui sont en train de la nettoyer et d'y placer des torches se joignent à nous, sans savoir pourquoi. Je suis heureuse de voir briller les stalactites qui descendent du sommet, je m'écrie :
"C'est beau, j'avais tellement peur du noir."

Nous rions et nous toussons à cause de la fumée des torches qui nous prend à la gorge. Cette gaieté un peu folle me fait entrer dans une autre sphère d'existence, je ne suis plus seulement dans la grotte, je suis aussi sur la montagne de Clios, au bord de la mer, dans la maison de Diotime. Seul un mince rideau d'obscurité me sépare encore d'eux, de la musique de K. et d'une voix d'allégresse dont les accents me transportent.

Le capitaine est là, il porte son manteau rouge sur le bras, il dit :
"Ne restez pas trop longtemps ici, n'allumez pas tant de torches, voyez il n'y a qu'une fente étroite pour la fumée. Antigone va étouffer."

Il étend son manteau rouge sur une anfractuosité de la muraille, où Stentos a déjà placé l'écharpe d'Ismène.

"Etends-toi là, Antigone, bouge le moins possible, tu respireras plus facilement.

— Sois patiente", ajoute Stentos.

Je vois que le capitaine et lui espèrent toujours qu'Hémon viendra me libérer mais je sais que le lieu où je dois mourir m'a trouvée.

Les soldats sortent de la grotte, les torches qu'ils ont allumées en partant me font penser au bûcher d'Etéocle et de Vasco. C'est trop, c'est trop pour moi, Stentos le sent, il en éteint plusieurs et n'en laisse que trois allumées. Je le pousse, avec le capitaine, doucement vers la porte, je les embrasse, je me dis que ce seront mes derniers baisers sur la terre.

Quand Stentos est dehors, il se retourne et me lance : "Je prendrai la première garde et toutes les heures je t'appellerai !"

Je m'approche de l'entrée pour lui faire un dernier signe, je vois que tous les hommes sont là et qu'ils me regardent en silence. Ils devraient faire tourner la pierre, mais ils ne le font pas et personne ne donne d'ordre. Tous attendent de moi une parole que je suis incapable de prononcer.

Je pense à Diotime, autrefois j'ai su, sans parler, me faire connaître d'elle et la remercier de son accueil. J'étais bien hardie alors, est-ce que j'oserais encore, est-ce que je connais encore la grande révérence dansée que notre mère nous avait apprise avec tant de soin ?

Je l'ai oubliée, je me souviens seulement qu'elle se faisait en cinq temps, comportant chacun trois mouvements. Mon esprit l'a oubliée mais le corps sait toujours le chemin des grandes liturgies ancestrales.

Je boite, ils vont le voir. Mes jambes vacillent, mes mains et mes poignets blessés n'ont plus les mouvements d'oiseaux qu'Ismène et moi exécutions si bien. Mais dans le grand mouvement plongeant, ma tête, comme il se doit, parvient à effleurer le sol devant eux et mon corps ensuite se redresse bien droit. Je peux même leur sourire de toutes mes forces, seulement des yeux, ainsi que le voulait Jocaste.

Ils comprennent mon adieu et, des rangs de ces hommes rudes, s'élève un murmure de tristesse et de compassion.

Le capitaine fait un geste, Stentos d'une voix troublée, qui s'affermit à mesure que le travail avance, met tout son monde en mouvement. La pierre tourne, Stentos crie :

"Poussez, poussez encore !... Encore !... Voilà !..."

Ce voilà me coupe à jamais de la lumière des vivants. Entre l'obscurité et moi, il n'y a plus que la lumière vacillante des trois torches. J'entends encore la voix de Stentos qui crie :

"Antigone, tu m'entends ?"

Ma voix est brisée, je suis incapable de répondre.

Stentos, de sa voix énorme, reprend sa question. Il y a, peut-être, autour de moi, une faible musique, un chant à la limite du silence. Stentos peut-il les entendre ? Sa voix s'élève à nouveau et comme s'il répondait, à ma place, à sa question, il crie : "Oui !" Simplement oui.

XXII

L'ANTIGONE D'IO

Le fil de lumière qui passait entre la pierre et les parois de la grotte s'est éteint et le bruit des voix a disparu. J'entre en solitude et j'ai peur. Je ne verrai plus, je ne rencontrerai plus personne, moi, l'infatigable marcheuse, après tant d'amitiés sur la route, je ne parlerai plus à personne. Comment le croire ? J'ai souvent pensé à la mort, à la solitude jamais. Trop occupée des autres, entraînée par la vie, c'est sans préparation, et sans forces que j'y entre.

Il ne faut pas que je tombe et voilà, je suis tombée. La chute a été douloureuse, je remue mes membres avec une sourde terreur, rien de cassé, je peux me relever et pourtant je n'y parviens pas.

Pourquoi dois-tu absolument te relever, d'où vient cet ordre ? Le sol est froid, il est humide, mais c'est le sol ferme, tu as le droit de rester couchée sur lui, d'attendre. Après tu te relèveras si tu le désires. De toute façon tout est en dur ici, excepté…

Excepté peut-être ce son, cette imagination d'une musique que je crois entendre. On dirait que, grâce à elle et aux ombres merveilleuses que font les torches sur les parois de la grotte, la solitude est moins opaque.

Tu te traînes jusqu'à la muraille, tu la reconnais, toute ta vie il y a eu une muraille. Tu te

soulèves, tu t'accroches en te servant des aspérités de la pierre, tu peux t'asseoir, reprendre
souffle, t'étendre sur le manteau rouge du capitaine. Regarde, Stentos a même plié l'écharpe
d'Ismène pour que tu puisses y reposer ta tête.

Stentos et les soldats n'ont pas voulu que je
meure dans l'obscurité, cela me réchauffe le
cœur. Ce sont cette lumière et cette chaleur qui
me donnent l'illusion d'entendre une musique.
Une musique qui n'est pas plus forte que la
solitude mais qui peut-être l'empêche de croître.

Je vais disparaître, me quitter, comme c'est
difficile à croire, mais avant cela la solitude n'aura
pas gagné, n'aura pas dévasté tout le terrain.
J'entendrai encore, c'est sûr, le cri de Stentos
annonçant que la première heure de mon existence souterraine s'est écoulée. Il y aura, il y a
déjà cette musique intrépide qui se jette en avant
pour me protéger de l'exagération du malheur,
cette musique que j'écoute sans être certaine de
l'entendre et qui peut-être n'est qu'un espoir.

Je vois un instant le visage de Diotime, il disparaît mais je le retrouve dans la musique où
j'ai dû l'entendre autrefois.

La voix qui me dit tu et cette autre voix qui
est aussi la mienne me disent : Tu tousses trop,
retiens ton souffle, étends-toi, détends-toi complètement. Cette voix, je le sais, répond à la
musique du nom de Diotime, elle est née en
moi, sans que je m'en aperçoive, en regardant
vivre Diotime, en suivant Œdipe, en l'écoutant
du cœur le jour où il m'a dit : "Tu n'as plus de
mère, Antigone, moi non plus, nous devons,
toi et moi, devenir chacun notre propre mère."
Parole que je ne suis pas sûre d'avoir vraiment
comprise et qui est pourtant devenue une
partie de moi-même, cette mère intérieure que

K. découvrait en moi et qu'il appelait aussi présence. Selon lui, cette présence était en moi comme en tous mais plus proche, plus exposée chez moi que chez les autres. Grâce à elle, m'a-t-il assuré, tu sauras toujours, en face des grandes alternatives, ce que tu dois faire. Il disait cela avec son sourire ingénu, ardent et voilé comme la vie, le sourire même de la musique. "Mon sourire d'esclave, murmurait-il, d'esclave libéré par Clios."

Elle est née en moi cette mère dont parlait Œdipe, si nécessaire et pourtant si discrète puisque, pleinement, je suis d'abord la fille de Jocaste. Est-ce pour cela que K. pensait que j'aurais dans l'esprit des hommes une douloureuse et bienfaisante postérité. Ce qui ne me donne guère l'espoir de tenir dans mes bras un petit enfant de chair vivante qui attend tout de moi.

Il n'y aura pas d'enfant, Hémon arrivera, il doit arriver trop tard. Si Hémon doit te sauver par la guerre, tu n'es plus du parti d'Hémon. Pas de sang pour Antigone, tu l'as dit, tu ne veux pas être défendue. Calme-toi, tu es tout en sueur, tout en larmes. Essuie ton visage avec l'écharpe, couvre-toi du manteau rouge du capitaine. Les rois ont besoin de tueurs, lui c'est un capitaine de tueurs que tu as forcé, comme ses hommes, à être secourable envers toi. Grâce à ton cri, à ton misérable cri de mendiante, qui a touché en eux cette part d'enfance que toute leur vie semblait nier.

Moi aussi, j'ai aimé les armes, comme eux, comme mes frères. Cela m'a passé sur la route, on ne peut vivre si longtemps au milieu des pauvres, on ne peut pas mendier son pain aux pauvres et nourrir encore ce ridicule orgueil.

Pendant ces années je me demandais si s'occuper d'un aveugle était plus ou moins difficile que d'élever des enfants. Je ne connaîtrai pas la réponse. J'étais trop petite pour l'immense aventure d'Œdipe, je n'ai fait que trottiner derrière lui. Et mendier, pendant dix ans ! Cela mes frères, Ismène ni Jocaste, n'auraient pu le faire.

Lève un peu les yeux, Antigone, au-dessus de toi il y a un saillant de pierre où tu pourrais, comme Jocaste, accrocher ton écharpe blanche. Quand elle a entendu Œdipe découvrir devant tous la vérité, elle est revenue au palais, s'est jetée sur son lit et a vu le crochet de bronze auquel le soir on attachait sa lampe. Une lampe qui ne répandait qu'une lumière faible et douce. Les soirs où ils pouvaient rester entre eux, ils s'asseyaient ou se couchaient sous cette lampe. Pour charmer Œdipe elle lui chantait une chanson ou lui racontait un des contes merveilleux qu'elle trouvait sans peine dans son inépuisable mémoire. Ensuite il lui parlait de Thèbes, de la mer, des bateaux et de l'aventure des êtres célestes ou souterrains dans lesquels ils se reconnaissaient tous deux. La lumière faiblissante de la lampe rendait leurs corps plus beaux, c'est alors qu'ils devaient s'aimer. Que tu aurais voulu les voir alors et tes frères, à leur façon ardente, le désiraient plus encore. Vous n'y êtes jamais parvenus. Seule Ismène sans doute, car elle était la plus petite et se faisait passer pour malade afin de dormir dans leur chambre. C'est ainsi qu'elle a hérité de notre mère ce sourire énigmatique qui, sans paroles, sans pensées, semble tout promettre dans une redoutable incertitude. Le sourire de celle qui, sans le dévoiler, fait sentir l'existence d'un savoir mystérieux et du simple secret des choses. Tandis que toi, qui as traversé tant de lieux, parlé à tant de gens tu es toujours la grande fille un peu gauche qui ignore la seule chose qui importe.

C'est vrai, ma vie a toujours été entourée d'une fumée d'ignorance, cette fumée même qui va finir par m'étouffer. Je devrais éteindre les torches, arrêter la fumée mais ce n'est pas ce que je désire, je vais au contraire renouveler celles qui risquent de s'éteindre et en allumer d'autres si j'en ai encore la force.

Je vacille dangereusement, je tombe en allant d'une torche à l'autre, je suis heureuse d'en allumer encore deux, cela valait la peine de tomber car je vais me quitter avec plus de joie, dans ce tombeau de flammes et de fumée. Je ne m'avance pas dans le rouge, comme dans le temple de Clios, je m'avance ici dans le mystère et l'aventure de la lumière. Je pense au bûcher d'Etéocle et de Vasco, à la flamme dévorant ensemble leurs beaux corps et celui de l'étalon blanc.

Voilà tu es à nouveau couchée, tout écorchée par tes chutes, sur le manteau du capitaine qui cachera les taches de sang de tes blessures. Tu as retrouvé ta place, celle que vivante, tu ne quitteras plus. Ta mort est un crime contre la justice et pourtant elle est légale, tristement légale comme la pensée de Créon. Et tu ne peux t'empêcher de constater que ta mort arrange tout le monde. Tu protestes, tu penses : Tout le monde sauf Hémon. Cependant tu ne veux pas qu'Hémon te délivre. Pas au prix du sang. Est-ce qu'en pensant ainsi tu ne pactises pas avec la mort, avec son désir de paix, de repos, d'immobilité ? Est-ce que le courage n'est pas de continuer à vivre malgré tout ?

J'entends la voix de Stentos qui crie trois fois mon nom comme il me l'a promis. Il le crie très fort certainement mais je n'entends que des sons assourdis. Il y a une heure, rien qu'une heure que je suis enfermée dans ma grotte. Quelle joie d'entendre encore une voix humaine et celle de quelqu'un qui m'aime. De l'autre côté de la paroi il y a autour de Stentos des hommes qui se croyaient mes ennemis et qui maintenant espèrent me voir sortir vivante d'ici. Je tente de me faire entendre mais ne puis proférer que des sons inaudibles.

Œdipe, quand il a connu ses crimes, a choisi de vivre, il a eu raison mais je ne vais pas donner tort à Jocaste. Elle devait rester ce qu'elle était et mourir comme une reine. Elle n'aurait pu rester avec Œdipe, le suivre sur la route, mendier son pain. Impossible, impossible, elle ne pouvait changer son être, altérer son inoubliable figure. Elle a su qu'Œdipe devait vivre, devait survivre et qu'il aurait besoin d'aide pour cela. Pas de celle des fils, bien trop occupés d'eux-mêmes et fascinés l'un par l'autre. Alors, une des filles ! Ismène mendier ? Le cœur se serre. Restait moi, c'est ce qui a été, c'est tout.

Au moment du désastre, c'est ce que Jocaste a vu de son œil de reine et elle s'est jetée résolument dans la mort pour qu'Œdipe ait, à sa place, une sœur ou une fille toute à lui. Une mendiante qui lui permette de marcher jusqu'à la fin de son aveuglement, de marcher encore après sa mort, comme je sens bien qu'il le fait en nous.

J'ai accompli la tâche que ma mère m'a confiée, c'est à cause d'elle que je n'ai pu être à Clios et ne pourrai m'unir à Hémon. Je n'ai pu répondre au cri de Stentos mais, portée par une faible musique, il me semble entendre une voix qui ressemble à la mienne. Est-ce un rêve, est-ce que, déjà, je délire ?

Tu ne délires pas, regarde le saillant de pierre qui pourrait hâter ta mort. Si proche, tu le sais du crochet de bronze, grâce auquel Jocaste, dans très peu de vide, s'est décrochée de la vie. Là, où il y avait la lampe et la lumière de son corps, il n'y a plus eu que l'obscurité céleste de sa mort, dans laquelle Œdipe s'est précipité, non pour la suivre, mais pour ne pas se perdre.

J'entends, comme une espérance de l'oreille, ma voix que je croyais perdue, elle chante dans une autre voix, qui n'est pas et qui est la mienne. Je découvre des sons flexibles et sourdement tenaces, qui ne font pas penser à ma voix mais peut-être à ma vie.

Sous le surplomb que fait la roche au-dessus du sol il y a un rat qui semble comme moi l'écouter. Ecoute-t-il le chant que je crois entendre, qui ne serait donc pas une imagination de mon esprit troublé par la fumée ? Quand Alcyon chantait, les oiseaux et les animaux souterrains se rassemblaient pour l'entendre. Ce n'est pas la voix l'Alcyon que j'entends, c'est la voix d'une femme qui, en pénétrant dans ma vie, est entrée dans ma voix qu'elle transfigure.

Je n'ai jamais entendu la voix d'Io, aussi belle, dit Clios, que celle d'Alcyon mais je suis certaine que c'est elle. Une voix puissante et tendre, qui s'élance très haut mais ne quitte pas la terre. Tandis qu'Alcyon, lorsqu'il planait immensément dans le ciel, oubliait tout. Il oubliait même Clios et c'est ainsi que, pour survivre, Clios l'a tué. Quelle douleur il a connue alors, comme Œdipe lorsqu'en poursuivant si durement la vérité, il a contraint Jocaste à mourir. C'est pour ces deux amours et ces deux meurtres

345

qu'Œdipe et Clios, malgré leurs oppositions, se sont si profondément compris et unis sur la route.

La voix grandit, je sens qu'afin de mieux l'entendre il faut que j'allume encore une torche, pour éclairer ce creux sombre de la muraille.

Plus il y aura de torches, plus elles t'étoufferont, est-ce que c'est ce que tu veux, Antigone ?

Oui, c'est ce que tu veux, tu tombes, tu retombes et pourtant tu allumes cette nouvelle flamme qui t'attire irrésistiblement. La musique à l'intérieur de ton oreille ne s'interrompt pas mais il y a une autre voix, celle de Jocaste qui te dit : Dépose ton fardeau. Tu peux.

C'est vrai qu'il y a un fardeau, celui de ce monde où mes frères se sont assassinés, où l'ignoble volonté d'un seul et le silence de presque tous ont livré le corps décomposé de Polynice au vautour.

Ce qui compte, ce sur quoi insistait la voix profonde de Jocaste, ce n'est pas le fardeau, c'est : tu peux. Elle m'a déjà dit cela et de la même voix, qui n'était plus sa voix de reine mais celle de son amour pour moi. Quand m'a-t-elle parlé ainsi ?

Au bord de la cressonnière, Antigone, tu étais encore très petite et Ismène au berceau. Tes frères faisaient des ricochets sur l'eau, ils m'assaillaient de leurs cris pour que je dise qui en avait fait le plus ou avait lancé le plus loin. Ce jour-là j'ai refusé de leur répondre, c'est toi que je regardais et j'ai lu dans tes yeux une peur et un grand désir. J'ai ramassé une pierre et je t'ai dit : "Essaie." Tu as hésité, puis tu as pris la pierre mais tu étais encore si petite, la pierre n'a pas ricoché et est tombée tout près. Tu n'as pas pleuré mais j'ai senti ta déception. J'ai ramassé une autre pierre et je t'ai dit : "Essaie encore, lance-la seulement. Tu peux !" Tu m'as regardée, interdite et tu as demandé : "Je peux, maman ?" J'ai redit : "Tu peux." Tu as lancé la pierre un peu plus loin. Tu étais fière mais chaque fois que je te donnais un nouveau caillou, tu me demandais : "Je peux ?" Et tu ne bougeais pas avant que je te dise : "Tu peux."

Soudain les larmes me sont venues aux yeux, je me suis demandé : Est-ce que quelque chose opprime cette enfant pour qu'elle ait tant besoin de ma permission. J'ai compris que je te mesurais trop mon attention, toujours sollicitée par l'esprit aventuré et menaçant d'Œdipe. J'étais aussi bien occupée de Thèbes, la cité d'orgueil et de mes fils, si beaux, si difficiles dans leur rivalité. Comment changer cela, c'était ma vie, mon fardeau, royal et quotidien ? Alors je t'ai dit en plongeant mon regard dans le tien : "Dorénavant donne-toi la permission toute seule, Antigone. Tu peux !" Il y a eu beaucoup d'amour sans doute dans notre échange de regards car, après un instant de silence, ton visage s'est illuminé. Tu as ramassé toi-même plusieurs pierres, tu t'es dit quelque chose à voix basse et tu les as lancées bien plus loin qu'à tes essais précédents. Tes frères eux-mêmes s'en sont aperçus avec surprise et t'ont applaudie.

C'est pour cela que plus tard, lorsque tu as voulu comme eux apprendre à monter à cheval, à manier les armes et conduire un char, je t'ai laissée faire. Je te désapprouvais, c'est vrai, mais puisque tu te donnais toi-même la permission d'agir ainsi, je n'allais pas défaire ce que j'avais fait.

Ainsi Jocaste, dès l'enfance, m'a appris à porter moi-même mon fardeau. Dans ce fardeau il y a eu un jour Œdipe, puis mes frères. Tous les pesants trésors de notre lignée et de l'amour, je ne les ai pas déposés, c'est de force qu'ils m'ont été enlevés. Ceux que j'aimais sont morts ou hors d'atteinte, je suis seule maintenant dans la fumée qui s'épaissit et qui m'endort avant de m'étrangler.

J'ai peut-être dormi quelques instants, j'entrouvre les yeux avec un peu de peur. Dans cette faible présence où j'ai cru entendre la voix de ma mère, on dirait qu'il y a Œdipe. Je ne vois pas son visage ni ses vêtements que j'ai si souvent lavés et recousus, je n'entrevois que son bandeau d'aveugle et près de lui Diotime, les yeux mi-clos, sur son ferme regard. Oui, ferme et plein de tendresse. Il me semble que ce regard me dit aussi : Tu peux, et que derrière lui on devine : Je te suivrai bientôt. Grâce à tout ce que j'ai reçu d'elle, je sais qu'il vaut mieux que je m'en aille. Que c'est mieux pour Thèbes et peut-être même pour Hémon. Je m'attriste pourtant à l'idée qu'elle me suivra bientôt, le monde sans Diotime sera bien vide, bien diminué.

C'est encore une illusion, déposée en toi par ce Grand Voile dont elle te parlait si souvent. Le monde sans Diotime, le monde sans Antigone sera le même, le soleil ne cessera pas de se lever à l'orient, le vent de gonfler les voiles des navires et l'ardent désir de naître et de vivre ne s'arrêtera pas chez les petits enfants. Rien n'est changé, pense Diotime, si une âme vivante vient remplacer celle qui s'en va.

Quelle sera l'âme vivante qui me remplacera ? La musique de sa voix dans la mienne me convainc que ce sera, que c'est déjà Io.

Les torches, leurs flammes en mouvement, leurs admirables ombres sur les parois blanches et déchirées de ma grotte forment une grande lumière qui m'émeut, qui m'étouffe et dont le chant, que j'écoute sans peut-être l'entendre, est devenu l'élément essentiel. Enlacée à celle d'Io j'entends la voix de K. qui s'élève follement haut, bien au-delà de ses forces. Je voudrais lui crier d'arrêter mais pourquoi, Antigone, puisque tu sais que c'est là qu'il veut aller pour te rejoindre ?

Io s'arrête, elle a raison, il ne faut pas qu'elle se risque sur le chemin dangereux où K. s'aventure. Je la vois un instant à travers la fumée. Qu'elle est simple, qu'elle est belle. Heureuse, que tu es heureuse, Antigone, maintenant que tu vas marcher sur un autre chemin, qu'Io ait la charge de Clios, de son génie, de sa douleur et de ses enfants.

Clios la supplie : "N'arrête pas, continue !" Mais elle : "Quand je chante, Clios, je suis Antigone. Je chante ce que sa vie me dicte, mais je dois rester Io. Regarde, la petite pleure parce qu'elle m'a senti trop loin d'elle et trop longtemps. L'autre qui m'écoutait avec tant d'attention commence à s'inquiéter aussi. Il faut que je m'occupe d'eux, Antigone a décidé d'habiter ce lieu avec nous, elle ne va pas disparaître."

Non, je ne vais pas disparaître pendant qu'Io prend sa fille dans ses bras et sourit à son fils. Ils sont bientôt rassurés pourtant je vois, ou je devine, que sous le sourire d'Io coulent mes larmes. Celles que je ne pouvais m'empêcher de verser pendant que je lançais à Créon ce cri que j'ai oublié, ce cri sorti de moi sans que je le sache, qui en lui disant non, disait oui à l'espoir, minime, inaltéré, qui était, qui est, qui sera indéfiniment.

Io revient, ses enfants sont repartis avec leur nourrice pendant que je tombais sans doute dans un moment de torpeur. Je vois sa forme de fumée qui fait face à Créon, à son esprit de roc, à son cœur emmuré. Elle est l'Antigone du futur, bien plus intrépide, plus lucide que je n'étais. Je vois qu'elle a peur comme moi, qu'elle ne le cache pas et je lui sais gré de me montrer à tous comme je suis, un peu égarée, vite effrayée et pourtant capable, je ne sais comment, de répondre à ce qu'exige cette voix qui parfois m'habite et dont celle d'Io est l'incomparable écho. Voix faite pour parler au cœur de tous et traverser le temps ? Pourquoi traverser le temps ? Est-ce que je ne puis pas m'effacer comme les autres ? Dans le chant d'Io on entend qu'il n'y a rien d'illimité que le présent. C'est ce que j'ai appris sur la route, ce que K. a trouvé dans la musique et qu'Œdipe a fini par découvrir à Colone.

La fumée, par instants, se dissipe, je vois mieux le parcours d'Œdipe que Clios a fait creuser sur sa montagne. C'est une belle œuvre de patience et qui est faite pour durer. Main d'or achève un des gradins du sommet, il se tourne souvent vers la scène et sourit en voyant sa chère Antigone qui chante et défie Créon. Il ne cherche pas à s'expliquer cette métamorphose d'Io en moi, il la vit et il en est heureux.

C'est pour Hémon, pour qu'il sache que je ne suis pas morte dans le malheur que j'ai allumé ces torches, qui font cette fumée, cette chaleur, cette solide lumière si pareille à son amour. J'aurais voulu… Je ne veux plus… Je n'ai plus que la force de vivre et de me consumer comme les flammes qui produisent cette musique céleste qui n'a pas besoin d'exister pour être.

Les enfants sont partis, Io a dû revenir sur la scène car j'entends de nouveau sa voix. K. lui répond parfois, par les notes inouïes, qu'il parvient à tirer encore de ses instruments mais sa voix, comme la mienne, s'est éteinte.

Comment fait Io, elle est Antigone, elle est plus Antigone que moi et elle est en même temps une femme qui a sa vie, un homme, une maison, des enfants ? Tout ce qui me manque, elle le vit dans son corps, son art et son existence quotidienne. Elle me transfigure en elle et elle se transfigure en moi, car dans son chant elle est vierge comme je suis, elle a porté tous mes fardeaux, ses oreilles sont emplies du cri de mes frères tombant des remparts de Thèbes, ses narines ont été envahies par la puanteur du corps décomposé de Polynice. Sa voix, sœur terrestre de celle d'Alcyon, m'atteint, me brise et transperce aussi Clios. Il ne peut supporter, après le jugement de Créon, de me voir traînée au supplice par les soldats, liée à Stentos. Quand je tombe, que je ne puis me relever et qu'il entend Stentos me saisir par les cheveux et redresser son Antigone hurlante, Clios n'est plus que colère sauvage et fureur de tuer. Il se rue vers la barricade pour rejoindre les femmes et les enfants de la ville engloutie. Ils vont combattre, ils vont périr mais il ne sera pas dit – jamais, jamais – qu'Antigone n'a pas été défendue et que l'infamie a eu lieu sans combat. Si Antigone est condamnée pour l'acte de vérité qu'elle a accompli, nous ne voulons plus être vivants dans cette cité ni dans la Grèce ni sur la terre.

Voilà ce que pensent Clios et les cœurs les plus fiers de la jeunesse du monde. Je les admire, je suis comblée par leur courage et leur fidélité et pourtant l'Antigone d'Io leur dit non, comme je l'ai fait. La vérité apparaît qu'Io est seule encore à comprendre : Antigone ne veut pas être défendue. Pas au prix du sang.

Je ne mets rien, peut-être, au-dessus de vaillance et fidélité mais le chant d'Io fait entendre que le courage de vivre est plus grand que celui de mourir. Il y a une fidélité à la vie qui est au-delà de toutes les fidélités, l'Antigone d'Io sait cela bien mieux que je ne le savais. Elle vit ma faiblesse, mon épuisement, elle se laisse tomber sur la terre pour retrouver des forces et elle y découvre l'inépuisable certitude qui lui permet de pousser mon cri. Le cri de mendiante que j'ai lancé sans l'entendre, ce cri que j'ignorais jusqu'à cet instant où elle me force à l'écouter. Ce cri refuse la mort des femmes, des enfants comme celle de Stentos et des soldats. Pas de barricade, pas de sang pour Antigone. Pour cette cause, dit la voix miraculée de l'Antigone d'Io, je peux mourir, en vérité. Avec quelle force, quelle simplicité, quelle espérance elle chante cela. Est-il possible que moi, pauvre fille à bout de forces, désespérée par l'assassinat de mes frères, que j'aie pu avec cette certitude mendier la paix et le renoncement au combat auprès de ceux qui voulaient me défendre.

Clios pleure, en quelques gestes admirables, il ouvre la barricade. L'Antigone d'Io pleure les larmes de Stentos, celles qui remontent du plus profond de la vie sans amour. Je les entends couler aussi dans les sons essentiels que K. parvient encore à tirer de ses percussions.

Cri de bonheur de l'Antigone d'Io, le combat n'a pas eu lieu, Clios et Stentos forment les gestes de compassion qui relèvent Antigone et la soutiennent jusqu'à l'entrée de la grotte.

Le cri a ouvert à Stentos la porte d'une vie nouvelle qu'il commence en devenant mon dernier ami, celui qui refuse l'ordre de me laisser mourir dans le noir et qui fait, de la grotte obscure de Créon, un petit temple de clarté.

Je me suis endormie à nouveau, un son immense m'éveille. C'est Stentos qui crie la deuxième heure de mon étranglement dans la pierre et la fumée. La deuxième heure, alors que je sens que j'ai déjà passé ici une grande part de ma vie. Il crie d'une voix heureuse : Hémon ! Hémon est à Thèbes !

Clios a beau dévaler à grands bonds tous les gradins, Hémon arrivera trop tard. Il est à la porte de Thèbes, il apprend que je suis condamnée. Quelle musique redoutable fait le galop de son cheval sur les pavés de Thèbes. Adieu, Hémon, il faut que je me recueille en moi-même pour vivre pleinement les derniers instants de mon souffle.

Hémon veut sauver son père de l'erreur, il ne voit pas que c'est sa véritable pensée. Il lui dit qu'un homme seul ne peut pas diriger une cité contre la pensée de tous. Mais Créon est aveugle et sourd, c'est toi, Antigone, qui le forces à manifester son aveuglement à son fils, toi qui l'as contraint à proférer son dernier mot, le mugissement buté de son inguérissable orgueil : Jamais une femme ne fera la loi à Thèbes. Hélas, le malheur est arrivé, Hémon découvre qui est son père, il s'aperçoit qu'il ne l'a jamais compris et n'a aimé en lui que la vaillance du guerrier et l'obéissance du fils. Il n'a plus de père, il n'en a jamais eu que l'égoïste apparence. Il n'a plus devant lui que le juge et l'assassin d'Antigone qui dit les mots irréparables : "Tu n'as qu'à féconder un autre sillon."

Tout est fini entre eux, Hémon est plongé dans le malheur. Etéocle, l'initiateur, l'admirable ami, est mort, Créon est dénaturé. Il ne lui reste que moi et, en cet instant, l'Antigone d'Io lui signifie avec une déchirante douceur que je suis en train de changer d'existence.

Ma vie s'en va, cher Hémon, il est heureux qu'elle s'en aille avant que ne s'ouvre entre le père et le fils une guerre atroce que tu ne pourrais plus éviter. Heureusement je ne respire plus qu'à peine, l'écharpe blanche d'Ismène ne m'a pas donné la mort mais elle ne protège presque plus mes poumons dévastés. Le cœur se ralentit, je ne puis plus remuer mes membres ni même soulever ma main. Je ne puis plus qu'écouter et voir par instants l'Antigone d'Io, mais je ne suis plus sûre de le faire avec mes yeux et mes oreilles de vivante.

Tu étouffes mais grâce à Stentos et à tes derniers amis tu vis encore dans la lumière. Cette lumière dont Œdipe, dans un de ses jours heureux, t'a dit qu'elle était ta façon d'exister.

Parole bienheureuse, qui survit encore dans la mémoire et que je reconnais dans la voix de l'Antigone d'Io et les derniers sons aériens de K. L'Antigone d'Io ne sait pas qu'elle chante ma mort et n'a pas besoin de le savoir, il lui suffit de la vivre puisqu'elle est déjà la véritable et bientôt sera l'unique Antigone. Clios et Main d'or ne comprennent pas non plus ce qui a lieu, mais ils sont subjugués par ce qu'ils entendent et entrevoient. Clios ne danse plus, Main d'or a quitté son travail, ils écoutent et ils souffrent. Ils sont transportés par le chant de l'Antigone d'Io et pourtant, sans le savoir, ils souffrent de mon silence, de mon souffle haletant, de mon existence étranglée.

Clios, à sa façon, voudrait bondir, voudrait clamer : "Io, jamais tu n'as chanté ainsi, tu égales Alcyon, tu es Orphée." Mais il ne bouge pas, il écoute, il entend mourir ses deux Antigone : la naufragée et la survivante et il regarde le sourire de K. Le sourire de celui qui, sur la route obscure, est déjà dans l'unanime.

Les sons que j'entends encore sont trop purs, trop limpides, bien trop immenses pour que je puisse leur survivre, mais ils ne le sont pas pour l'Antigone d'Io et celles que je devine derrière elle. Quel bonheur, je ne suis plus nécessaire, je ne suis plus obligée de respirer avec tant de peine, je peux me fondre dans la douce, dans l'anonyme obscurité.

Est-ce le bruit d'un galop que j'entends ? Est-ce Stentos et les soldats qui crient : Hémon ! Hémon !

Trop tard. Main d'or court vers le sommet des gradins… K. a laissé tomber son dernier instrument… Un flot de sang envahit ma bouche. Confusément je perçois encore la lumière et les derniers accents de l'Antigone d'Io. Dans sa voix le oui et le non se rejoignent.

Ebranlement de tout mon être, je quitte ma forme et l'amour que mon corps me portait. Quelqu'un tombe, ce n'est pas moi, c'est l'Antigone d'Io. C'est vers elle que Clios bondit, c'est elle qu'il relève. Son Antigone meurt mais il n'a pas le temps de le comprendre car l'Antigone d'Io est vivante, elle est tombée et c'est elle qui a besoin de lui.

Elle ne chante plus. Elle dit :

"Aide-moi, Clios, j'ai chanté longtemps. Bien trop longtemps. Je ne savais plus qui j'étais.

355

J'étais l'autre. J'étais la vraie. Mais… les enfants !
Les enfants, je leur ai promis que nous serions
là pour les border… Vite, Clios, il ne faut pas
qu'ils pleurent."

Montour, 1er août 1992 –
Paris, 2 juin 1997

TABLE

Julien Burgonde
ICARE ET LA FLÛTE ENCHANTÉE

Jérôme Camilly
L'OMBRE DE L'ÎLE

Muriel Cerf
LE VERROU

Jean-Paul Chavent
VIOLET OU LE NOUVEAU MONDE

Annie Cohen
L'HOMME AU COSTUME BLANC
LE MARABOUT DE BLIDA

Ilan Duran Cohen
CHRONIQUE ALICIENNE

Andrée Corbiau
FARINELLI, IL CASTRATO

Alexis Curvers
LE MONASTÈRE DES DEUX SAINTS JEAN

Anne-Marie C. Damamme
UN PARFUM DE TABAC BLOND

Yves Delange
EUDORA
LE CONCERT A KYOTO

Michèle Delaunay
L'AMBIGUÏTÉ EST LE DERNIER PLAISIR

Yves-William Delzenne
UN AMOUR DE FIN DU MONDE
LE SOURIRE D'ISABELLA

François Depatie
MAGDA LA RIVIÈRE

Sébastien Doubinsky
LES VIES PARALLÈLES DE NICOLAÏ BAKHMALTOV
LA NAISSANCE DE LA TÉLÉVISION SELON LE BOUDDHA

Vercors
LES MOTS

Anne Walter
LES RELATIONS D'INCERTITUDE
TROISIÈME DIMANCHE DU TEMPS ORDINAIRE
MONSIEUR R.
RUMEURS DU SOIR
LA NUIT COUTUMIÈRE
LE CŒUR CONTINU
LE PETIT LIVRE AVALÉ
L'HERBE NE POUSSE PAS SUR LES MOTS
L'INACHEVÉ

Jean-Gabriel Zufferey
SUZANNE, QUELQUEFOIS

GÉNÉRATIONS

Textes français du temps présent

Catherine Chauchat
LITTLE ITALY

Ying Chen
L'INGRATITUDE

Christophe Donner
L'ÉDIFICE DE LA RUPTURE

Didier-Georges Gabily
L'AU-DELÀ

Philippe de la Genardière
MORBIDEZZA
GAZO

Jean-Paul Goux
LA COMMÉMORATION

Tassadit Imache
LE DROMADAIRE DE BONAPARTE

Virginie Lou
ÉLOGE DE LA LUMIÈRE AU TEMPS DES DINOSAURES

Ouvrage réalisé par l'atelier graphique Actes Sud. Reproduit et achevé d'imprimer sur Roto-Page en juillet 1997 par l'Imprimerie Floch à Mayenne, sur papier des Papeteries de Jeand'heurs pour le compte des éditions Actes Sud Le Méjan Place Nina-Berberova 13200 Arles.
Dépôt légal 1re édition : août 1997.
N° impr. 41956.
Imprimé en France.